À la croisée des pouvoirs

Une organisation paysanne face à la gestion des ressources Basse Casamance, Sénégal

La collection « À travers champs », publiée par IRD Éditions, témoigne des mutations que connaissent aujourd'hui les sociétés rurales et les systèmes agraires des pays tropicaux.

Les études relèvent souvent des sciences sociales, mais les pratiques paysannes sont également éclairées par des approches agronomiques.

Les publications s'organisent autour d'un thème ou s'appliquent à des espaces ruraux, choisis pour leur caractère exemplaire.

Jean Boutrais

Directeur de la collection

Parus dans la collection « À travers champs »

Le risque en agriculture – Éd. sci. : Michel Eldin et Pierre Milleville

L'ombre du mil. Un système agropastoral sahélien en Aribinda (Burkina Faso)
Dominique Guillaud

Les charrues de la Bagoué. Gestion paysanne d'une opération cotonnière en Côte d'Ivoire – J. Peltre-Wurz, B. Steck

Le meilleur héritage. Stratégies paysannes dans une vallée andine du Pérou
Marguerite Bey

De vaches et d'hirondelles. Grands éleveurs et paysans saisonniers au Mexique
Éric Léonard

Jours ordinaires à la finca. *Une grande plantation de café au Guatemala*
Charles-Édouard de Suremain

La terre d'en face. La transmigration en Indonésie – Patrice Levang

Paysans Seerer. Dynamiques agraires et mobilités au Sénégal
Éd. sci. : André Lericollais

Chair de la terre, œil de l'eau (Imerina, Madagascar)
Hervé Rakoto Ramiarantsoa

Le terroir et son double. Tsarahonenana 1966-1992
Chantal Blanc-Pamard, Hervé Rakoto Ramiarantsoa

Partir pour rester. Survie et mutations de sociétés paysannes andines (Bolivie)
Geneviève Cortes

Les deux visages du Sertão. Stratégies paysannes face aux sécheresses (Nordeste, Brésil) – Marianne Cohen, Ghislaine Duqué

Apprivoiser la montagne. Portrait d'une société paysanne dans les Andes (Venezuela) – Pascale de Robert

Le coton des paysans. Une révolution agricole en Côte d'Ivoire (1880-1999)
T. J. Basset

Un droit à inventer. Foncier et environnement dans le delta central du Niger
Olivier Barrière, Catherine Barrière

Figures du métayage. Étude comparée de contrats agraires au Mexique
Éd. sci.: Jean-Philippe Colin

Les orphelins de la forêt. Pratiques paysannes et écologie forestière (les Ntumu du Sud-Cameroun) – Stéphanie Carrière

À la croisée des pouvoirs

Une organisation paysanne face à la gestion des ressources Basse Casamance, Sénégal

Pierre-Marie Bosc

IRD Éditions
INSTITUT DE RECHERCHE
POUR LE DÉVELOPPEMENT

Cirad
CENTRE DE COOPÉRATION INTERNATIONALE
EN RECHERCHE AGRONOMIQUE POUR LE DÉVELOPPEMENT

collection À travers champs

Paris, 2005

Préparation éditoriale
Corinne Lavagne

Mise en page
Gris Souris

Coordination, fabrication
Corinne Lavagne

Correction
Marie-Odile Charvet-Richter

Maquette de couverture
Michelle Saint-Léger

Maquette intérieure
Catherine Plasse

Photo de couverture
IRD/J. Gautier : « Famille Diola »

Sauf mention particulière,
toutes les photos sont de l'auteur.

ISSN : 0998-4658
ISBN IRD : 2-7099-1562-6
ISBN Cirad : 2-87614-601-0

à Henri Bosc

Remerciements

C'est à la fin des années 1980 que s'engage une recherche en partenariat avec une organisation paysanne dans une région casamançaise en proie à une grave crise écologique, alimentaire, sociale et politique, alors que les ruraux se trouvent confrontés au désengagement brutal des services de l'État. Avec le recul du temps, on mesure mieux le risque que représentait une telle aventure pour l'Agence française de développement (AFD), qui a financé le projet. Cette expérience a constitué une occasion exceptionnelle de prise de parole par une organisation paysanne. Cette prise de parole porte sur des questions aussi fondamentales pour les ruraux que la sécurité alimentaire, la gestion durable des ressources naturelles et leur résilience ainsi que la prise en charge de fonctions complexes d'aménagement et d'innovation. Le pari était osé pour un bailleur de fonds, et certains ont soutenu avec conviction cette entreprise : Serge Michaïloff et Jean-Marc Gravellini, alors successivement en poste à l'agence de Dakar. Ensuite, comme la majorité des bailleurs, l'AFD a choisi de concentrer son action sur des domaines thématiques en retrait par rapport au secteur agricole et rural. Les récentes évolutions montrent bien toutefois que la lutte contre la pauvreté et la gestion durable des ressources naturelles passent par un renouvellement des investissements publics et privés à destination des ruraux et par le renforcement à long terme des capacités des ruraux. On ne peut que souhaiter que la publication de cette recherche contribue modestement à alimenter le renouveau de ces réflexions.

Cet ouvrage est issu d'une thèse en économie du développement agricole, agroalimentaire et rural, soutenue en 1998 à l'Agro-Montpellier.

Le Cirad et mon département de rattachement, SAR puis Tera, m'ont donné les moyens de réaliser librement ce travail, dans un cadre contractuel tout d'abord, puis sur des fonds propres, et ont apporté le soutien financier permettant cette coédition avec l'IRD. De nombreux collègues du Cirad m'ont encouragé, au sein de l'unité de recherche « Innovation dans les systèmes agricoles et agroalimentaires (Isaa) » du Cirad, sous la responsabilité de Jean-Michel Yung, puis du programme « Agricultures familiales et mondialisation (AFM) », dirigé par Bruno Losch jusqu'en 2002, auquel j'ai succédé jusqu'en 2004.

Parmi ceux qui ont contribué à cet itinéraire de recherche et de publication, je tiens à mentionner et remercier chaleureusement Jacques Berthomé (Ciepac) et Marie-Rose Mercoiret, qui m'ont introduit auprès des partenaires casamançais et m'ont fait bénéficier de relations de confiance avec les responsables et membres des organisations paysannes de Basse Casamance. Là-bas, je suis particulièrement reconnaissant à Bara Goudiaby, Dianké Dieme, la présidente du Cadef, Ablaye « Chat » Goudiaby, El Hadj Goudiaby, Maïmouna Sambou, Mafoudji Coly, Mamadou « Chef » Goudiaby, Aliou Bodian et Ibou Ndao Goudiaby, qui m'ont fait confiance et m'ont aidé à appréhender la complexité des sociétés de Basse Casamance.

Jacques Weber, Philippe Lacombe et Marie-Rose Mercoiret ont assuré l'encadrement scientifique de la thèse. Jean-Baptiste Boutrais, relecteur vigilant, et Marie-Christine Cormier-Salem sont à l'origine du projet de publication. Quant aux multiples remarques, critiques et suggestions dont les versions successives du manuscrit se sont constamment enrichies, j'en suis redevable au comité éditorial du Cirad et aux éditions de l'IRD.

Au-delà de l'écriture, l'exercice collectif d'édition de cet ouvrage a mobilisé des soutiens compétents, patients et précieux : Marie-Christine Duchamp pour la bibliographie, Nathalie Teyssier pour les cartes et graphiques, Chantal Mazzela-Second pour l'édition des nombreux manuscrits intermédiaires, enfin Elisabeth Lorne et Corinne Lavagne des éditions de l'IRD, qui ont supervisé et réalisé le travail d'édition final.

Sommaire

Une organisation nouvelle dans une société paysanne ancienne

Introduction

La Basse Casamance, dans le sud du Sénégal, constitue un terrain de recherche privilégié pour analyser la place et le rôle des organisations paysannes dans la gestion des ressources naturelles. Comme ailleurs en Afrique, cette gestion repose sur des mécanismes de décision impliquant de manière privilégiée les autorités coutumières. Les formes d'appropriation de ces ressources et les décisions concernant leur mobilisation dans le cadre des activités agricoles trouvent leur origine dans l'histoire des sociétés.

Les organisations paysannes sont apparues et ont renforcé leurs capacités de mobilisation et d'intervention durant les vingt-cinq dernières années. Pourtant, et de manière singulière, leurs domaines d'intervention concernent assez peu la gestion des ressources naturelles. Les modes de coordination de la gestion de ces ressources relèvent essentiellement de relations lignagères. À l'inverse, les nouvelles formes d'organisation paysanne se focalisent généralement sur la prise en charge de fonctions économiques plus « classiques » comme la commercialisation, l'approvisionnement en intrants ou encore l'accès au crédit. Ces organisations opèrent dans un espace « contraint » par les relations et les coordinations de type lignager d'un côté, et par l'environnement économique et institutionnel régi par les règles de l'intervention publique et des marchés de l'autre. C'est dans cette interface complexe que s'inscrit la problématique de cet ouvrage : le rôle des organisations paysannes dans l'évolution des modes de coordination entre les acteurs à propos des ressources renouvelables.

La Basse Casamance présente à cet égard des conditions particulières. La dynamique d'organisation des paysans et des ruraux y connaît une véritable effervescence depuis la fin des années 1970 ; les groupements et les associations ou fédérations y sont nombreux et présentent une configuration inédite en termes de dispositif d'action collective.

Certes, située à l'écart des régions sahéliennes fortement frappées par les sécheresses des années 1970 et 1980, la Basse Casamance conserve l'image d'une « région verte, grenier du Sénégal », pour la production de riz notamment. Cependant, comme d'autres régions des « Rivières du Sud », elle a été fortement marquée par la dégradation des conditions climatiques, et le fonctionnement des écosystèmes a été atteint, souvent de manière profonde. Mais ce milieu est résilient, et une gestion raisonnée des ressources permet de rétablir des conditions favorables de mise en valeur agricole. La recherche l'a montré à propos des mécanismes physiques. C'est dans ce contexte qu'une organisation paysanne, le Comité d'action pour le développement du Fogny (Cadef), s'est attaquée avec succès au défi technique et social que constitue le développement durable de la production agricole.

Les formes d'organisation nouvelles ne peuvent pas être considérées comme le prolongement de l'organisation lignagère des sociétés, pas plus qu'elles ne sont des créations complètement exogènes à ces dernières. Certaines organisations paysannes ont cherché à apporter des réponses à l'enchaînement des crises affectant les bases productives des sociétés paysannes dont elles sont issues. Cet ouvrage étudie le rôle d'une organisation paysanne dans la gestion des ressources renouvelables, à l'interface des pouvoirs coutumiers et des interventions extérieures. Dans quelle mesure et comment des modes de coordination historiquement constitués et établis par l'usage peuvent-ils être modifiés par des pratiques rénovées ?

Des changements inédits

La Basse Casamance peut être considérée comme un champ d'investigation privilégié pour deux raisons principales. La première tient à la longue expérience de riziculture paysanne aménagée dans certaines zones, dont témoignent des travaux de référence comme ceux de P. Pélissier dans les années 1950. La seconde raison tient au recul dont on dispose – plus de trente ans – en matière d'interventions extérieures, publiques ou privées, pour améliorer la gestion des systèmes de culture rizicoles.

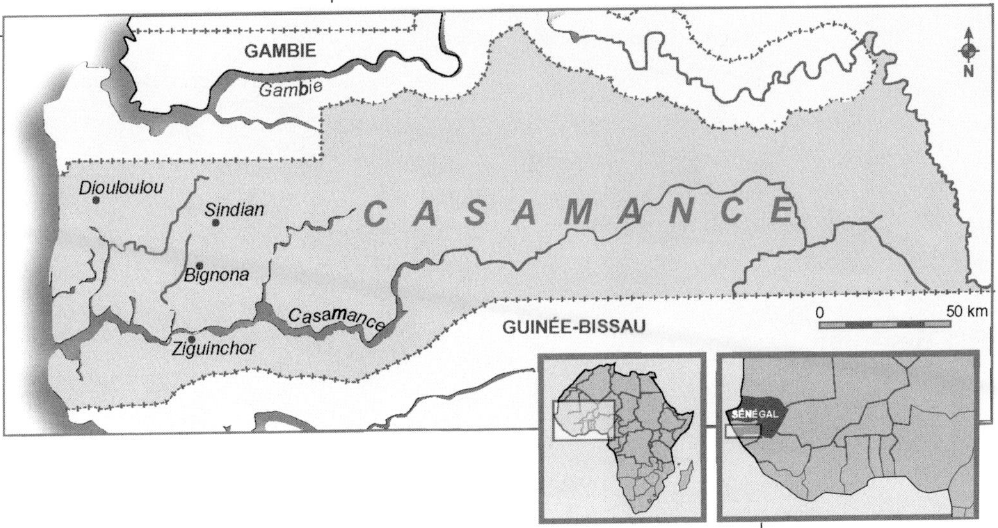

Figure1 –
Carte de situation.

La Casamance fait partie de l'ensemble géographique ouest-africain des Rivières du Sud (Dresch, 1949) qui constitue l'une des aires de riziculture africaine dont l'histoire est très ancienne (Portères, 1950). Cette riziculture a donné lieu à des aménagements hydro-agricoles spectaculaires, les paysans casamançais étant réputés pour leurs capacités d'aménagement qui autorisent la pratique de la riziculture dans un milieu soumis notamment à la salinité (Pélissier, 1966 ; Linares, 1992)

La Casamance peut également se prévaloir d'une expérience dans la durée en matière d'interventions publiques ou privées qui se sont attachées à promouvoir des solutions techniques pour enrayer les processus de dégradation affectant la riziculture, les vallées et plus globalement l'écosystème cultivé dans son ensemble. En Casamance, les préoccupations relatives aux interventions sur le milieu ne sont pas nouvelles, ni pour la recherche, ni pour l'État sénégalais, ni pour les sociétés d'intervention qui y opèrent depuis le milieu des années 1960. Conçues dans une première période pour accroître les capacités paysannes de mise en valeur rizicole des milieux inondables, les interventions se sont orientées principalement sur les questions de réhabilitation des écosystèmes à partir des années 1975-1980, à la suite de la persistance de la baisse de la pluviométrie. Cependant, le bilan de ces interventions

Des terres cultivées en relation avec les eaux salées.

est loin d'être globalement positif : on ne dénombre guère de succès des interventions extérieures sur ces problématiques, malgré des diagnostics scientifiques et des recherches pertinentes, tant sur les mécanismes de dégradation du milieu que sur les solutions techniques à mettre en œuvre. Une part de cet ouvrage tente de faire le point sur ces questions à partir d'une analyse critique de la littérature combinée à une recherche de terrain conduite entre 1992 et 1997.

Les dynamiques d'organisation des paysans et des ruraux sont particulièrement fortes en Casamance, et notamment dans le département de Bignona. Depuis l'échelon des groupements au niveau des quartiers ou des villages jusqu'aux associations départementales, elles-mêmes fédérées dans une coordination unique, le fait organisationnel est massif : 410 groupements environ, 9 associations départementales réunies dans la coordination départementale et qui regroupent environ 25 000 adhérents pour une population rurale de 158 000 habitants, dont 68 000 (43 %) ont entre 15 et 49 ans (Dardé, 1995).

À la suite du démantèlement du secteur parapublic, ces organisations paysannes tentent de manière chaotique et précaire, eu égard à leurs moyens, de participer à la reconstruction d'un environnement économique et institutionnel plus favorable, notamment à partir du développement de multiples activités mobilisant fortement les «jeunes» et les femmes. Cependant, en dépit de la prégnance de la question de la dégradation des conditions physiques de production, fort peu d'associations s'engagent dans des opérations de réhabilitation du milieu cultivé. Une association intervillageoise de développement local, le Cadef, s'est cependant attaquée avec un succès relatif à ces problèmes.

Le Cadef est une association créée en 1983 qui fédère une quarantaine de groupements villageois ou de quartier. Avec le désengagement de l'État, à partir de 1985, cette organisation paysanne a peu à peu acquis un rôle central dans l'appui aux initiatives locales dans l'arrondissement de Sindian, qui correspond à la zone historique et culturelle du Fogny. Loin de se cantonner aux domaines d'activité habituels des organisations paysannes (maraîchage, petite hydraulique), le Cadef a développé très tôt, avec l'aide d'une ONG, le Ciepac, une approche globale de développement local et d'amélioration des systèmes de production.

En matière de réhabilitation de la riziculture, l'expérience du Cadef peut être considérée comme un succès relatif. Sur une période d'environ dix ans (1983-1994), une dizaine de barrages anti-sel et de retenues d'eau ont été construits dans le cadre de l'association et peuvent être considérés comme globalement appropriés par les populations qui en bénéficient. Les digues sont entretenues, les ouvrages réparés et, en cas de destruction importante par une crue, des ressources locales et extérieures (par le biais de l'association) sont mobilisées afin de sauvegarder l'aménagement, ce qui traduit son appropriation par les usagers. Les techniques de mise en culture ont été ajustées aux nouvelles conditions de maîtrise de l'eau, et environ 800 hectares de rizières produisent à nouveau, avec des rendements souvent supérieurs à 2,5 tonnes, ce qui correspond au double des rendements moyens habituellement obtenus dans ces formes de riziculture en Basse Casamance, et ce depuis plus de dix ans pour les zones aménagées les plus anciennes (Bosc *et al.*, 1995).

Ce succès, même s'il est relatif, nous a incité à choisir la Casamance comme terrain de recherche privilégié pour les raisons suivantes :

– l'ancienneté des techniques paysannes d'aménagement du milieu pour la riziculture ;

– l'échec récurrent de la majorité des interventions publiques en matière d'aménagement hydroagricole ;
– de fortes dynamiques des organisations paysannes peu présentes habituellement sur les questions de gestion des ressources ;
– une expérience réussie en matière de réhabilitation de la riziculture de la part d'une organisation paysanne.

Nous avons fait le choix méthodologique de privilégier une entrée dans la réalité casamançaise par les organisations du fait de leur rôle d'interface entre les structures lignagères et l'environnement institutionnel.

La majorité des organisations paysannes n'ayant pas d'expérience en matière d'intervention sur les modes de gestion des ressources renouvelables, il est opportun et intéressant qu'elles soient partie prenante d'une analyse approfondie et critique des interventions de développement. Cette analyse est d'autant plus attendue que les interventions classiques (projets d'intensification de la riziculture par exemple ou projets issus d'ONG) persistent à agir en dehors des organisations paysannes. C'était le cas lors de la réalisation des travaux de terrain. Il n'est pas certain que les modes d'intervention aient radicalement changé dans cette zone.

Le Cadef représente la seule expérience pouvant se prévaloir d'un succès en la matière – même si nous sommes amenés à nuancer le propos en fonction des sites retenus pour l'analyse détaillée de situations d'aménagement. Pour cette organisation, il y a un intérêt manifeste à tirer les enseignements d'une action entreprise dans la durée.

Enfin, et ce n'est pas le moindre atout au plan méthodologique de ce type de collaboration, cette entrée par les organisations, préparée par un investissement dans la durée sur ce terrain, nous a permis d'accéder dans des délais relativement brefs à des informateurs privilégiés sur les relations de pouvoir au sein de la société locale et sur la conduite des actions de développement du Cadef ou d'autres opérateurs.

Le département de Bignona offre donc un cadre spatial approprié pour s'interroger sur :
– l'évolution des modalités d'intervention en matière de gestion des ressources renouvelables durant la période postérieure à l'Indépendance ;
– les conditions qui expliquent les résultats positifs mais contrastés obtenus par une association paysanne intervillageoise.

La notion de mode de coordination

L'organisation paysanne étudiée a joué un rôle spécifique dans le processus d'innovation – entendu au sens large dans ses différentes dimensions techniques, économiques, sociales et institutionnelles – qui a conduit à la réhabilitation des conditions de production et au développement de la production de riz. À travers cette expérience, nous nous intéressons aux modalités et aux conditions de l'action collective dans le domaine de la gestion des ressources renouvelables mobilisées pour l'activité agricole.

La recherche s'organise autour de l'interrogation suivante : quels sont les modes de coordination qui sous-tendent l'action des organisations paysannes en matière de gestion des ressources renouvelables ? Plus précisément, quelles sont les formes, les modalités et les conditions de l'action des organisations paysannes dans le domaine des ressources renouvelables mobilisées pour l'activité agricole ?

Cette interrogation ne peut être isolée du contexte économique et institutionnel dans lequel elle est posée, à savoir la double dynamique dans laquelle se trouve le Sénégal de désengagement de l'État et de recompositions institutionnelles autour d'acteurs essentiellement privés, qui voient brusquement leur espace d'initiative économique, institutionnel et politique s'élargir potentiellement.

Les modalités et les conditions de l'action des organisations paysannes à propos de la mobilisation des ressources renouvelables à des fins agricoles seront abordées à partir de la notion de mode de coordination. Le mode est défini comme la « forme particulière selon laquelle s'accomplit une action ». En effet, « l'activité productive [étant] par nécessité une forme d'action collective fondée sur le paradoxe (au sens d'Olson) des actions individuelles, la question est de savoir comment les acteurs parviennent à entrer dans des formes d'action collective efficaces, c'est-à-dire coordonnées avec succès » (STORPER, 1995). Pour OLSON (1978), l'action collective trouve une part importante de sa justification dans les avantages personnels (matériels ou symboliques) que les individus retirent de leur investissement dans des dynamiques collectives.

Ces modes de coordination seront appréhendés à deux niveaux. Le premier est interne et concerne, au sein des sociétés, les rapports de pouvoir entre lignages, individus et groupes sociaux concernant l'appropriation et la gestion des ressources renouvelables. Le second niveau se situe au point de rencontre entre ces logiques sociales internes et les interventions qui ont pour objectif de modifier les usages des ressources renouvelables mobilisées à des fins agricoles.

Deux hypothèses ont servi de référence au cours de la recherche :

(I) les organisations paysannes qui émergent et se renforcent dans la période actuelle se situent à l'interface de deux systèmes en interaction permanente : le système local et son environnement global ;

(II) la question posée renvoie à l'analyse des modes de coordination non marchands entre acteurs, et notamment aux conditions de l'action collective concernant les ressources renouvelables utilisées à des fins agricoles.

Quel que soit le type d'organisation considéré en matière de gestion des ressources renouvelables, il importe de prendre en considération les modes d'appropriation de ces ressources par les populations (WEBER, 1993).

En Casamance, les ressources renouvelables se différencient par des statuts variés en termes d'appropriation ; certaines (les parcelles de bas-fonds) sont appropriées par des lignages ou des familles et sont mises en valeur de manière individuelle ; d'autres (les terres de plateau) sont mises en valeur par les responsables des unités familiales en fonction de décisions prises collectivement en début d'hivernage par les chefs des famille qui définissent alors la répartition entre terres de parcours pour le bétail et terres de culture ; enfin, la ressource en eau que crée un barrage constitue un bien collectif non approprié, dont la gestion reste à définir entre l'organisation paysanne, les responsables coutumiers et les utilisateurs finaux dans les rizières.

Les institutions coutumières garantissant par leur autorité la conformité des comportements des individus et des familles aux règles collectives, l'implication d'une organisation paysanne ou d'une intervention externe dans des équipements qui modifient aussi radicalement les ressources et leurs modes de gestion entraîne nécessairement une négociation et des compromis entre organisations et institutions.

Coordinations entre organisation paysanne et autres acteurs

En matière d'aménagement d'une vallée, l'expérience du Cadef montre l'intérêt de raisonner en termes de processus de prise de décision.

Pour aborder cette question, un rappel historique précisera les conditions d'émergence du Cadef, ce qui conduira à le situer vis-à-vis des enjeux de pouvoir au sein de la société locale, et par rapport aux détenteurs du pouvoir au niveau coutumier.

La construction d'une organisation comme le Cadef et les actions qu'il a entreprises, comme toute action collective, n'est pas un phénomène « naturel », c'est un « construit social » au sens où le définissent CROZIER et FRIEDBERG (1977). Envisager l'étude des modalités d'intervention d'une organisation paysanne dans le domaine des ressources renouvelables impose donc, dans un premier temps, de s'interroger sur sa nature, et en particulier sur ses liens avec les structures coutumières.

Les dynamiques d'aménagement supposent de prendre en considération, d'une part, les modes de coordination entre le Cadef et ses partenaires et, d'autre part, les modes de coordination mis en œuvre par le Cadef au niveau local.

En effet, le Cadef n'opère pas de manière isolée. L'organisation ne cherche pas à se substituer à d'autres opérateurs mais entretient des relations de partenariat favorisant les processus d'innovation qui répondent aux besoins des populations. Les relations du Cadef avec les autres acteurs de l'environnement sont importantes à étudier, de même que leur influence sur la dynamique d'action engagée par l'organisation. Pour reprendre l'expression de Crozier et Friedberg, il s'agit de montrer comment se crée et se développe « le système d'action concret » que constitue le Cadef dans son environnement (recherche, secteur privé, administration...).

La construction d'un barrage comporte des négociations, des modalités d'organisation et de conduite du chantier, et la mise en place de nouvelles règles collectives pour assurer son fonctionnement. Ensuite, au niveau de sa propre structuration interne et vis-à-vis de ses adhérents, le Cadef, à partir des structures de base que constituent les groupements au niveau des quartiers ou des villages, met en place des comités de gestion opérationnels au niveau de chaque barrage afin de réguler l'utilisation des ouvrages et de favoriser l'indispensable adaptation des pratiques culturales.

La mise en œuvre d'un aménagement de vallée mobilise ainsi des niveaux multiples de prise de décision (chefs de famille, chefs de quartier et de village, anciens, notables) et suppose un accord des différentes composantes du pouvoir local. Les pouvoirs locaux sont traversés par des conflits multiples, plus ou moins apparents ou vivaces mais qui ne peuvent pas ne pas avoir d'influence sur les prises de décision collectives : conflits entre familles ou entre quartiers pour des questions foncières, rivalités politiques, tensions entre aînés et cadets... Nous ferons l'hypothèse que le rôle de l'organisation paysanne sur le plan local dépend de son insertion dans le jeu des pouvoirs locaux et de la plus ou moins grande cohérence entre les pouvoirs locaux et les acteurs de l'association. En fonction des enseignements de l'histoire et des formes spécifiques de la structuration sociale dans cette partie de la Basse Casamance, plusieurs types de pouvoir sont identifiables en fonction de leur origine.

Les modalités d'intervention technique du Cadef seront resituées dans le cadre de l'évolution générale des modes d'intervention en matière de développement agricole. Les situations d'aménagement dans le département de Bignona illustrent de façon particulièrement significative ces évolutions, eu égard notamment à la diversité des types d'intervenants qui caractérisent des moments et des conceptions particulières de l'histoire récente de ce qu'il est convenu d'appeler le « développement ».

Le Cadef opère comme un réducteur d'incertitude dans le domaine des relations avec les partenaires institutionnels du développement, dans un contexte de changements mais aussi de permanences en matière de conception et de conduite des opérations d'aménagement. Le Cadef a été, également, capable de réduire – dans une certaine mesure, mais de manière significative – l'asymétrie existant dans la situation de pouvoir qui caractérise la relation entre les paysans et les intervenants extérieurs. Cela s'est manifesté notamment à travers le développement de capacités intrinsèques d'initiative, d'organisation et de prise de décisions collectives à une échelle significative, par le développement de compétences techniques et organisationnelles internes spécifiques, par la formation et par un accès accru à l'information au niveau de l'association, et enfin par le renforcement des capacités de négociation et de maîtrise des financements vis-à-vis de l'extérieur.

Mise en perspective historique et échelles spatiales

Il semble difficile de prétendre aborder cette question complexe sans une mise en perspective historique selon deux pas de temps distincts.

(I) Une première mise en perspective historique se situe dans la longue durée et concerne de manière privilégiée la construction et l'évolution des modes d'appropriation des ressources renouvelables par les lignages. Ces modes d'appropriation seront considérés comme un produit historique des rapports sociaux entre les différents groupes qui ont occupé l'espace et qui ont noué autour du contrôle de l'espace et des ressources renouvelables des relations fondées sur la parenté, le conflit ou l'alliance à travers les pratiques matrimoniales. L'analyse des modes d'appropriation des ressources permettra de comprendre partiellement les réseaux de liens lignagers (et les antagonismes éventuels qui unissent ou divisent les unités sociales composant le Cadef).

(II) À l'inverse, la seconde mise en perspective porte sur le temps court ; elle s'applique à la période débutant après la Seconde Guerre mondiale, qui a vu « le développement » succéder à « la mise en valeur » coloniale pour se poursuivre après l'Indépendance jusqu'à nos jours. Cette époque se caractérise par une multiplication et une diversification des interventions dans le domaine du développement agricole, avec une attention variable portée aux ressources renouvelables. L'évolution des modalités d'intervention est directement liée aux changements institutionnels du secteur agricole.

L'analyse détaillée des interventions passées qui ont eu pour objectif l'amélioration des ressources renouvelables est en elle-même révélatrice des modes de coordination entre acteurs ; elle s'avère en outre un contrepoint particulièrement éclairant sur les modes de coordination entre le Cadef et son environnement actuel.

Les phénomènes étudiés se situent également à différentes échelles géographiques, qu'il convient de préciser afin de leur faire correspondre les concepts et les analyses les plus adaptés.

(I) L'échelon des vallées aménagées est – au sens géographique – la plus grande échelle d'observation des phénomènes. C'est à ce niveau que nous appréhenderons les modes de coordination entre structures lignagères et organisation paysanne.

(II) L'échelon de l'arrondissement est celui qui, au plan administratif, a succédé directement aux chefferies de canton de la période coloniale. En ce qui concerne notre terrain d'investigation, l'arrondissement de Sindian correspond peu ou prou à la zone d'intervention du Cadef. C'est donc à cette échelle que nous envisagerons l'histoire de la création du Cadef, tout en la situant de manière succincte dans le contexte plus large des évolutions de la vie politique sénégalaise.

(III) L'échelon du département de Bignona correspond à l'échelle choisie pour étudier les interventions dans l'aménagement des vallées et la réhabilitation de la riziculture dans la période postérieure à l'Indépendance ; de nombreuses interventions se sont alors succédé dans ce domaine.

(IV) L'échelon de la Basse Casamance sera l'échelon du temps historique pour appréhender la construction des modes d'appropriation du foncier et des ressources renouvelables. Cette compréhension sera utile pour comprendre l'organisation sociale et les relations entre organisation sociale coutumière et ressources renouvelables.

(V) Enfin, les échelons national et international seront mobilisés afin de situer les observations sur la Basse Casamance dans le cadre plus global des évolutions liées aux politiques économiques et aux politiques d'intervention en matière de développement agricole.

Historique des dynamiques sociales en Basse Casamance

Partie 1

La compréhension des situations socio-politiques au niveau des villages et des vallées renvoie à l'histoire du peuplement de la Basse Casamance. En faisant référence aux travaux des historiens, il s'agit de restituer un cadre global permettant de mieux comprendre les dynamiques de peuplement et d'en appréhender les fondements. De même, cela permettra de mettre en évidence, sur une longue période, les modalités d'insertion de cette région des Rivières du Sud dans l'environnement économique et politique. L'histoire de la Basse Casamance s'organise autour de la conquête progressive par les Diola de leurs territoires actuels, qui les a amenés à repousser ou assimiler des occupants antérieurs. L'intensité et l'ancienneté des relations commerciales entretenues sur la longue durée par les Diola avec les populations voisines ou avec les négociants, notamment les Portugais, contredisent l'image parfois véhiculée d'une société diola repliée sur elle-même et vivant de manière quasi autarcique.

Expansion territoriale, conflits internes et contacts avec le monde extérieur

L'histoire de la Basse Casamance s'organise autour de la conquête progressive par les Diola de leurs territoires actuels, qui les a amenés à repousser ou assimiler des occupants antérieurs.

Souvent présentée comme une région enclavée et de pénétration difficile, la Basse Casamance apparaît au contraire, à la lumière de travaux d'historiens, P. A. MARK (1985) notamment, comme un espace traversé depuis plusieurs siècles – à partir des premières sources écrites portugaises du XVIe siècle au moins – par d'importants courants d'échanges. Loin d'être réfractaires aux activités commerciales, les populations étaient insérées dans des échanges de façon ancienne, et les Portugais n'ont guère éprouvé de difficultés à établir des relations commerciales avec des sociétés habituellement réputées, à juste titre, pour leurs traditions agraires, en particulier rizicoles. Les relations conflictuelles internes aux différents groupes sociaux sont encore très présentes au début du XXe siècle pendant la « pacification » imposée par le colonisateur français et demeurent dans les mémoires des anciens comme une référence en tant que moyen privilégié de règlement des conflits « avant la démocratie » ou « avant la colonisation ». Les écrits dont on dispose depuis l'arrivée des premiers navigateurs portugais font état de nombreux conflits opposant de manière récurrente les différents groupes sociaux présents sur le territoire de l'actuelle Basse Casamance. Ces conflits ont essentiellement pour objet le contrôle de ressources dont chaque groupe tire avantage dans le cadre de ses activités dominantes et de ses stratégies : conflits pour l'appropriation du bétail et du foncier entre les Diola et les Baïnouk, conflits intra-groupes pour le contrôle du foncier et des routes commerciales, conflits enfin entre groupes pour la capture et le commerce des esclaves. Dans ce dernier type d'activité, qui semble avoir perduré bien après l'adoption de mesures législatives anti-esclavagistes en Europe, les Mandingue et les Baïnouk sont les principaux pourvoyeurs des traitants européens, portugais d'abord puis anglais et français par la suite, les Diola étant semble-t-il impliqués de manière inégale dans le commerce des esclaves ou dans la possession d'esclaves domestiques.

Du XVe au XVIIIe siècle : l'expansion diola

Les premières sources écrites du début du XVIe siècle font état de plusieurs groupes humains distincts, que les voyageurs portugais caractérisent par des éléments perceptibles à l'observateur externe : activités, localisation géographique et transcription phonétique de leur propre dénomination.

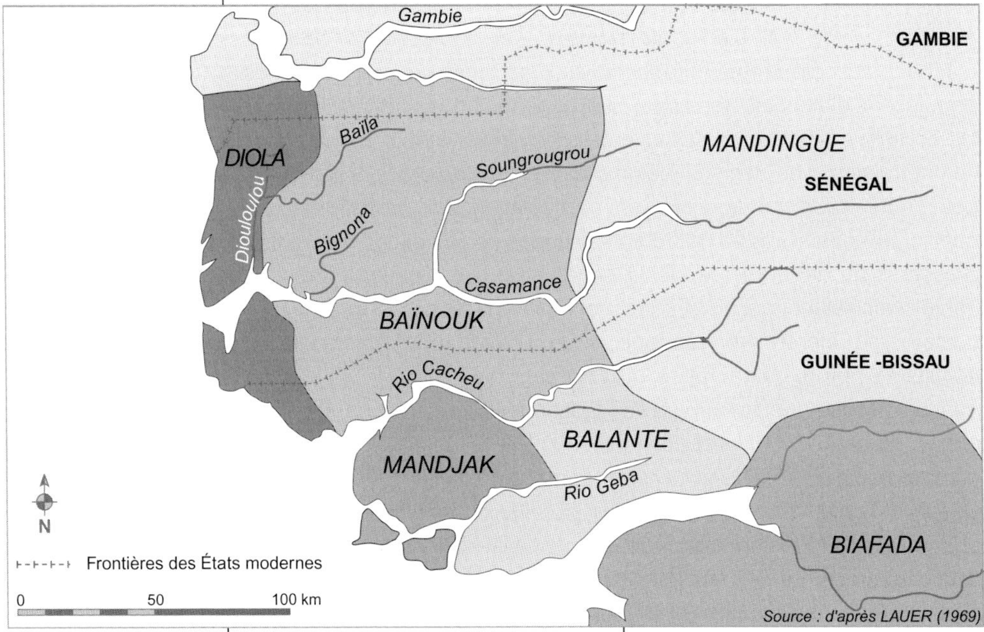

Figure 2 –
Limites de l'emprise territoriale des principaux groupes sociaux en Basse Casamance au XVe siècle.

La Basse Casamance est à cette époque régie par le roi mandingue « Casa Mansa » qui régnait sur une population composée de Mandingue à l'est, de Diola (appelés Feloup ou Felupes à cette époque) à l'ouest et au sud de la Basse Casamance actuelle, de Balante et de Mandjak essentiellement au sud et de Baïnouk, qui occupent un espace important situé de part et d'autre du fleuve Casamance entre le rio Cacheu au sud et la Gambie au nord.

Il semble cependant qu'il faille relativiser l'emprise des Mandingue sur l'ensemble du territoire s'étendant entre la Gambie au nord et le rio Geba au sud (LAUER, 1969), (fig. 2).

L'économie agraire est dominée par la riziculture et l'élevage. Tous les groupes peuplant la région entre Gambie et rio Geba sont présentés comme étant des riziculteurs, la différence entre eux provenant de l'ancienneté relative de leur description dans les récits des voyageurs (LAUER, 1969). Dès l'arrivée des Portugais, un commerce substantiel peut s'établir notamment avec les Baïnouk, qui sont décrits essentiellement comme des commerçants tenant des marchés hebdomadaires de large audience et participant à des réseaux commerciaux qui opèrent sur l'ensemble de la région Casamance-Cacheu (BROOKS, 1980 b ; MARK, 1985).

Au XVIe siècle, l'apparition du transport maritime va modifier substantiellement les conditions des échanges : le riz, qui approvisionnait l'intérieur des terres, sera destiné aux garnisons et aux bateaux commerçants, le commerce des esclaves se développera davantage à partir de la côte et de nouveaux produits vont trouver dans la navigation maritime des conditions favorables à leur commercialisation à longue distance, et ce jusqu'au XIXe siècle : la cire d'abeille, les cuirs et l'ivoire.

Les Mandingue, qui occupent les rives intérieures de la Casamance et contrôlent partiellement la région, pratiquent aussi la riziculture et développent rapidement des relations commerciales – or et esclaves – avec les Portugais (LINARES, 1987). Les Diola se consacrent à la riziculture et sont remarqués par les Portugais comme de grands propriétaires de bétail ; ils approvisionnent ces derniers en riz (LAUER, 1969). Selon les sources, deux images contradictoires des Diola tendent à se superposer. Pour certains, ils ne semblent pas alors être impliqués dans les échanges avec les Portugais et l'impression qui domine est celle d'un évitement réciproque entre Portugais et Diola. Ces derniers sont effectivement décrits comme perpétuellement en conflit avec les groupes sociaux voisins, européens ou africains. Pour d'autres, les Diola commercent directement avec les Portugais, notamment en leur vendant du riz, et se

Une conquête de l'espace fondée sur la capacité à aménager les zones basses.

IRD/M.-C. Cormier-Salem

substituent à leurs précédents fournisseurs de riz, les Mandingue (LAUER, 1969). On pourrait faire l'hypothèse d'une diversité dans le morcellement social des groupes qui constituent « les Diola » de cette époque et que, selon les cas, certains groupes diola seraient plus impliqués que d'autres dans les échanges marchands. Nous verrons plus loin qu'une hypothèse semblable est reprise par certains chercheurs au sujet de l'engagement des Diola dans la traite des esclaves.

Ce qui apparaît plus sûr, en revanche, c'est le développement de relations commerciales privilégiées entre les Portugais d'une part et les Mandingue et les Baïnouk d'autre part, notamment pour la traite des esclaves (LINARES, 1987) et le commerce de la cire (LAUER, 1969).

Par contre, les conflits des Diola avec ces deux groupes voisins paraissent fréquents ; les Mandingue et les Baïnouk sont à la recherche d'esclaves pour les traitants portugais, alors que certains groupes diola paraissent davantage motivés par la capture de bovins. En effet, quand des hommes étaient capturés à cette occasion par les Diola, ceux-ci avaient tendance à les échanger contre une rançon en bétail afin d'accroître le cheptel du groupe (LINARES, 1987). L'intérêt des Français et des Anglais pour les esclaves augmentera durant la seconde moitié du XVIIe et sera à son plus haut niveau au XVIIIe siècle pour fournir en main-d'œuvre les îles sucrières des Antilles (LAUER, 1969).

Les voyageurs de la fin du XVIe et du début du XVIIe siècle (MARK, 1985) confirment la forte implication des Baïnouk dans le contrôle des réseaux commerciaux et mentionnent des conflits entre lignages ou groupes de lignages pour le contrôle de l'axe commercial Cacheu-Casamance-Gambie. L'interruption du commerce sur cet axe est de courte durée et reprend rapidement, toujours sous le contrôle des Baïnouk. Cette route commerciale semble florissante à cette époque depuis déjà plusieurs décennies et le restera jusqu'au XIXe siècle ; les principaux « produits » véhiculés le long de cet axe commercial sud-nord sont les esclaves et l'ivoire. L'implantation des différents groupes ne paraît pas avoir subi de grandes modifications au début du XVIIe siècle.

À l'inverse, les Diola, même s'ils sont intégrés aux dynamiques commerciales avec les Portugais (riz) et avec les Baïnouk (cire), ne sont pas décrits comme des commerçants mais plutôt comme des agriculteurs avertis, des éleveurs possédant de grands troupeaux et surtout comme des guerriers. *A fortiori* donc, il ne semble pas qu'à cette époque, les Diola aient été, comme les Baïnouk et les Mandingue, profondément impliqués dans le commerce des esclaves. Leur réputation de guerriers résultant de leur capacité effective à se défendre semblerait avoir joué un rôle dissuasif efficace vis-à-vis de ces deux groupes (MARK, 1985). Ils sont mentionnés pour leur engagement fréquent dans des conflits avec leurs voisins baïnouk auxquels ils cherchent à enlever du bétail ou des terres. Outre l'intérêt des Diola pour le bétail, les Portugais paraissent avoir été réticents à développer des relations commerciales avec eux dans la mesure où ils leur auraient essentiellement fourni comme captifs des Mandingue ou des Baïnouk ; or, c'est justement avec ces deux populations que s'étaient tissées les relations commerciales les plus intenses concernant le commerce des esclaves (LINARES, 1987).

La fin du XVIe siècle et surtout le XVIIe siècle se caractérisent par le début de l'expansion territoriale des Diola, qui conquièrent progressivement de nouveaux espaces vers le nord et le nord-est aux dépens des Baïnouk. Il semblerait que cette conquête de nouvelles terres agricoles soit le fruit d'un processus complexe combinant plusieurs stratégies qui se renforcent mutuellement. D'une part, il existe certainement à cette époque une forte dynamique démographique interne aux groupes diola qui permet la colonisation d'espaces non encore occupés. Dans le cas des terres occupées par les Baïnouk, la pression démographique s'est vraisemblablement accompagnée de pressions psychologiques et morales et, dans des cas non isolés, la cohabitation signalée par plusieurs auteurs (LAUER, 1969) se termine par le recours à la force, le plus souvent au profit des Diola, qui peu à peu vont confiner les Baïnouk dans des espaces de plus en plus réduits. Dans certains cas, il paraît vraisemblable que des groupes diola aient pratiqué l'esclavage domestique avec les Baïnouk capturés et mis au travail dans les rizières avant qu'ils soient éventuellement assimilés progressivement par le biais du mariage. L'intérêt ancien et récurrent des Diola pour le cheptel bovin utilisé de manière privilégiée pour les sacrifices et les libations liées aux grands événements familiaux semble déjà fortement lié à ces dynamiques d'expansion territoriale.

Pour leur part, les Baïnouk semblent avoir pratiqué le commerce des esclaves avec les Portugais. Baïnouk et Diola ont très certainement cohabité en pratiquant des systèmes d'activités similaires avec des accentuations différentes. À la fin du XVIIe siècle, les Diola ont été impliqués dans les échanges marchands avec les Baïnouk qui venaient leur acheter la cire, alors premier produit d'exportation de la région devant les esclaves (MARK, 1985).

La dynamique d'expansion territoriale des Diola s'est poursuivie durant deux siècles ; les traditions orales que l'on peut encore recueillir dans le Fogny (enquêtes de l'auteur, 1994) font référence aux Baïnouk comme premiers occupants de villages se définissant actuellement comme diola. À partir de la fin du XVIIe siècle et jusqu'au début du XIXe siècle, certains groupes diola se sont trouvés engagés dans la capture et le commerce des esclaves baïnouk (LINARES, 1987).

Les dynamiques spatiales de certains groupes diola paraissent avoir été confortées par plusieurs facteurs, et notamment par les échanges commerciaux avec les Européens, directement ou par l'intermédiaire des Baïnouk. Les Diola ont ainsi pu avoir accès à des quantités croissantes de fer, qui constituait leur rémunération pour la cire (*via* les Baïnouk), pour le poisson séché et le riz vendus directement aux Portugais. Selon LAUER (1969), puis MARK (1985), le fer aurait joué un rôle déterminant dans les dynamiques d'expansion territoriale des Diola, dans la mesure où il était utilisé pour renforcer le *kayendo,* outil de travail du sol utilisé pour les défrichements et les labours. Mais surtout, le fer permettait de se confectionner des armes plus efficaces. Les traditions orales rapportées par MARK (1985) indiquent que les Diola ont migré depuis le sud et l'ouest de leur implantation actuelle vers le nord et le nord-est « à la recherche de champs de riz », ce qui correspond aux régions actuelles de Boulouf et du Fogny.

À partir du milieu du XVIIe siècle, la situation des Baïnouk fut certainement affaiblie par le déclin des positions commerciales portugaises (LAUER, 1969) auprès desquelles ils furent remplacés par les Mandingue. La cohabitation avec les Baïnouk induira progressivement le développement de pratiques commerciales chez certains groupes diola, alors que dans le même temps se dérouleront de manière récurrente des conflits entre d'autres groupes diola et les Baïnouk (LINARES, 1987). Vers la fin du XVIIe siècle, les deux groupes, Diola et Baïnouk, cohabitent encore dans le Boulouf et le Fogny (LINARES, 1987), alternant périodes de coexistence pacifique et conflits.

L'intégration de prisonniers issus des combats contre les Baïnouk et leur assimilation progressive (mariage et accès au foncier) dans les lignages diola, voire dans certains cas, la pratique de l'esclavage domestique pouvant très souvent se terminer par un processus d'assimilation comparable, semblent de l'avis général avoir contribué à soutenir et renforcer le dynamisme foncier des Diola (LAUER, 1969 ; MARK, 1985 ; LINARES, 1987). La divergence entre les auteurs porte davantage sur le moment où ces pratiques se seraient développées chez les Diola. Selon les recherches de Mark (1985), elles auraient été effectives dès le XVIIe siècle, accompagnant ainsi le fort mouvement d'expansion diola, alors que LINARES (1987) fait correspondre l'apparition de l'esclavage domestique au développement du commerce du riz chez les Diola au cours du XIXe siècle et à la diminution de la traite des esclaves pour le commerce triangulaire. Or, le commerce du riz s'étant développé très tôt chez les Diola, il semble vraisemblable que leurs stratégies d'occupation foncière aient pu s'appuyer sur des pratiques d'esclavage domestique relayées par l'assimilation de nombreux captifs aux lignages dominants, du moins chez certains groupes diola.

Le XIXe et le début du XXe siècle : guerres et commerces

Pendant cette période de son histoire récente, la Casamance apparaît soumise au jeu des intérêts des différents acteurs qui s'en disputent le contrôle. D'une part, les puissances coloniales : ainsi, les Français vont profiter de l'affaiblissement des activités commerciales des Portugais pour prendre position en Casamance face aux Anglais en Gambie.

Pendant longtemps les paysans de Casamance ne sont pas restés à l'écart de l'activité des marchés et de la demande internationale.

D'autre part, les chefs religieux mandingue vont, sous le couvert de guerres saintes pour propager l'islam, pratiquer une politique de pillage et de razzias. Les populations aux prises avec ces envahisseurs successifs leur opposeront une farouche résistance, alternant des périodes de résistance active et des actions de résistance passive, notamment à l'égard de l'administration française par le refus de s'acquitter de l'impôt.

Toutefois, pendant toute cette période, les paysans de Casamance ne resteront pas à l'écart de l'activité des marchés et de la demande internationale. Les données disponibles – forcément partielles et certainement non fiables à la lettre – mettent en évidence des dynamiques de production notables à l'échelle de la Basse Casamance : huile de palme et noix de palmiste sont exportées sur la Gambie, le caoutchouc est vendu chez les traitants français ou bien est amené en Gambie, enfin l'arachide, avec l'appui de l'administration, connaît un essor en Basse Casamance à la fin des années 1920.

Les Diola et les Français : commerce mais résistances

Le XIXe siècle voit le renforcement de la position des Diola au détriment des Baïnouk, qui continuent de perdre leurs positions commerciales et territoriales.

Le XIXe siècle voit le renforcement de la position des Diola au détriment des Baïnouk, qui continuent de perdre leurs positions commerciales et territoriales. Dans le même temps, certains groupes diola demeurent impliqués dans le commerce des esclaves, essentiellement à destination des Mandingue auxquels ils vendent les prisonniers capturés dans le cadre de luttes entre villages. On peut raisonnablement faire l'hypothèse que ces luttes entre groupes diola répondaient à un double souci, étendre leur espace foncier afin d'agrandir les domaines rizicoles et se garantir une main-d'œuvre captive pouvant être intégrée dans les lignages ou vendue aux Mandingue.

BERTRAND-BOCANDÉ (1849) nomme les populations du Fogny « Floups de Vacas ou de Fogni » et fournit à leur propos des descriptions riches en détails sur les activités et l'économie de cette région à cette époque. « Les Floups qui habitent des deux côtés de la Casamance possèdent les terrains les plus ingrats d'Afrique ; ils ont entrepris de grands travaux pour les rendre fertiles, et ils sont devenus l'un des peuples les plus riches de l'Afrique ; ils récoltent abondamment pour se nourrir, et peuvent fournir à la subsistance des colonies de Gorée et de la Gambie, qui vont leur acheter du riz. Ces Floups, devenus conquérants du Côté du Fogni, après s'être emparés des terrains très fertiles des Bagnouns, se sont abandonnés à la paresse, et chaque année leur récolte s'étant épuisée avant qu'une moisson nouvelle ait achevé de mûrir, ils sont tourmentés par la famine. (...)

Ainsi voyons-nous les Mandingues qui se livrent au commerce, les Floups du littoral qui doivent leur richesse à l'agriculture, mettre toute leur fortune à acquérir des esclaves et des troupeaux qui peuvent aussi servir à acquérir des esclaves. »

La pression sur les Baïnouk est très forte et ces derniers, aux prises avec les Diola au-delà du Soungrougrou, cherchent à obtenir l'appui des Français en échange de leurs terres.

En 1863, « les bandes diolas franchirent le Soungrougrou pour attaquer les villages baïnouks du Yasin. Après l'incendie du village de Kanbudan (...) leur situation était critique. Les Diolas s'installèrent sur la rive gauche du Soungrougrou et occupaient les terres évacuées par les Baïnouks. Leur avance vers l'est était rapide et quatre villages importants restaient indépendants (...) Les Diolas hésitèrent à attaquer à cause des Mandingues du Pakao, tout proches » (ROCHE, 1985).

Cette période correspond aux débuts de l'établissement des Français en Casamance, établissement laborieux et chaotique dont l'initiative revient aux maisons de commerce de Saint-Louis et de Gorée, qui font pression sur le gouverneur du Sénégal afin que celui-ci effectue une mission pour « évaluer l'importance du trafic commercial et les chances de son développement » (ROCHE, 1985). Cette première mission marque le début de l'intérêt de la métropole pour cette partie du Sénégal, mais c'est aussi le début de controverses quant à la pertinence pour la France de s'installer plus durablement et fermement en Casamance. L'éloignement de Dakar, le caractère peu hospitalier du milieu physique et les résistances casamançaises à cette pénétration expliquent que l'installation des Français ne se fera que très progressivement, sur un plan commercial tout d'abord avec l'implantation de maisons de commerce françaises à Ziguinchor, puis, après la cession de Ziguinchor à la France par le Portugal en 1886, avec l'imposition par la force de la présence administrative coloniale qui a pour finalité de contrôler et pacifier cette région : « Jusqu'en 1850, les ambitions françaises en Casamance étaient restées modestes car le commerce tentait ses premières expériences » (ROCHE, 1985).

La Casamance est pourtant connue pour approvisionner la région de Dakar et les comptoirs de Gorée en riz ; parlant de la Casamance en 1848, Bouet-Willaumez signale que « nos caboteurs y abordent cependant pour traiter du riz avec les Dyolas qui peuplent cette fraction de la côte ».

La place des Baïnouk dans les échanges commerciaux est progressivement prise par les Diola, mais surtout par les Mandingue pour le commerce de longue distance. Comme le précise LINARES (1987), pour les Diola, le commerce ne semble jamais constituer une activité prévalant sur l'agriculture. Il est vrai que des auteurs comme MARK (1985) insistent davantage sur le rôle ancien et structurant du commerce dans la société diola. Si des groupes diola ont été de longue date impliqués dans les échanges commerciaux, les documents consultés nous incitent cependant à considérer comme LINARES (1987) que cette activité a joué pour l'ensemble des Diola un rôle moins central que l'agriculture ou l'élevage. Dans leur ensemble, ils sont généralement tenus comme étrangers à la traite des esclaves (THOMAS, 1959 ; PÉLISSIER, 1966 ; RODNEY, 1970). De nombreuses relations les décrivent comme des guerriers féroces et, de ce fait, difficiles à razzier pour la traite. Il semble cependant que vers la fin du XVIIIe siècle et au XIXe siècle, certains groupes diola aient participé à la traite des esclaves, réorientant ainsi leurs activités de razzias et de prises d'otages destinés à être échangés contre du bétail (LAUER, 1969 ; LINARES, 1987).

Le commerce du riz est présent et fortement développé dans l'ouest du Boulouf, et dès l'ouverture des maisons de commerce à Karabane, les Diola affluent pour échanger leur riz contre du fer, du bétail, des fusils, de la poudre ou des textiles ; ils s'intègrent aussi par le travail, aux échanges monétarisés en tant que salariés des maisons de commerce de Karabane. Du fait de la position de villages comme Thionck-Essyl ou Mlomp sur le marigot, les populations de ces villages sont décrites dans les récits des voyageurs comme des navigateurs, des pirates ou des commerçants. Dans tous les cas, cette zone occidentale de la Basse Casamance semble avoir été depuis très longtemps largement ouverte sur l'extérieur.

Les installations commerciales des Français provoquent cependant des réactions violentes de la part de certains groupes diola et mandingue. En 1859, Faidherbe, alors gouverneur du Sénégal, approuve le principe d'une politique d'intervention militaire destinée à sécuriser les activités commerciales françaises en Casamance. Il s'ensuit une période où se multiplient les actions de l'armée contre les groupes diola les plus récalcitrants à la domination française.

« Cette politique (...) eut pour premier résultat une mainmise effective de la France sur la rivière (...) Le désir de protéger le commerce français fut durement ressenti par les populations qui perdirent leur indépendance. À des accords librement consentis succédaient des traités imposés

Une maison de traitant d'arachide, autrefois prospère, dans l'est de la Basse Casamance.

par la force. Face à un adversaire plus puissant qu'ils l'avaient supposé, les Casamançais divisés par leurs querelles internes n'étaient pas en mesure d'opposer une résistance efficace » (ROCHE, 1985).

Les Diola et les Mandingue : enjeux guerriers et islamiques

Pendant la seconde moitié du XIXe siècle, les Diola vont se trouver confrontés à une autre opposition puissante à leur volonté de contrôle de la Basse Casamance : par des incursions à partir de l'est, les Mandingue renforcent leur pression afin d'imposer l'islam aux populations animistes. Cette guerre sainte semble avoir été l'occasion pour Fodé Kaba, son leader, de se fournir en captifs pour la traite. Cet épisode a pour cadre le Fogny (occupé par des Diola et des Baïnouk) où le marabout et ses troupes s'installent en 1878-1880. Les Diola vont alors développer des alliances limitées géographiquement qui permettent de vaincre localement le marabout prosélyte comme en 1880 à Thionck-Essyl. Une alliance

Les divisions internes aux groupes diola apparaissent comme une constante. Elles ont pour conséquence la faiblesse de l'organisation collective face à la puissance coloniale.

conjoncturelle des Diola avec les Français le contraint à abandonner la conquête du Fogny et à se retirer dans sa forteresse sur les bords du Soungroungrou pendant les dix dernières années du XIXe siècle.

D'autres marabouts, comme Ibrahima Njaay ou Fodé Sylla du Kombo, s'intéressent aussi au Fogny et, sous couvert de guerre sainte (1884-1888), des bandes organisées sous leurs ordres pillent les villages rebelles à leur autorité, ce qui apparaît « plus rémunérateur que les profits de la traite acquis par un labeur dur et pénible » (ROCHE, 1985). Cette période est particulièrement dure pour les habitants du Fogny qui subissent des razzias ou doivent fuir devant l'envahisseur. La guerre dite sainte (Jihad) semble, de la manière dont elle a été conduite, avoir plutôt eu des effets contre-productifs en matière d'islamisation auprès des populations diola ou baïnouk. Selon Leary (1971), cité par LINARES (1986) : « Les jihads qui caractérisent ces années entraînèrent fort peu de conversions et encouragèrent en fait l'appréhension de l'islam comme un phénomène militariste et utilitaire permettant de razzier des esclaves. » Ces guerres provoquent un renforcement d'alliances entre villages diola, le recours accru aux fétiches et un renforcement de l'autorité des anciens face aux agressions islamiques.

Les divisions internes aux groupes diola apparaissent cependant comme une constante, malgré des alliances éphémères et spatialement circonscrites. Elles ont pour conséquence la faiblesse de l'organisation collective face à la puissance coloniale, qui utilise la force pour obtenir la soumission des populations et le paiement de l'impôt. Ainsi ROCHE (1985) signale les difficultés rencontrées par « trois villages importants Balingore, Mandegane et Bagaya » qui « avaient esquissé une alliance défensive malgré leurs querelles intestines (...) Cet exemple était fâcheux pour les Français qui cherchèrent à le supprimer. Jusqu'ici, les rivalités de village à village avaient empêché tout essai d'organisation, mais une réconciliation pouvait entraîner une coalition préjudiciable aux Français ».

Les conflits entre villages ou quartiers pour la possession des rizières sont fréquents et ces compétitions internes paraissent avoir nettement obéré la capacité des Diola à faire front face au colonisateur, qui progresse au coup par coup, en soumettant chaque village individuellement et en combinant démonstration de force et négociation. Avec les marabouts mandingue, la position des Français va osciller entre la négociation et l'utilisation de la force pour préserver les intérêts des maisons de commerce françaises installées en Casamance.

Les incursions guerrières des marabouts mandingue paraissent avoir eu moins d'influence sur les conversions à l'islam que la période de paix qui suit. Plusieurs facteurs vont se conjuguer pour expliquer le développement rapide de cette religion dans un milieu réputé pour la vigueur de ses croyances animistes. Un modèle explicatif développé par HORTON (1971) et repris par MARK (1977) rend compte des phénomènes de conversion par la conjugaison d'influences externes et de processus de changement interne à la société.

Dans le cadre d'une économie qui se monétarise rapidement, les commerçants musulmans joueront un rôle déterminant, notamment auprès des jeunes.

MARK (1977) accorde ainsi une grande importance aux échanges, expression de dynamiques monétaires externes à la société diola, comme facteur de modernité influençant certaines catégories sociales, en particulier les jeunes. LINARÈS (1986), pour sa part, fait intervenir deux autres facteurs au niveau micro-local : le prestige social conféré par l'instruction qui résulte de la conversion à l'islam, et le jeu de l'administration française qui, favorisant les musulmans dans l'accession aux tâches de relais de l'administration, jouera un rôle important dans la promotion de cette religion. Pendant la première moitié du XXe siècle, et surtout après la Première Guerre mondiale, la Basse Casamance va connaître des dynamiques agricoles significatives en réponse aux sollicitations des marchés externes. Ces facteurs, liés à l'accroissement de l'économie marchande, se combineront avec le jeu de l'administration française sur les élites diola islamisées pour favoriser une diffusion rapide de l'islam dans une population qui conservera de manière inégale – mais souvent vigoureuse – des pratiques coutumières régissant l'ordre social. Dans le cadre d'une économie qui se monétarise rapidement, les commerçants musulmans joueront un rôle déterminant, notamment auprès des jeunes incités à embrasser cette nouvelle religion, et trouvant dans celle-ci un moyen d'émancipation par rapport à l'autorité pesante des anciens.

Les successions de produits d'exportation (fin XIXe - début XXe siècle)

En fonction des besoins de la métropole, plusieurs produits vont, successivement ou de manière complémentaire, faire l'objet d'un commerce intense : le caoutchouc, extrait des lianes forestières jusqu'à l'arrivée massive de caoutchouc d'excellente qualité en provenance des plantations d'hévéa du Sud-Est asiatique, qui vont accaparer le marché entre 1910 et 1913 (HARMS, 1975) ; l'huile de palme et les noyaux de palmiste ; enfin, l'arachide, une culture qui fera l'objet d'incitations et de contraintes administratives.

Ainsi, pendant les premières décennies du XXe siècle, des commerçants « dioulas » (des Mandingue semble-t-il) viennent dans le Boulouf notamment, attirés par le commerce du caoutchouc que les paysans diola commencent à extraire (ou à faire extraire par des migrants macagne, selon certaines relations) et à vendre, soit à Karabane, soit à Banjul en Gambie, profitant des conditions de paiement (au comptant et en argent liquide) meilleures dans la colonie britannique que dans les comptoirs français (MARK, 1977). La production de caoutchouc provient d'une liane « *Landolphia* » poussant dans les forêts, alors abondantes, de la zone du Boulouf (Djougoutes). Entre 1890 et 1910, la production de caoutchouc que l'on estime exportée de Casamance est multipliée par quatre et l'arrêt des hostilités entre les troupes des marabouts et les populations locales ne fera que favoriser la circulation des hommes et des marchandises, surtout au profit de la Gambie où MARK (1977) estime qu'au moins la moitié du latex collecté était évacué.

IRD / M.-C. Cormier-Salem

L'exploitation du palmier par les hommes jeunes était une activité marchande importante. Après les sécheresses de la fin du XXe siècle, elle périclitera.

La commercialisation du caoutchouc va de pair avec celle des produits du palmier, huile de palme et noix de palmiste, ces dernières étant transformées en Gambie. Moins intéressants que le caoutchouc, dont le rapport prix/volume est nettement supérieur, les produits du palmier offrent une plus grande souplesse et une sécurité certaine par rapport aux incertitudes des marchés (MARK, 1977).

En outre, la commercialisation est synonyme de migration temporaire durant la saison sèche pour les jeunes engagés dans ces activités. Si la commercialisation de l'huile de palme de Casamance diminue nettement au milieu des années 1890, les noix de palmiste continuent d'être exportées, notamment les années suivant les mauvaises saisons agricoles pour pouvoir acheter du riz. Un rapport de l'administration datant de 1904 cité par MARK (1985) indique : « Leur production est le plus souvent proportionnelle à la récolte du riz... Le Diola ne s'adonne à l'exploitation de cet article que pour l'échanger contre du riz, lorsque le rendement de ses propres rizières ne peut pourvoir à son alimentation. »

Alors que s'effondrent les possibilités commerciales offertes jusque-là par les produits du palmier à huile, l'arachide va fournir aux populations une nouvelle opportunité d'accéder à des revenus monétaires. La culture de l'arachide s'est rapidement développée dans le bassin gambien à partir des années 1830 ; elle s'étend ensuite vers le sud (sud de la Guinée et nord du Sierra Leone) à la fin des années 1830, et au Sénégal et en Guinée portuguaise à partir de 1840 (BROOKS, 1975). En Moyenne Casamance, l'établissement d'un comptoir à Sédhiou en 1838 et le renforcement des positions commerciales françaises dans cette région du Sénégal, conjugué à la demande croissante des industriels de métropole, vont contribuer au développement rapide de l'arachide (HARDY, 1921 ; BROOKS, 1975).

Ce n'est qu'après la fin des guerres saintes des marabouts mandingues au début du XXe siècle que la culture de l'arachide sera introduite et se développera en Basse Casamance, et plus particulièrement dans le cercle de Bignona (MARK, 1978). Cette expansion sera fortement appuyée par l'État à partir des Sociétés indigènes de prévoyance (prêts de campagne, distribution de semences, actions de type mutualiste...). La réponse des producteurs sera massive, comme dans le reste du bassin sénégambien : cette culture structure les systèmes de production et en même temps la ressource forestière est mise à contribution à travers l'expansion des défrichements pour permettre celle de l'arachide. La défriche des plateaux et des versants date de cette période, et elle sera périodiquement renforcée au fur et à mesure de l'accroissement des besoins monétaires.

Les enseignements de l'histoire

Le morcellement des groupes sociaux et la faiblesse de la structuration politique

Les voyageurs du XIXe et du début du XXe siècle (BÉRANGER-FARRAUD, 1874 ; MACLAUD, 1907) ont tenté de décrire les différents groupes sociaux se réclamant de l'identité diola, mais PÉLISSIER (1966), qui fait l'analyse de ces classifications, note qu'il est difficile de les faire coïncider et qu'établies de manière essentiellement subjective, elles ne doivent pas être considérées autrement que comme « des témoignages sur la situation politique et l'enracinement des Diolas ». Pour PÉLISSIER, les distinctions opérées par les groupes diola eux-mêmes pour s'identifier ne paraissent pas avoir davantage de valeur distinctive. Il semble effectivement, à partir de la lecture des documents historiques et des entretiens avec les anciens des villages, que l'image dominante soit celle du morcellement social et territorial. Les processus d'occupation des territoires se fondent sur des dynamiques lignagères marquées par la segmentation des lignages ou des familles élargies lorsque l'espace vient à manquer. L'expansion territoriale s'est accomplie soit par l'intimidation ou la violence (cas des Baïnouk), soit par l'assimilation progressive de certains autres groupes démographiquement inférieurs. L'étude des groupes linguistiques confirme ce morcellement et selon PÉLISSIER (1966), il existe, autour des cinq dialectes diola identifiés par le Père Wintz, une multiplicité de formes dialectales correspondant à des gros villages.

Sahlins (1961) souligne le caractère extrêmement conjoncturel, et lié à des agressions externes, des phénomènes de structuration politique dans ce type de société lignagère.

Toujours d'après Pélissier, ces différences dans l'évolution linguistique sur des espaces somme toute restreints sont un indicateur du morcellement social des différents groupes diola qui ont occupé la Basse Casamance. L'histoire récente, notamment celle de la pénétration française en Casamance dont Roche (1985) fournit une relation très détaillée, montre le caractère volatile et très localisé des alliances entre villages et quartiers diola contre un ennemi commun. Pélissier (1966) écrit : « En dehors de ces grands mouvements, une enquête détaillée révèle de petits déplacements de petits groupes diola, à courte distance, qui résultent de l'éclatement des clans initiaux, voire des familles, et qui ont provoqué, à des dates parfois récentes, la naissance d'un habitat émietté, issu des gros villages soit à l'occasion de conflits, soit pour assurer une occupation plus systématique des zones cultivables. »

Ce constat résume bien les dynamiques d'occupation foncière et le morcellement social qui l'accompagne. Selon Sahlins (1961) ces caractéristiques sont celles de formes lignagères d'occupation de l'espace qualifiées de prédatrices. L'argumentation de Sahlins, étayée par des travaux anthropologiques classiques, souligne le caractère extrêmement conjoncturel, et lié à des agressions externes, des phénomènes de structuration politique dans ce type de société lignagère.

En Basse Casamance, les dynamiques historiques d'occupation de l'espace par les Diola aux dépens des Baïnouk, les résistances aux razzias des prosélytes musulmans au xixe siècle ou encore au début du xxe siècle, les résistances localisées, les alliances ponctuelles et conjoncturelles des villages diola contre la pénétration française semblent relever de ce modèle. La chronique historique récente des quartiers ou des villages fait apparaître de manière récurrente des conflits ou des querelles géographiquement circonscrits, motivés par des litiges fonciers ou des affaires matrimoniales peu claires.

« Du temps de nos pères et grands-pères, on avait des conflits meurtriers entre Banny et Katadié, mais malgré cela, ils allaient dans le même bois sacré et ils s'alliaient quand ils étaient attaqués » (enquête de l'auteur, 1994).

« Du temps des colons, Bougoutoub a fait la guerre à Médieg et à Diagong à cause de l'appropriation des rizières ; depuis l'introduction de l'islam – il y a trois générations seulement –, il n'y a plus de conflits. L'islam a été introduit par Seyni Manga, qui avait reçu des étrangers musulmans venant de Pakao (Mandingue) » (enquêtes PRD Cadef, 1987).

« Il y avait aussi des guerres, mais ces guerres étaient dues aux alliances, pour des questions de femmes. Un arrière-grand-père de

Kaken-Diagong a aimé une femme d'ici, il a voulu prendre la femme, ceux d'ici l'ont vu et l'ont bastonné. Ceux de Kaken ont attaqué et Diagong a aussi attaqué. Cela se passait avant les blancs. Parce que quand les blancs sont intégrés, personne n'aurait volé la femme de quelqu'un. Je peux pas venir comme je suis plus fort que toi, j'arrache ta femme. Ça, le toubab a interdit cela, mais dans le temps quand le toubab n'était pas là, ça se faisait ; le plus fort arrachait le bien de l'autre et personne ne peut rien dire. Par exemple, vous voyez Katadié était plus fort que le petit village (où est Sounaye actuellement), il l'a attaqué, il l'a chassé et il a tué des gens pas mal, le reste a fui et ils ont brûlé tout ce qui était là-bas. Les gens ont fui et ceux de Katadié ont occupé ces terres-là. Ça, personne n'a osé dire quelque chose car ils étaient les plus forts. Donc aujourd'hui ce n'est pas comme cela. Il y a des rivalités mais c'est peu » (enquête de l'auteur, 1994).

Ainsi se sont succédé des périodes d'unification politique plus ou moins localisée et d'autres de dispersion des groupes lignagers lorsque la pression extérieure diminuait. C'est notamment le cas des alliances ponctuelles et limitées dans le temps entre certains villages du Fogny lors des guerres contre les prosélytes musulmans au tournant du XXe siècle ou contre la colonisation française qui aura de grandes difficultés à « pacifier » la région (ROCHE, 1985).

Cependant, au-delà des groupes micro-locaux, les habitants de la Basse Casamance se réfèrent à des ensembles géographiques que l'on pourrait assimiler à des « pays », comme le Fogny, les Kalounayes, le Boulouf... qui conservent une certaine identité, au moins au plan géographique et culturel.

Des terroirs en ajustement permanent

Il convient, à propos des dynamiques foncières en pays diola, de ne pas confondre l'ancienneté de la présence diola en Basse Casamance et celle de leurs pratiques rizicoles, antérieures à l'arrivée des Portugais, avec la notion de pérennité ou d'enracinement de la paysannerie diola dans son terroir. Si, par exemple, de gros villages comme Sindian, Kagnarou ou Baïla sont mentionnés dans les récits anciens qui nous

L'histoire du peuplement indique une installation relativement récente, mais surtout une stabilisation toute relative des terroirs.

sont parvenus, il faut se garder d'en déduire automatiquement un enracinement et une pérennité de l'occupation de ces terroirs par un lignage donné. L'histoire du peuplement indique une installation relativement récente, mais surtout une stabilisation toute relative des terroirs du fait de la permanence des compétitions foncières entre les différents lignages. Cette stabilité apparente cache en effet des processus continuels de remise en cause des positions territoriales des différents lignages ou fractions de lignages concurrents à l'intérieur d'un même quartier, et des compétitions encore plus aiguisées entre quartiers ou entre villages voisins.

Ce n'est pas par hasard que les comportements et les différents groupes sociaux qui se sont succédé en Basse Casamance ont été décrits, de manière récurrente depuis l'arrivée des Portugais au XVIe siècle, comme anarchiques, belliqueux et traduisant la faiblesse de

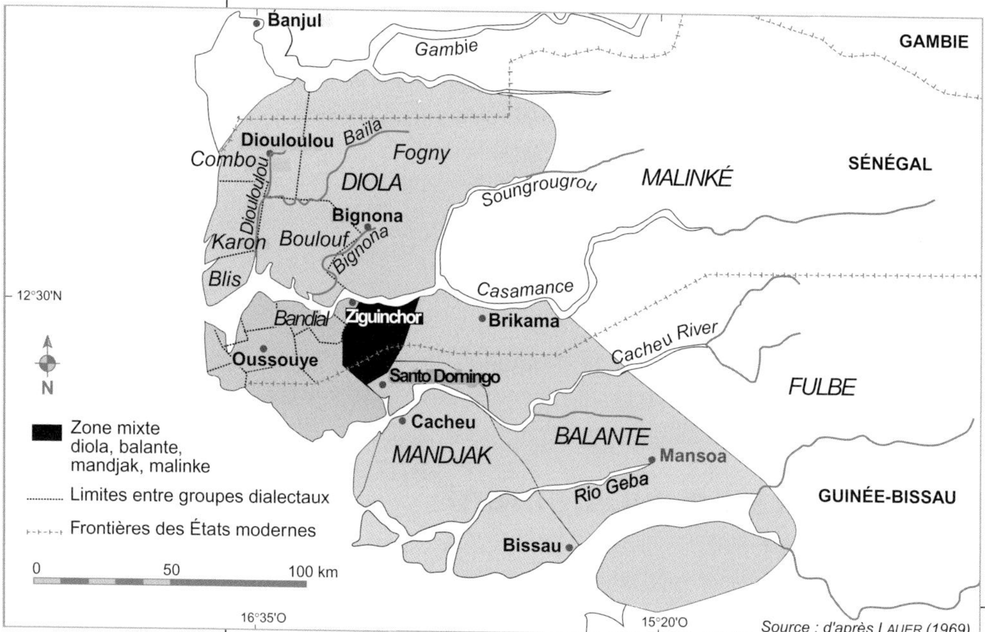

Source : d'après LAUER (1969)

Figure 3 –
Limites de l'emprise territoriale des principaux groupes sociaux en Basse Casamance au milieu du XXe siècle.

Des terroirs
en ajustement permanent...

IRD/M.-C. Cormier-Salem

l'organisation socio-politique des Diola. Certes, les conflits pouvaient porter sur le contrôle d'autres ressources que le foncier – les routes et les réseaux commerciaux par exemple – ainsi que de ressources favorisant le jeu des dynamiques foncières et démographiques : l'accès au fer pour améliorer l'efficacité des armes et des outils de labour, l'accumulation de main-d'œuvre et de bétail pour son rôle central dans les cérémonies familiales. Cependant, la plupart des conflits avaient et ont encore pour objet l'appropriation des ressources foncières.

Sur ce point, nous confirmons le point de vue de Pélissier (1966) lorsqu'il affirme que la loi du plus fort était le moyen privilégié de règlement des différends fonciers et la base légitime de l'appropriation foncière. Encore de nos jours, il semble qu'il faille parler avec prudence de stabilisation de l'appropriation foncière, car les déséquilibres démographiques actuels entre lignages peuvent être à l'origine de remises en cause de limites de parcelles et, de proche en proche, de redéfinition de patrimoines lignagers. On pourrait donc parler d'équilibres instables ou de déséquilibres stabilisés par la négociation qui évitent le recours à la force.

Une économie ouverte sur l'extérieur

Des courants d'échange ont animé une zone pourtant souvent décrite comme isolée et peu intégrée à l'économie marchande.

L'image qui prévaut à propos de l'économie rurale de la Basse Casamance est celle d'un espace autarcique, peu ouvert aux échanges marchands. Une vision répandue des sociétés diola est celle de groupes tournés quasi exclusivement sur leur terroir et isolés de l'environnement économique, notamment par un milieu physique hostile qui rend difficiles les communications avec l'extérieur (estuaire de la Casamance, mangroves, bas-fonds inondés en hivernage, forêts denses...). Cela conduit de nombreux auteurs à des interprétations qui semblent abusives sur le caractère sacré du riz chez les Diola et sur les interdits qui prohiberaient sa commercialisation.

Il semble au contraire, au regard des témoignages disponibles, qu'en dépit de difficultés de communication, la Basse Casamance n'a jamais constitué un obstacle dirimant au développement des échanges, du moins depuis que nous disposons des témoignages écrits des premiers voyageurs européens dans cette région. Les récits antérieurs au XIXe siècle, les travaux des historiens, de même que les données et les témoignages concernant les évolutions économiques entre 1880 et 1940 le confirment. La Basse Casamance connaît alors des dynamiques de production en réponse aux stimuli des marchés extérieurs représentés sur place par les maisons de commerce françaises en Casamance et anglaises en Gambie. L'implication des populations dans des productions diverses en fonction de la conjoncture locale et internationale tout comme leur engagement dans la commercialisation de leurs produits sur de longues distances (Gambie) lorsque les conditions de prix le justifient en témoignent. Des courants d'échange ont donc animé cette zone pourtant souvent décrite comme isolée et peu intégrée à l'économie marchande.

Lignages, foncier et gestion des ressources renouvelables

L'organisation sociale : permanences et changements

L. V. THOMAS (1963) a déjà présenté les traits fondamentaux de l'organisation sociale diola : « Elle s'organise autour de trois structures dynamiques fondamentales : la parenté comprenant le clan, le sous-clan et le lignage, ce dernier étant le groupe le plus homogène et le mieux organisé ; les classes d'âge diversement hiérarchisées selon les lieux, mais toujours à finalité ludique (jeux, danses, luttes) ou utilitaire (travaux des champs, moralité publique) ; enfin les chefferies animistes traditionnelles – dont le pouvoir n'est plus que religieux (maintien du dogme et de la liturgie, administration des rites) – bientôt supplantées par l'autorité morale des marabouts et de plus en plus négligées par l'administration centrale. »

Par rapport à cette organisation, et sans prétendre disposer d'éléments comparables à ceux de Thomas, il est possible de distinguer schématiquement des permanences et des évolutions. Les permanences concernent l'ensemble des trois structures évoquées par Thomas :

– la prégnance des liens lignagers, qui structurent les communautés à l'échelle des quartiers (parenté directe) et des quartiers et villages environnants (parenté et alliances matrimoniales) ;

– la vigueur des pouvoirs coutumiers, qui jouent un rôle central dans le maintien de la cohésion sociale même au-delà des limites géographiques locales ;

Après les crises climatiques, les classes d'âge vont investir les groupements promus par l'ensemble des intervenants et constitueront alors la base du mouvement associatif.

– enfin la partie « vive » des sociétés diola demeure fondée sur les classes d'âge qui ont su, sous diverses formes (jeunesse, congrès, groupements...), s'adapter aux évolutions en phagocytant et en s'appropriant les modes d'organisation proposés par l'extérieur.

Contrairement à l'évolution que semble dessiner Thomas au début des années 1960, il ne semble pas évident que le pouvoir des marabouts, même s'il est devenu relativement important, ait complètement supplanté les pouvoirs coutumiers. Du moins l'influence des marabouts est-elle plus ou moins marquée selon les zones, et elle ne doit pas être confondue avec celle de l'islam, qui, dans une certaine mesure, s'accommode de la permanence de pratiques animistes.

Il semble bien que la cohésion du groupe social et, au sein de celui-ci, la gestion des questions foncières et particulièrement celles relatives aux rizières demeurent régies par les pouvoirs coutumiers émanant de la structure lignagère à l'origine des quartiers. La dimension politique n'est pas évoquée par Thomas, alors qu'elle était déjà présente en Casamance avant l'Indépendance ; son importance ne va cesser de croître en se superposant à des clivages lignagers d'origines diverses ou en contribuant à les recomposer. Les classes d'âge, à travers les groupements et les associations, vont voir leurs fonctions évoluer et leur mode de fonctionnement se transformer (monétarisation progressive des prestations qui ne sont plus fondées sur l'entraide). Après les crises climatiques, les classes d'âge vont investir les groupements promus par l'ensemble des intervenants et constitueront alors la base du mouvement associatif.

Ces mutations ne signifient pas rupture avec l'ordre ancien. De même, les permanences ne sont pas synonymes de reproduction à l'identique de l'ordre ancien.

Ces mutations ne signifient pas rupture avec l'ordre ancien. De même, les permanences ne sont pas synonymes de reproduction à l'identique de l'ordre ancien, dans la mesure où elles vont coïncider, à partir de la fin des années 1970, avec de profonds bouleversements sociaux et institutionnels qui contribueront à laisser un espace d'initiatives aux formes d'organisation officielles.

Organisation lignagère et résidentielle

Les familles ayant un ancêtre commun appartiennent au même *fiil*. Le *fiil*, qui porte un nom, correspond donc à un lignage. Un *eluup* est un segment de lignage ou famille élargie qui possède des terres gérées par le chef d'*eluup*, un troupeau familial, des fétiches, un nom qui diffère

La case diola, symbole du groupe familial.

IRD/L. Porges

du patronyme familial. Il est très rare que des personnes appartenant à des familles différentes résident au niveau du même *eluup ;* il peut s'agir de cas isolés de représentants uniques de familles qui ne sont plus présentes dans le terroir ; accueillis dans un autre *eluup,* ils ont pour fonction de gérer le patrimoine foncier de la famille.

Le *fank* est l'unité de résidence, la concession où vivent plusieurs personnes autour d'une même cour. Dans un *fank* cohabitent en général les membres d'un même *eluup*, en totalité ou partiellement. Lorsqu'une partie seulement des membres d'un *eluup* vivent dans un *fank*, les autres membres vivent dans un ou plusieurs autres *fank.* L'organisation d'un *fank* peut être différente suivant les cas et les zones à l'intérieur même du Fogny.

Dans la zone de Bougoutoub, le *fank* peut être considéré comme une unité de production familiale, même s'il regroupe plusieurs ménages (*bofac*). En effet, les terres du *fank* sont gérées par le chef du *fank* qui organise le travail, la vie de la famille et gère les revenus de l'arachide. Les femmes d'un même *fank* cultivent en général les rizières conjointement, mais les récoltes des parcelles distinctes (attribuées aux

Le village est une création administrative qui ne recouvre en règle générale que partiellement la réalité du fonctionnement des structures lignagères.

femmes par les maris) alimentent des greniers eux aussi distincts. Les hommes du *fank* cultivent ensemble les champs sur les plateaux et, selon les cas, le produit des céréales peut être partagé ou géré par le chef de *fank* qui en assure la répartition. Vers Suelle-Kagnarou, s'il y a plusieurs ménages dans le *fank*, ils peuvent constituer des unités de production familiales autonomes (cas général), mais il peut aussi arriver qu'un ménage soit en situation de dépendance vis-à-vis d'un autre. Cette autonomie demeure cependant relative dans la mesure où dans ces zones les rizières restent sous l'autorité du chef de *fank*. Schématiquement, il est possible de distinguer des modes d'organisation spécifiques correspondant à une plus ou moins grande autonomie des ménages à l'intérieur d'une unité familiale plus large.

Les quartiers peuvent être formés soit des descendants d'une seule famille, soit par la juxtaposition des descendants de plusieurs familles. On est alors amené à distinguer ceux des lignages qui ont fondé le quartier, et à qui appartiennent les terres (droit de hache), des arrivants ultérieurs, qui dépendent des premiers pour l'accès à la terre. Les quartiers peuvent être considérés comme la fédération de familles plus ou moins proches par la parenté.

Le village est une création administrative qui ne recouvre en règle générale que partiellement la réalité du fonctionnement des structures lignagères. Ainsi, dans le Fogny, un village comme Kagnarou illustre cette correspondance imparfaite entre les structures administrative et lignagère.

Le quartier (*kalol*) regroupe un ou plusieurs *eluup* et son administration coutumière est régie par un conseil des anciens. Ce conseil se réunit en un lieu précis (sous un arbre) lié ou non à l'histoire de la fondation du quartier (*kelumak*) ; par extension, le terme *kellumak* désigne également le conseil des anciens. Ce conseil est l'instance reconnue par les résidents du quartier pour gérer les différends entre familles, et il est placé sous la responsabilité du chef du conseil des anciens ou *affankalol* (littéralement, « vieux du quartier »).

L'*affankaren* (littéralement, « vieux du bois ») hérite du « sac ». Le sac contient des objets symboliques qui représentent le pouvoir coutumier et permettent à celui qui le possède – outre les connaissances transmises oralement – d'être le responsable des cérémonies de l'initiation. Ce passage à l'âge adulte revêt une importance sociale extrêmement forte dans la société diola. Cette responsabilité n'échoit pas forcément au plus ancien du collectif formé par les chefs de *fank*. C'est une responsabilité qui est transmise en ligne paternelle au fils reconnu le plus capable d'exercer cette responsabilité. La désignation de l'*affankaren* se fait par les anciens ou parmi les anciens par celui ou ceux qui possèdent la connaissance des personnes afin de choisir selon les capacités intrinsèques des fils de l'*affankaren* décédé. Le chef du conseil des anciens n'est pas nécessairement l'*affankaren*, mais il se peut que cela coïncide. Du fait de son rôle d'*affankaren*, il est investi de fonctions qui garantissent la cohésion sociale du groupe de familles que constitue le quartier. L'*affankaren* est chargé de l'initiation et des coutumes s'y rapportant ainsi que des rites animistes. Les gens considèrent que l'*affankaren* voit et connaît ce qui est inaccessible aux autres. Cependant, il n'est pas impliqué dans le règlement des conflits, qui relève de la compétence du conseil des anciens présidé par l'*affankalol*.

Ces niveaux de pouvoir et de responsabilité ne se confondent pas nécessairement avec celui de chef de quartier : celui-ci a surtout pour fonction de gérer les relations avec l'extérieur. Le quartier est l'entité sociale qui sert de base à la constitution des « sociétés » ou *ekafay* qui regroupent les individus par sexe et par classe d'âge.

Le village (*esuuk*) peut être considéré comme un collectif ou une fédération de quartiers. Il résulte de compromis entre plusieurs chefs de familles et de quartiers. Il n'est en rien homogène, les rivalités entre familles étant fréquentes, mais le village se mobilise quand il y a menace de l'extérieur. Le village est également régi par un conseil des anciens qui regroupe des représentants des *kellumak* de chaque quartier. Il apparaît donc comme une fédération de quartiers d'origines distinctes ou résultant de scissions au sein d'un quartier originel. Souvent éloignés les uns des autres de plusieurs kilomètres « parce qu'il y avait beaucoup de conflits entre familles à cause des rizières », les quartiers se reconnaissent dans l'entité villageoise, surtout vis-à-vis de l'extérieur, et le traduisent en se dotant d'institutions villageoises : il existe un *kellumak* villageois et un *affankaren* villageois dont l'autorité est reconnue par toutes les familles.

Les villages sont administrés au plan coutumier par un conseil d'anciens et de notables parmi lesquels est désigné l'*affankaren*, responsable de l'initiation (*foutanpaf*) qui se déroule tous les vingt-cinq ans et qui est précédée d'une fête annonciatrice le *foutabor*. L'initiation ne se confond pas avec la circoncision, qui est liée au développement de l'islam. L'*affankaren* est le gardien du bois sacré où se déroule l'initiation et dans lequel chaque *eluup* a son « entrée ».

Sur le plan agricole, l'*affankaren* donne le signal pour les mises en culture, suivi par les notables et par les autres membres de la population.

L'affankaren ***constitue un pouvoir officiel connu et reconnu par les sociétés au niveau local, voire micro-local, mais ses fonctions relèvent de l'organisation sociale interne.***

Cette règle paraissait en voie de disparition, mais il semble qu'en certains lieux elle soit en voie de restauration (par exemple à Suelle). À ces pouvoirs s'exerçant dans le domaine de la production agricole, il faut rattacher le pouvoir d'interdire l'emploi des engrais minéraux dans les rizières, sous le motif qu'ils tuent les génies des eaux, ou l'usage du tracteur, pour des raisons similaires tenant au bruit des moteurs qui empêcherait ces mêmes génies de dormir. Ces génies symbolisent la fécondité du milieu qui coïncide avec la période des pluies abondantes.

L'*affankaren* constitue donc un pouvoir officiel connu et reconnu par les sociétés au niveau local, voire micro-local, mais ses fonctions relèvent de l'organisation sociale interne, et il est *a priori* inaccessible à l'étranger ainsi qu'à l'administration. Il contrôle et surveille les manifestations liées à l'organisation sociale, qu'elles soient internes et héritées des coutumes ou d'origine externe, liées par exemple à une intervention de développement. Par rapport à ces pouvoirs liés à l'âge, les cadets, les jeunes et les femmes paraissent dans une situation de dépendance, qui est cependant atténuée par des formes coutumières d'organisation particulièrement vivaces : les « sociétés » ou « *ekafay* ».

Les associations transversales

Au niveau de chaque quartier existent des associations de travail, dites *ekafay*, qui regroupent de manière séparée les hommes, les femmes et les jeunes, chacune ayant à sa tête un responsable *(ayi)*. Ces « sociétés » pratiquent l'entraide entre leurs membres pour les travaux agricoles qui requièrent une force de travail importante (labour, récoltes...) qui dépasse les capacités des unités familiales ; elles réalisent ces mêmes travaux sous la forme de prestations de service rémunérées en nature ou en argent pour des individus ne faisant pas partie du groupe. En cas de maladie de l'un des membres, le groupe prend en charge les travaux agricoles de l'unité de production touchée. Les recettes permettent d'organiser les fêtes correspondant à chacun des groupes sociaux (fête des femmes, *Founarkat* ; des filles, *Ebonnay*, etc.), de procéder à des achats communs et de pratiquer des prêts sans intérêt. Les *ekafay* de quartier sont fédérés, par sexe et par classe d'âge selon les cas, au sein de grands *ekafay* de village.

Cependant, les modes d'organisation de ces « sociétés » apparaissent très variables et traduisent des évolutions locales, principalement sous l'influence de valeurs véhiculées par l'islam. Ainsi, d'après les travaux de LINARES (1970, 1984), il semble que l'introduction d'une différentiation supplémentaire par classe d'âge soit à mettre en relation avec l'influence de l'islam. Dans les zones étudiées par Linares, les *ekafay* sans distinction de classes d'âge sont localisées en zones animistes, c'est-à-dire principalement au sud de la Casamance. Dans les deux autres situations décrites par Linares, qui correspondent à des villages islamisés du Fogny, apparaissent des *ekafay* fondées non seulement sur le sexe mais aussi sur les classes d'âge. Selon ses observations en situation intermédiaire, c'est-à-dire lorsque l'influence de l'islam est modérée, les hommes âgés forment des groupes distincts alors que les femmes mariées à des hommes de l'unité de référence (quartier, lignage...) constituent des associations sans distinction de classes d'âge. Les femmes originaires du village mais mariées à l'extérieur de celui-ci forment, elles aussi, une « société » qui vient en aide à ses « frères » lors des pointes de travaux. Lorsque l'influence de l'islam s'accroît – au Fogny, au nord et à l'est de Bignona –, l'auteur note l'apparition de classes d'âge au niveau des associations féminines alors que celles-ci tendent à disparaître chez les hommes dont le rapport au travail collectif est modifié, d'une part, par la centralisation de l'unité de production autour des pouvoirs du chef de *fank* et, d'autre part, par l'introduction de la traction animale qui induit une individualisation et des prestations ; la monétarisation de la prestation apparaît dès lors que la « société » ou *ekafay* intervient chez une personne extérieure au groupe constitué.

Les modes d'organisation de ces « sociétés » apparaissent très variables et traduisent des évolutions locales, principalement sous l'influence de valeurs véhiculées par l'islam.

L'imbrication entre les structures coutumières et celles dites modernes traduit des évolutions et des tentatives d'ajustement et de recompositions des sociétés locales. Une illustration en est fournie par l'existence relativement récente de « La Jeunesse ». L'ensemble des *ekafay* s'est regroupé pour former ce que l'on appelle l'organisation villageoise de « La Jeunesse » qui comprend à la fois des hommes et des femmes ainsi que des jeunes (non mariés) et des adultes (mariés). La création de « La Jeunesse » est liée à la formation de foyers de jeunes pour la gestion desquels des structures *ad hoc* avaient été mises en place par l'administration. Cette structure d'origine administrative a pris corps sur les « sociétés » ou *ekafay*. L'organisation de « La Jeunesse » a créé le « congrès », qui a rapidement acquis le statut d'institution villageoise. Le congrès, qui rassemble maintenant chaque année l'ensemble de la communauté villageoise dispersée au Sénégal et à l'étranger, est apparu à l'initiative de « La Jeunesse », à partir notamment de l'intensification de l'exode rural et de la multiplication des difficultés au niveau local. Le congrès emprunte aussi son mode de fonctionnement

L'imbrication entre les structures coutumières et celles dites modernes traduit des évolutions et des tentatives d'ajustement et de recompositions des sociétés locales.

Le congrès est un lieu de rencontre autour des problèmes de la communauté villageoise qui permet de rassembler les « exodés » – qui reviennent pour l'occasion – et leurs parents résidant au village autour de projets d'intérêt collectif.

aux idées diffusées par les services de l'animation rurale : c'est un lieu de rencontre autour des problèmes de la communauté villageoise qui permet de rassembler les « exodés » – qui reviennent pour l'occasion – et leurs parents résidant au village autour de projets d'intérêt collectif pour lesquels la communauté villageoise espère que les « exodés » pourront mobiliser leurs réseaux (économiques, politiques, alliances familiales...).

C'est dans le cadre de ces organisations, qui échappent partiellement (surtout les *« ekafay »*) aux formes d'autorité fondées sur l'âge régissant globalement ces sociétés rurales, que peut s'exercer une certaine autonomie des catégories dominées : femmes, cadets et jeunes. Cependant, si le congrès est doté d'une structure de représentation officielle (président, secrétaire, etc.), la date de sa convocation et son ordre du jour sont fortement influencés par le pouvoir des anciens.

Les modes d'appropriation du foncier et des ressources renouvelables

Il n'entre pas dans notre propos de faire référence aux principes philosophiques et religieux qui fondent les relations que les individus et les groupes sociaux établissent entre les hommes et la terre. Dans le cas des sociétés diola, ces liens sont encore très forts et ils n'ont été que très partiellement supplantés par l'islam dans le cas des groupes sociaux convertis à cette religion ou par les réformes concernant la gestion du domaine foncier mises en œuvre par l'État sénégalais indépendant. Des travaux d'ethnologues ont plus particulièrement abordé ces questions (Thomas, 1959 ; 1960 ; 1963 ; Girard, 1963). Nous en retiendrons certains se rapportant à notre problématique.

Selon Thomas (1963), les terres appartenaient à Dieu (*Ata Emit*) qui en confia l'administration aux génies délégués qui à leur tour en attribuèrent la responsabilité à des intermédiaires choisis au sein des groupes sociaux qui à leur tour en abandonnèrent l'usufruit à leurs collectivités tout en se réservant un rôle d'arbitre entre les familles. Thomas (1963) note en outre la difficulté de faire correspondre un terme précis à la notion de propriété ou d'appropriation utilisée par les Diola et contenue dans le terme *« ata »* qui recoupe les nuances des termes « propriété »,

« usufruit », « usage », « gestion ».... Il n'existe donc pas de propriété au sens occidental du terme, mais un usufruit collectif dont « le patriarche n'est pas le maître mais le responsable devant les Dieux du maintien des clauses du contrat par lequel les anciens ont acquis le monopole incessible – si ce n'est par héritage, et insaisissable, si ce n'est par le génie, de cet usufruit ».

Cependant, il ne semble pas – du moins dans la zone du Fogny – que les modalités d'appropriation correspondent à celles rapportées par THOMAS (1963), pour qui le village puis les lignages représentent les échelons et les hiérarchies successives de maîtrise foncière. Au contraire, dans le Fogny, l'entité sociale de base qui sert de référence pour l'appropriation du foncier et des ressources renouvelables est le lignage ou le segment de lignage des fondateurs du quartier *(kalol)*.

Les terres sont donc appropriées de manière collective par le ou les lignages fondateurs du quartier. Elles sont ensuite réparties entre les différentes unités familiales en fonction de leurs besoins et disponibilités en main-d'œuvre. Cette référence à des niveaux supérieurs de prise de décision est plus ou moins forte selon les localités, la gestion du foncier pouvant se réaliser au niveau d'unités familiales plus restreintes. Les terres et les ressources renouvelables sont donc la propriété des familles qui sont à l'origine de la création du quartier. Au niveau de la famille (*eluup*), les terres relèvent de la responsabilité du chef d'*eluup* qui est chargé d'effectuer la répartition du foncier entre les différentes unités de base (*fank* ou *hank*) en fonction des besoins et des capacités de mise en valeur.

La règle d'appropriation qui prévaut est celle du premier arrivant qui s'approprie les terres en fonction de sa capacité à défricher (droit de hache), sur la base de la main-d'œuvre familiale disponible au moment de l'établissement dans une zone non occupée ou conquise par la force sur les occupants antérieurs. Ainsi dans les quartiers, il est possible d'identifier les familles propriétaires des terres, qui sont soit les descendants des premiers occupants, soit les vainqueurs de luttes foncières pas nécessairement très anciennes (ROCHE, 1985). Les enquêtes de THOMAS (1960) dans la subdivision de Bignona révèlent que les inégalités dans la répartition des terres proviennent essentiellement d'une arrivée tardive du groupe de parenté dans un village après la distribution principale. Les travaux de MARZOUK-SCHMITZ (1981) confirment, pour la zone de Kamobeul (au sud de la Casamance), une hiérarchie des groupes sociaux directement liée à leur ordre chronologique d'implantation. Il se peut également que ces inégalités résultent d'une

Il existe une trame d'appropriation foncière fondée sur les conditions d'installation et sur la dynamique démographique du lignage colonisateur lors de sa phase d'installation.

spoliation liée à une faute grave ou à un conflit, ou d'un amenuisement du patrimoine foncier transmissible dû à la présence de nombreux fils dans les successions (THOMAS, 1963).

Lors de la colonisation de nouveaux espaces, les lignages conquérants font en sorte de placer des parents ou alliés aux limites du territoire nouvellement approprié de manière « à surveiller la frontière ». Les territoires à conquérir ou à contrôler sont choisis en fonction de leur intérêt pour le contrôle des zones basses propices à la riziculture, qui constituent la base économique des unités de production. Il existe ainsi une trame d'appropriation foncière fondée sur les conditions d'installation et sur la dynamique démographique du lignage colonisateur lors de sa phase d'installation. L'étranger est accueilli et des terres lui sont allouées par un tuteur (en tant que segment de lignage, famille ou individu) tant qu'il existe des terres disponibles au niveau d'un groupe social. L'étranger est accepté dans deux situations, d'ailleurs non exclusives : la première étant l'entente du nouveau-venu avec l'ensemble du village, qui est appréciée après une période d'observation qui peut parfois durer une génération entière ; la seconde résulte de l'absence de descendance mâle dans le lignage tuteur, ce qui induit l'adoption de l'étranger. Son acceptation est d'autant plus facile que des liens de parenté se nouent avec le tuteur par le mariage (MARZOUK-SCHMITZ, 1981).

En dehors du droit de hache, l'autre mode privilégié d'accès aux ressources foncières était, jusque dans un passé récent, la guerre contre les quartiers ou villages voisins mieux dotés en terre mais faisant preuve d'un moindre dynamisme démographique. Ces guerres pour la terre se sont progressivement estompées du fait de la « pacification » imposée par le colonisateur (ROCHE, 1985) et de la mise en place de nouvelles formes institutionnelles de régulation du foncier après l'Indépendance (Loi sur le domaine national, conseils ruraux). Si les conflits pour l'appropriation du foncier ont progressivement disparu, il semble que cela soit davantage le fait d'un changement social global, qui rejette désormais la violence de ce mode d'action, que l'effet de nouvelles régulations censées être gérées par les conseils ruraux (HESSELING, 1994). Le recours au conseil rural, directement sous la tutelle des autorités administratives (sous-préfet), est en fait perçu comme le signe d'un échec des négociations conduites au niveau des institutions villageoises fondées sur l'autorité des anciens.

Les biens fonciers se transmettent de père en fils dans le patrilignage des fondateurs du quartier. Les terres sont héritées de manière collective lors du décès de chef d'*eluup*, la succession étant généralement assurée par le plus âgé des fils du défunt. Lorsque la segmentation des lignages est prononcée, il peut être fréquent dans certaines zones que *fank* et *eluup* soient confondus.

La mise en gage d'un animal est souvent utilisée pour se procurer des terres. La terre est restituée au groupe familial lorsque l'animal est rendu à son propriétaire, mais la terre ainsi que le gage qui lui correspond sont transmissibles de manière patrilinéaire. Le prêt sans contrepartie est également pratiqué, la possession de la terre par les lignages fondateurs ne donnant pas lieu à la perception d'une rente foncière.

En matière de transmission du patrimoine foncier et des ressources renouvelables qui y sont rattachées, un certain nombre de règles et de normes communes apparaissent valables pour l'ensemble de la Basse Casamance. Un de ces principes (LINARES, 1984) implique une certaine séparation des générations et l'acquisition de l'autonomie économique par l'attribution au fils d'un certain nombre de rizières par son père ou, si ce dernier est décédé, par l'aîné de ses oncles, au moment de son mariage. Cependant, chez les groupes islamisés, LINARES (1984) note que l'acquisition de cette autonomie passe par une période de cohabitation plus ou moins prolongée des fils mariés dans la concession du père. Il s'agit d'une tendance qui n'exclut pas, chez les islamisés du Fogny, des modes d'organisation allouant d'emblée une plus grande autonomie au fils marié.

Des hiérarchies sociales et des niveaux de décision multiples

Hiérarchie sociale et autorités coutumières

L'image habituelle de la société diola a été synthétisée par P. PÉLISSIER (1966) : « Les Diolas constituent une société égalitaire et individualiste ; le défaut de structure politique va de pair avec, chez eux, l'absence de hiérarchie sociale. Leur société est constituée de familles paysannes juxtaposées et éventuellement associées mais non dépendantes les unes des autres. » En les comparant aux sociétés de caste ou très hiérarchisées d'Afrique de l'Ouest, on peut comprendre l'interprétation de Pélissier qui fut reprise par de nombreux auteurs, mais si l'on considère les sociétés diola de manière intrinsèque, de multiples sources d'inégalité apparaissent entre les lignages et entre les individus.

Inégalités entre membres de la société

La première source d'inégalité réside dans les conditions d'accès au foncier, et plus globalement sur les dynamiques démographiques et territoriales des grands lignages. Si nous n'avons pas pu reconstituer de manière exhaustive les dynamiques de peuplement à l'échelle d'une unité territoriale, nous pouvons néanmoins affirmer l'existence de prééminences entre les différents lignages quant à l'antériorité de l'occupation territoriale, à la vigueur et au dynamisme conquérant du

Il existe des prééminences entre les différents lignages quant à l'antériorité de l'occupation territoriale, à la vigueur et au dynamisme conquérant du lignage.

lignage. Ces hiérarchies entre lignages sont toujours perceptibles entre quartiers et entre villages. Les dynamiques de peuplement ne sont pas si anciennes, il conviendrait plutôt de parler d'équilibres fonciers instables, ou de déséquilibres momentanément stabilisés, susceptibles d'être fréquemment remis en cause, que d'un enracinement séculaire des sociétés diola dans leurs terroirs.

Concernant l'organisation sociale proprement dite, une hiérarchie peut être appréhendée à partir de la distinction entre hommes et femmes et entre les individus de chaque sexe, à partir des événements qui forment les étapes clés de la vie sociale. Les deux étapes majeures sont l'initiation au bois sacré et le mariage, qui déterminent pour chaque sexe les « âges sociaux » et par voie de conséquence la place de l'individu dans la société.

L'instance de décision est sous le contrôle des anciens et des aînés, ce qui exclut les autres membres de la société des décisions sociales et politiques. À propos de la place des femmes dans la société diola, REVEYRAND (1986 a) fait le constat suivant : « La vie publique, que monopolisent les hommes, exclut les femmes du cœur du village, du centre de prise de décisions et de la palabre. L'allégeance perpétuelle au groupe paternel soumet les femmes à des règles de vie ne faisant pas référence à celles de la société où elles habitent, mais en concordance avec le vécu social global. Aussi prennent-elles possession d'autres lieux et inventent-elles leurs propres lois. » C'est certainement ce qui motive, tout comme pour les cadets, leur implication forte dans les groupements et les structures associatives qui se développent sur la base des classes d'âge. Ces organisations représentent également un moyen de desserrer la pression sociale des seules règles de la parenté et de l'alliance dans lesquelles les femmes sont échangées.

Les chefs d'*eluup* constituent le conseil des aînés et des anciens. Les cadets initiés et mariés participent aux discussions du *kelumak*, mais ne disposent pas en son sein de la même autorité que les aînés. Les cadets initiés et célibataires semblent tolérés dans certaines occasions, ils peuvent alors assister au *kelumak,* mais en tant qu'observateurs, sans avoir le droit à la parole. Au bas de cette hiérarchie se trouvent les cadets non initiés et par conséquent célibataires, et les femmes, mariées ou non.

L'unité sociale la plus significative est le quartier, qui réunit les membres d'un ou plusieurs lignages, chacun se référant à un ancêtre commun. Selon les situations, certains lignages peuvent faire référence à un

Des anciens au pouvoir éminent sur le foncier.

ancêtre commun ou bien à un quartier voisin dont ils sont issus par scission. Souvent, il semble que les scissions et les nouveaux quartiers auxquels elles donnent naissance répondent à des objectifs d'occupation de l'espace par un lignage qui cherche ainsi à se positionner favorablement par rapport à la ressource stratégique que constituent les rizières. Ainsi, les gens du village Kourouk représentent de la manière suivante la répartition des quartiers au sein de l'espace : « Kourouk, c'est un seul, mais si vous voyez il y a différents quartiers, là et là... et ça et là, c'est pour pouvoir garder les frontières parce que nous, nous sommes limités par des frontières. Il y a une limite entre Bougoutoub et Kourouk, il y a une limite entre Kourouk et Médieg, entre Kourouk et Djimande-Kaken, entre Badiouré et Kourouk. Il y a Kassikili à côté, c'est pourquoi ils se sont dispersés comme cela, c'est pour sécuriser leurs terres. Sinon Kourouk c'est un seul Kourouk. »

Si, actuellement, les densités démographiques sont telles que toutes les ressources en rizières se trouvent appropriées, il apparaît que ce type de comportement représente encore une référence sociale prégnante qui marque les prises de décision.

Une gestion des terres adaptée aux besoins

Les terres de la famille (*eluup*) sont réparties entre les divers *fank* et gérées par le chef de *fank* qui en détient l'usufruit. Les rizières sont gérées par le chef de *fank* qui en rétrocède l'usufruit à ses fils au fur et à mesure que ceux-ci se marient : « La répartition des rizières se fait par le nombre de femmes ; si un chef de *fank* a trois fils : si le premier fils a trois femmes, il reçoit des rizières pour le travail de trois femmes ; si le deuxième fils a deux femmes, il reçoit des rizières pour le travail de deux femmes, celui qui n'a pas de femme se "colle" au plus âgé jusqu'au mariage » (entretien de l'auteur à Bougoutoub, 1997).

Le chef de *fank* détient donc sur les terres de rizières un pouvoir de gestion au sens de l'affectation de l'usufruit. Les femmes, dans le Fogny, n'héritent pas des terres de leur mari (Thomas, 1963), la transmission du foncier étant strictement patrilinéaire et patrilocale : « Les femmes n'ont pas droit au partage, elles vont chez leur mari. Tant que l'épouse n'a pas intégré le foyer, on ne donne pas la terre au fils marié » (entretien de l'auteur à Bougoutoub, 1997).

À la mort du chef de *fank*, les terres de rizières sont gérées par le fils aîné, mais il peut y avoir redistribution au niveau de l'*eluup* en fonction des besoins des autres *fanks*. Les terres de plateau au contraire sont divisées à la mort du chef de *fank*, le fils aîné devant partager les terres héritées avec ses frères.

En ce qui concerne les terres de plateau, les décisions annuelles en matière de gestion se prennent au niveau du quartier lors de réunions de préparation de l'hivernage qui réunissent les chefs de *fank*.

L'objectif essentiel est de regrouper les terres cultivées et les terres laissées en jachère, accessibles au bétail en divagation afin que celui-ci ne cause pas de dommages aux cultures. Généralement, cette répartition fonctionne d'autant mieux qu'il existe des terres disponibles. La situation de forte émigration que connaît la région laisse une marge de manœuvre relativement importante en la matière : « Le choix de faire telle ou telle culture provient d'une décision du quartier, à l'issue d'une réunion, ceci pour permettre au bétail d'avoir un espace de pâture. La décision est prise chaque année à l'approche de l'hivernage, au mois de mai en général » (entretien de l'auteur à Kagnarou, 1997).

Pour définir ces zones, des critères agronomiques sont également pris en compte ; ils concernent essentiellement l'appréciation du degré d'épuisement des sols, la nécessité d'en coordonner la mise en culture et de regrouper les cultures afin de gérer de manière collective le gardiennage du mil contre les oiseaux lorsqu'il arrive à maturité. Ces règles collectives sont respectées : « C'est le quartier qui a décidé de l'emplacement des cultures. Il y en a qui ont refusé du fait de l'éloignement. Ceux qui ont refusé sont allés chercher des terres dans d'autres quartiers pour ne pas être victimes de la divagation des animaux » (entretien à Kagnarou ; 1997).

L'importance du cheptel bovin

En ce qui concerne l'élevage, les bovins constituent la source quasi exclusive d'accumulation ou d'épargne, de plus en plus utilisée en cas de pénurie de céréales ou d'arachide pour assurer l'alimentation du groupe familial. En dehors de ce rôle de recours dans des situations critiques que l'on tente de minimiser, le bétail est doté d'une forte valeur symbolique qui lui vaut d'être sacrifié en grandes quantités lors des cérémonies marquantes du cycle de vie : décès, initiation... La gestion des troupeaux de bovins s'avère un processus complexe qui fait intervenir de multiples acteurs. Sonko (1986) a étudié le système d'élevage pratiqué dans le Fogny au village de Boulandor, situé dans les Kalounayes, mais dont les modalités de gestion se rapprochent de celles du Fogny.

Les bovins conduits de manière extensive sont la propriété des chefs de *fank*, des femmes mariées (dot) et des hommes non mariés. Les animaux d'une unité familiale de production sont répartis dans des unités de gestion à l'intérieur du même village ou quartier (placement) ou confiés à des unités de gestion situées dans d'autres villages (confiage). Dans un village comme Boulandor, ces deux pratiques concernent respectivement 46 % et 40 % des bovins détenus, soit l'essentiel du troupeau (SONKO, 1986).

Les troupeaux sont ainsi constitués par agrégation de têtes autour d'un troupeau familial placé sous la responsabilité du chef de segment de lignage ou chef d'*eluup,* dont la responsabilité morale est engagée en cas de conflit. La gestion opérationnelle est déléguée par le chef « politique » du troupeau à un membre du même lignage qui a la charge effective de la conduite des animaux. Il est le seul à connaître tous les animaux et leur origine (placement ou confiage). Les décisions concernant la vie du troupeau sont prises par le chef de troupeau et exécutées par le gestionnaire qui soit conduit lui-même les animaux, soit fait appel à un ou plusieurs bouviers, activité qui tend progressivement à être effectuée par des spécialistes peuls.

Les activités du gestionnaire du troupeau s'exercent dans les limites fixées par les délibérations de quartier, voire de village, qui fixent avant chaque hivernage les zones de culture et les zones de parcours, les dates de début et de fin des périodes de surveillance obligatoire des animaux et, enfin, le montant des amendes dues en cas de dégâts infligés aux cultures par les animaux.

Les autorités socio-politiques

L'organisation administrative

L'organisation administrative de la Casamance est relativement récente puisque sa mise en place par les autorités coloniales, plus tardive que l'implantation française, remonte à la fin du XIXe siècle. Ce mode d'organisation n'a pas été imposé sans entraîner des difficultés et des résistances de la part des sociétés locales (ROCHE, 1985 ; DARBON, 1988), car il s'agissait pour la puissance coloniale « de faire payer l'impôt et de [...] créer les ressources nécessaires aux travaux à effectuer pour le développement du commerce » (ROCHE, 1985). En outre, la création d'unités administratives décentralisées ne s'est pas réalisée sans de nombreuses vicissitudes, liées au souci de l'administration d'obtenir des unités plus efficaces dans leur fonction de collecte de l'impôt.

Le découpage en cantons tentait de faire coïncider au mieux les unités administratives avec les entités socio-culturelles et lignagères, tout en recherchant l'efficacité administrative. De ce fait, les chefs de canton installés par la puissance coloniale se sont trouvés correspondre peu ou prou aux structures du pouvoir coutumier. Le pouvoir politico-administratif n'a donc pas été isolé des conflits de préséance lignagère ; au contraire, il a constitué un enjeu de pouvoir supplémentaire entre les lignages.

Les chefs de canton installés par la puissance coloniale se sont trouvés correspondre peu ou prou aux structures du pouvoir coutumier.

Le village peut être assimilé à une fédération de quartiers ayant des liens lignagers ou historiques et des intérêts communs, dans la mesure où ils partagent souvent l'accès à une vallée commune. Le village constitue aussi l'échelon administratif le plus décentralisé dans l'application des décisions administratives. Le chef de village est le représentant de l'administration, nommé par arrêté du préfet après approbation du ministère de l'Intérieur (DARBON, 1988). Cependant, cette autorité ne se confond pas systématiquement avec les autorités coutumières, même si parfois les deux sources de pouvoir sont étroitement superposées. Ainsi, des quartiers faisant partie d'un espace villageois au sens coutumier (liens historiques, parenté, alliances...) peuvent très bien se trouver rattachés à un autre village au plan administratif pour le paiement de l'impôt ou pour les élections.

Depuis 1972, la réforme de l'administration territoriale et locale a créé les communautés rurales, échelon administratif situé entre le village et l'arrondissement, mais dont l'instance représentative, le conseil rural, est élue par la population. Contrairement à ce qui s'était produit pour les cantons lors de la période coloniale, il ne semble pas que ces instances de représentation de la population, élues sur la base de listes partisanes, recoupent l'organisation coutumière de la société locale. Le département de Bignona est découpé en seize communautés rurales et deux communes, Bignona et Thionck-Essyl.

Les attributions du conseil rural sont très larges et concernent d'une manière générale le développement à l'échelon local. En particulier, en matière de ressources renouvelables, il délibère sur l'affectation des terres du Domaine national, sur les projets locaux, les points d'eau et les parcours du bétail, etc.

Après plus de vingt ans d'existence, les conseils ruraux demeurent des institutions que les ruraux se sont appropriées de manière inégale. En cas de litige ou de conflit sur le foncier, le recours au conseil rural dépend encore fortement du pouvoir administratif. Les difficultés de mise en place des conseils ruraux et d'application de la loi sur le

Domaine national traduisent d'une certaine manière la prégnance de l'autorité des institutions lignagères.

Le rôle structurant de l'islam

Comme nous l'avons vu supra, la diffusion de l'islam en Basse Casamance est très récente (PÉLISSIER, 1966).

L'administration française a joué un rôle déterminant dans la promotion d'une élite de confession musulmane sur laquelle elle s'est appuyée pour tenter d'asseoir son autorité sur une région et des populations qu'elle a eu énormément de difficulté à « pacifier ».

Si certains lignages purent établir des relations privilégiées avec l'administration du fait d'une conversion précoce à l'islam de représentants influents, cela n'a pas entraîné la pacification attendue, du fait de la persistance des rivalités foncières entre lignages. L'islam, loin d'avoir fait disparaître les références animistes s'est intégré au fonctionnement social et certaines autorités coutumières ont renforcé leur pouvoir. En Basse Casamance, un syncrétisme associe des valeurs et des comportements sociaux profondément marqués par l'animisme et ceux promus par l'islam ; l'équilibre entre les deux systèmes de valeurs peut varier selon les situations. Ainsi, MAYMARD (1974) travaillant en milieu diola fortement soumis à l'influence mandingue, aux confins de la Moyenne Casamance, notait la faiblesse des références animistes : « Pas le moindre propos, acte ou pensée n'a été relevé qui s'adresse à la terre en tant que principe et symbole de fécondité, et c'est à grand-peine qu'on a pu extirper le souvenir de quelques sacrifices propitiatoires et d'interdits religieux (...). L'ancienne religion n'est plus manifestement le pivot des institutions. » et il ajoute en note de bas de page : « La conversion à l'islam n'est pourtant pas si lointaine, puisque nous avons encore connu, dans la population diola, quelques vieux animistes irréductibles, dont un chef de carré et le chef du village de Mayor (décédé en 1971). »

La conversion précoce à l'islam et la position de notabilité que cela conférait, de même que les relations que certains lignages parviendront à tisser avec le colonisateur peuvent être considérées comme des moyens pour renforcer l'autorité politique à l'échelon local, ce qui se combine et interfère avec les clivages d'origine lignagère dont on a montré la permanence.

Nouveaux encadrements sociaux

Dès avant l'Indépendance, les partis politiques ont joué un rôle important dans la vie publique locale en Basse Casamance. La politique a pénétré les villages après la Seconde Guerre mondiale et de forts clivages politiques sont venus se superposer aux anciennes divisions en les renouvelant. Le rôle de ces clivages sera pris en compte dans l'analyse locale des situations d'aménagement.

Les associations paysannes représentent des formes renouvelées d'organisation de la société et entretiennent avec les institutions lignagères des relations encore peu explicitées. Les groupements et les associations qui les fédèrent ne reproduisent pas systématiquement les relations sociales dominantes, même si certains traits y sont maintenus, comme les inégalités de genre (DARDÉ, 1995). Des comportements nouveaux par rapport à l'ordre social établi y émergent ; ils ne sont pas sans influence sur les dynamiques de gestion des ressources renouvelables.

Des sociétés villageoises hiérarchisées

Les sociétés diola sont souvent décrites comme « acéphales », par opposition à d'autres sociétés plus hiérarchisées. Leur organisation socio-politique est souvent présentée comme limitée, l'anarchie étant citée comme mode de « gouvernement ».

Si une telle caractérisation paraît correspondre à certains comportements socio-politiques, il est nécessaire de nuancer ce propos lorsque sont pris en compte des éléments essentiels de la structure sociale et des stratégies de différentes catégories à l'intérieur de celle-ci. Le caractère égalitaire des sociétés diola trouve en effet des limites dans la structuration sociale, et notamment à travers les modes d'accès au foncier.

Le caractère égalitaire des sociétés diola trouve des limites dans la structuration sociale, et notamment à travers les modes d'accès au foncier.

Dans les villages qui correspondent à des fédérations de quartiers, le lignage fondateur du quartier originel occupe une place prééminente car il s'approprie l'ensemble des terres et dispose d'une certaine autorité sur la gestion du foncier même longtemps après l'installation d'autres quartiers. Chaque quartier dispose d'une autonomie certaine dans la gestion des terres et des ressources renouvelables, mais cette autonomie demeure relative et n'efface pas la chronologie de l'installation avec la primauté du droit de hache, les liens de parenté, les alliances matrimoniales et les compétitions entre les lignages ayant comme enjeu le contrôle du foncier.

Sur le plan social, l'organisation de la société diola génère des inégalités en matière d'accès aux ressources productives (ressources renouvelables et moyens de production), de pouvoir de gestion sur ces ressources et enfin de possibilité de prise de parole. Les aînés détiennent le pouvoir, géré par le conseil des anciens dans les quartiers et les villages ; la possibilité de prise de parole par les hommes au sein des assemblées villageoise passe par l'initiation et le mariage.

Par ailleurs, il faut comprendre la notion « d'absence d'autorité politique » comme la faiblesse de la structuration politique « verticale » avec des niveaux de hiérarchie allant croissant, ce que PÉLISSIER (1966) exprime encore de la manière suivante : « L'émiettement politique des Diolas se traduit aussi par l'absence d'encadrement administratif intérieur. Sans doute certains villages étaient-ils épisodiquement soumis à l'autorité d'un chef, cumulant parfois cette charge avec des fonctions religieuses. Mais il s'agissait alors d'un état de fait, lié aux qualités particulières d'un individu, et non pas d'une institution générale ; l'autorité réelle gouvernant une communauté ne pouvant en effet reposer que dans l'assemblée des vieux. »

Certes, il n'existe pas d'institution de « niveau géographique supérieur » au village entendu comme une fédération de quartiers reliés par des liens de parenté et/ou d'alliance. Cependant, entre les lignages à l'échelon des terroirs et entre les familles, une hiérarchie renvoie à la prééminence foncière de certains lignages et à l'affirmation d'individus ou de fractions de lignages par des voies diverses (politique, coutumière, intellectuelle...). Cette hiérarchie confère à l'individu ou au groupe une notabilité à l'échelon local.

En outre, depuis l'émergence de la politisation partisane de la vie publique au Sénégal, la Basse Casamance n'est pas restée à l'écart, au contraire, des débats d'idées et des mouvements sociaux qui ont façonné le Sénégal contemporain. La région du Fogny, en particulier, présente des clivages politiques parfois anciens mais encore prégnants, et qui peuvent donner lieu à des recompositions selon les événements. Le mouvement associatif qui s'est structuré autour du Cadef n'échappe pas à ces clivages qui interfèrent sur la dynamique d'organisation à l'échelle micro-locale.

Conclusion : une répartition inégale des pouvoirs locaux

La région du Fogny présente des clivages politiques parfois anciens mais encore prégnants, et qui peuvent donner lieu à des recompositions selon les événements. Le mouvement associatif qui s'est structuré autour du Cadef n'échappe pas à ces clivages.

Dans le temps long, les dynamiques lignagères de contrôle des territoires et des ressources renouvelables recourent à des conflits pour la conquête foncière, voire la prise de la force de travail. Les modes d'appropriation des ressources renouvelables se fondent sur un système de normes et de valeurs dont les garants sont les anciens, au niveau desquels sont répartis les principaux pouvoirs (foncier et religieux essentiellement) ; les femmes et les jeunes représentent des catégories sociales marginalisées.

Cependant, la catégorie des anciens n'est pas pour autant une catégorie homogène, car les lignages et par voie de conséquence leurs représentants dans la catégorie des anciens ne sont pas « égaux » en terme de pouvoir de négociation. Les anciens relevant des lignages fondateurs qui contrôlent en général les domaines fonciers les plus importants disposent d'un pouvoir supérieur.

Il en va de même dans l'attribution des pouvoirs liés au culte animiste, qui relève au départ du lignage fondateur, mais ce dernier, en fonction de jeux d'alliances locaux avec d'autres lignages, partage au moins une partie des attributs et des responsabilités des rituels avec d'autres lignages. La même observation est valable pour les autres catégories sociales qui ne doivent pas être considérées de manière trop idéal-typique.

La coordination intervient dans le domaine social au sein des lignages et par un système d'alliances strictement contrôlé qui n'implique pas d'action collective dans les champs du politique ou de l'économique. De ce morcellement social, économique et politique qu'entretiennent des rivalités récurrentes d'origines diverses – mais fréquemment liées à des litiges sur l'appropriation des ressources –, il résulte un éclatement des pouvoirs au niveau local et l'apparition d'alliances éphémères liées à des résistances vigoureuses à de fortes perturbations extérieures (conquête et « pacification » par les Français, guerre « sainte » des prosélytes musulmans).

Vis-à-vis de la société globale, l'insertion massive de la Casamance dans l'économie et les institutions coloniales puis sénégalaises a été plus tardive que pour le reste du Sénégal, mais elle s'est réalisée de façon tout à fait effective.

Crises, interventions publiques et réponses paysannes

IRD / J.-P. Montoroi

Partie 2

Contrairement à une image couramment répandue, la Casamance n'est pas restée en dehors du changement, repliée sur une économie parfois décrite comme autarcique. L'insertion dans l'économie marchande s'est faite de façon tout à fait précoce par le développement ancien des échanges de produits agricoles et la vente de la force de travail. Pendant la période récente qui voit « le temps du développement » succéder à celui de la mise en valeur coloniale (après 1945), on assiste à l'échec récurrent des politiques de développement mises en œuvre dans la région, malgré un renforcement progressif de l'intervention publique dans le secteur agricole qui atteindra son apogée dans les années 1975-1985. Ces tentatives resteront sans effets durables en matière de structuration du paysannat et de renforcement de ses capacités collectives d'action et de négociation avec les pouvoirs publics et les autres acteurs. Les structures paysannes qui voient le jour durant ces périodes ne joueront pas de rôle véritable en matière de coordination entre les paysans et l'État à l'échelon régional ou national.

Crises des systèmes productifs et prégnance des stratégies individuelles

Après 1945, plusieurs crises graves ont déstabilisé la base économique des sociétés diola : la crise climatique des années 1970-1985, en affectant longtemps les systèmes productifs agricoles qui n'ont pu s'adapter, a servi de révélateur à des mouvements sous-jacents, tant au plan démographique que politique. Ces crises ne sont pas des phénomènes isolés. Au contraire, elles constituent un ensemble complexe d'inter-relations qui rendent peu pertinents les raisonnements rapides sur la situation casamançaise. C'est ainsi que l'ancienneté et la profondeur du fait migratoire attestent la capacité des populations à rechercher ailleurs dans des secteurs économiques moins sinistrés les moyens de répondre au manque d'opportunités locales, mais aussi leurs difficultés à résoudre localement les crises traversées. Au plan politique, la résurgence en 1982 des revendications indépendantistes apparues dans les années 1940 traduit également un désarroi certain, face à la dégradation brutale des conditions d'existence en Basse Casamance. Certes, il s'agit seulement d'un aspect de cette crise, dont les racines comportent également des dimensions plus spécifiquement politiques vis-à-vis du pouvoir de Dakar.

Les dimensions des crises

La crise écologique

Si les chocs pluviométriques ont été particulièrement sévères pour les zones plus septentrionales du Sahel, leurs conséquences sur les systèmes de production plus soudaniens, et notamment ceux de la Basse Casamance, n'en ont pas été moins sérieuses. La baisse de la pluviométrie conjuguée à sa variabilité accrue a eu de profondes conséquences sur les ressources et leurs modes d'exploitation. Les années récentes ne sont cependant pas les seules périodes sèches qu'ait connues la Casamance (CORMIER-SALEM, 1992).

Dans son étude de la pluviométrie sur le bassin de la Casamance, qui porte sur les données collectées jusqu'en 1986, DACOSTA (1992) retrace l'évolution décennale des isohyètes 1 500 et 1 100 mm durant la période 1927-1986, et montre ainsi le caractère progressif de la diminution des précipitations. Même si les découpages entre décennies sont arbitraires et différents, les mêmes tendances se retrouvent aux stations de Bignona et Diouloulou entre 1950 et 1994. On notera la sensible amélioration des totaux annuels depuis le début des années 1990.

À Bignona, le déficit hydrique enregistré huit années sur dix entre 1954 et 1994 atteint des proportions significatives correspondant aux périodes critiques du riz et des autres productions pluviales : – 20 mm pour la dernière décade de juillet, – 30 mm, – 40 mm, – 20 mm pour les trois décades du mois d'août, – 40 mm, – 15 mm et – 35 mm pour les trois décades suivantes de septembre, soit une diminution de 90 mm de pluie pour chacun de ces deux mois. Le début du mois d'octobre marque maintenant la fin de la saison des pluies, alors que dans les années pluvieuses on pouvait compter avec une probabilité de 80 % sur des apports de 60 mm en moyenne. C'est donc au total à une perte de 240 mm en moyenne, répartie sur trois mois correspondant aux périodes critiques des grandes cultures, que doivent faire face les producteurs de Basse Casamance.

Outre les conséquences évoquées sur les cultures pluviales, la sécheresse a provoqué une dégradation globale du fonctionnement hydrique de l'écosystème plateaux-versants-vallées/mangroves. Ces milieux, et en particulier le domaine fluvio-marin, avaient fait l'objet de travaux de

Figure 4 –
Analyse fréquentielle
de la pluviométrie.
Station de Bignona.
Comparaison des risques
entre les périodes
1950-1968 et 1968-1994.

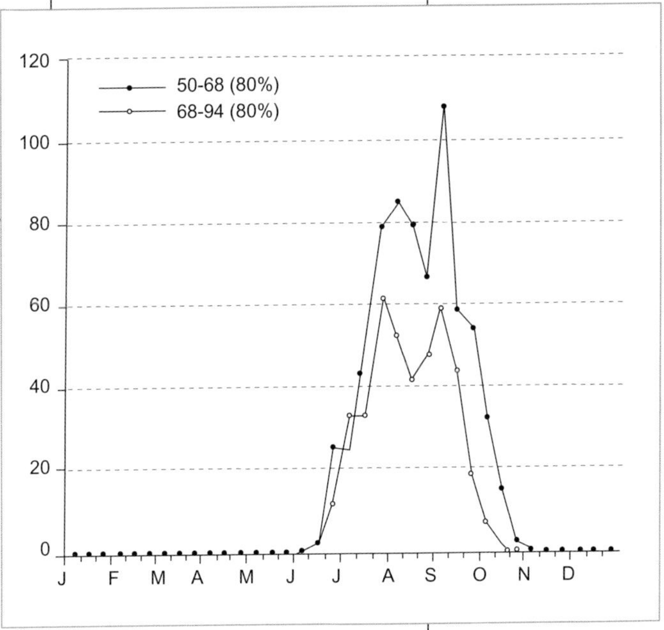

recherche avant les épisodes de sécheresse. Ces travaux mettaient en évidence le fragile équilibre qu'autorisaient la circulation des eaux douces entre le plateau et les zones basses de vallées et de mangrove et l'intrusion des eaux salées dans les zones soumises à la marée qui prévenaient les phénomènes massifs d'oxydation. Les écoulements d'eau douce dans les affluents et dans le cours principal de la Casamance se prolongeaient pendant la presque totalité de la saison sèche, ce qui limitait la salure des eaux et des sols. De plus, avant la sécheresse, les nappes superficielles des plateaux n'étaient pas salées et se trouvaient au-dessus des eaux de surface du réseau hydrographique ; les nappes des sols de bas-fonds n'étaient pas toujours salées et la salure des sols de mangrove restait faible du fait du lessivage des sels par les pluies (BOIVIN et LOYER, 1989).

Avec la baisse de la pluviométrie, on assiste à une dégradation progressive de cet équilibre écologique dans lequel la circulation de l'eau douce joue un rôle régulateur majeur. En l'absence d'aménagements, le réseau hydrographique ne fonctionne plus comme un drain de la salure mais devient une source de sel pour le milieu. La nappe sous les versants baisse progressivement et passe au-dessous du niveau

En l'absence d'aménagements, le réseau hydrographique ne fonctionne plus comme un drain de la salure mais devient une source de sel pour le milieu.

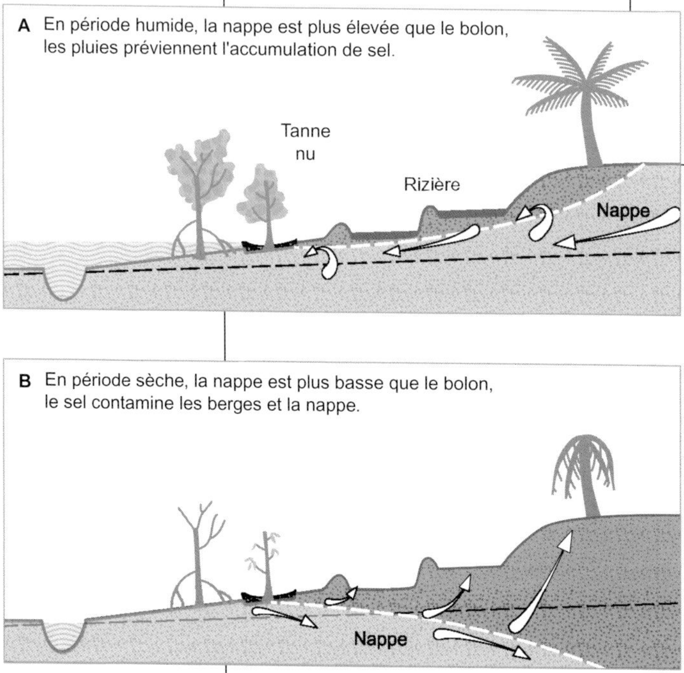

Source : Pagès *et al.*, 1987

Figure 5 – Dynamique des eaux de surface et souterraines entre périodes « humides » et périodes « sèches ».

de celle du marigot salé, avec comme conséquence l'inversion des flux d'eau salée, qui vont alors de la Casamance vers le marigot et enfin vers la rizière (fig. 5).

Ces remontées salines augmentent progressivement jusqu'à produire un profil de salinité inversé où les parties les plus salées se trouvent être les zones les plus éloignées de l'embouchure, contrairement au fonctionnement du système en période « humide » (Pagès *et al.*, 1987). Dans ce contexte, les sols présentent deux types de dégradation, l'acidification et la salure, cette dernière étant causée soit par remontée des nappes salées (évaporation en saison sèche), soit par intrusion de lames d'eau salée par le jeu des marées pour les zones qui sont soumises à leur influence (Barry *et al.*, 1988 c)

Avant la sécheresse, les sols des mangroves et des vallées soumises à l'influence marine étaient des sols potentiellement sulfatés acides, c'est-à-dire qui contenaient des quantités importantes de composés soufrés maintenus à l'état réduit par la submersion permanente. La chute

Une crise écologique de grande ampleur met à l'épreuve les sociétés de Basse Casamance.

des niveaux des nappes et la brutalité de cette évolution, surtout depuis 1984 (BRUNET, 1988, pour la vallée de Djiguinoum ; BOIVIN et LOYER, 1989), ont provoqué l'oxydation des composés soufrés et la production d'acide sulfurique induisant un accroissement de l'acidité sous forme d'aluminium échangeable en solution.

Dans certaines vallées, ces évolutions très acides demeurent limitées aux zones des bas de versants qui reçoivent l'essentiel des eaux de ruissellement et dont la topographie favorise l'engorgement. La plus grande partie des sols de rizière sont très acides (pH 3-4, voire 2) ce qui condamne la totalité des espèces végétales. Ce phénomène revêt une importance régionale du fait de son ampleur géographique (PAGÈS *et al.*, 1987 ; LOYER *et al.*, 1988).

Les accumulations d'eaux de ruissellement chargées en fer provenant des sols ferrugineux de plateau dans ces zones engorgées provoquent la réduction du fer qui bloque le développement du riz (toxicités ferreuses peu répandues). Les tannes (surfaces stériles) se développent aux dépens de la mangrove dans la majeure partie des vallées des affluents de la Casamance (Baïla, Bignona, Soungrougrou), et ce dans des proportions considérables. C'est le cas dans le bassin de Koubalan mesuré par Boivin et Le Brusq (1985) où de 34 % de la superficie du moyen bassin en 1969, la superficie en mangrove passe à 16 % en 1984 ; les zones de tannes quant à elles passent de 13 % de la superficie en 1969 à 60 % en 1984 (Boivin et Le Brusq, 1985). Dans le cas des rizières douces, le déficit hydrique provoque une inversion des flux entre domaine doux et domaine salé ; l'abaissement de la nappe d'eau douce permet sa contamination par les nappes salées, ce qui provoque la salinisation des rizières de nappe jusque dans les bassins les plus septentrionaux comme celui du Soungrougrou. Les marigots de Bignona, de Baïla et tous les affluents sur la rive droite de la Casamance subissent ce même processus qui voit une augmentation considérable des tannes (Loyer *et al.*, 1988).

La recherche affirme le caractère « naturel » de ces évolutions (Boivin et Loyer, 1989) : « Nous insistons sur le fait que ces évolutions se produisent en milieu naturel, sans intervention humaine. Contrairement à ce qui a pu être écrit, le facteur anthropique n'a ici qu'un rôle tout à fait secondaire » et plus avant « la modification du régime hydrique est donc responsable d'une catastrophe écologique à l'échelle régionale. Salure et acidité en sont les expressions. La réversibilité de ces phénomènes est tout à fait douteuse en l'absence d'aménagement ». La salure s'accompagne d'une disparition du couvert végétal naturel des mangroves (Badiane, 1986 ; Boivin et Loyer, 1989).

Cette dégradation drastique des conditions de production dans les mangroves aménagées et les fonds de vallées alluviales a des conséquences sur le reste de l'écosystème exploité. En effet, les versants et les plateaux sont également affectés par la sécheresse et les remontées salines. La palmeraie située sur les versants, entre les marigots et les plateaux, est très sensible à l'augmentation de la salinité de la nappe qui l'alimentait habituellement. La palmeraie constituait pour les populations avant la sécheresse une source de revenus et de produits autoconsommés non négligeable au niveau des économies domestiques, et revêtait encore une importance économique au niveau régional (Eychenne et Beye, 1990). Or la palmeraie ne produit plus, et sa dégradation s'accompagne d'un affaiblissement net de la vigueur du couvert forestier des versants qui pâtissent de l'élévation de la salinité lorsqu'ils ne sont pas défrichés.

Les producteurs ont répondu à la baisse de productivité des rizières par un recours accru aux productions pluviales (arachide et céréales), en accroissant les déboisements et les mises en culture sur les plateaux et les versants. Ces défrichements ont soumis des sols légers et souvent sableux à l'agressivité des pluies ; l'érosion s'est accentuée, entraînant des matériaux fins dans les vallées et provoquant l'ensablement des rizières.

Ces phénomènes de dégradation sont en étroite interaction : la baisse de productivité dans les rizières alimente le besoin en défriche pour les cultures pluviales et la conduite extensive de ces dernières renforce les besoins en terres sur les plateaux et les versants. Les plateaux et les versants sont également mis en culture pour des productions maraîchères irriguées de contre-saison qui se développent sous l'impulsion des femmes et des opérateurs de développement à partir des années 1975. Ces périmètres maraîchers ont un statut foncier souvent précaire et sont rarement l'objet de pratiques visant à reproduire et à améliorer leurs conditions de fertilité.

Les producteurs ont répondu à la baisse de productivité des rizières par un recours accru aux productions pluviales (arachide et céréales), en accroissant les déboisements et les mises en culture sur les plateaux et les versants.

La crise de subsistance

Les données statistiques de l'Inspection régionale de l'agriculture de Ziguinchor fournissent des séries chronologiques concernant la dynamique des principales productions du département de Bignona sur une durée de trente-cinq ans. Ces statistiques agricoles permettent de dégager l'évolution des mises en culture et des productions de 1960 à 1994.

Une déprise agricole

Globalement, le constat qui prévaut depuis 1960 est celui d'une déprise agricole relativement massive à l'échelle du département de Bignona. Environ 35 000 hectares, soit 1 000 hectares par an, ne sont plus cultivés entre 1960 et 1994.

Les évolutions de chaque culture vont également dans le sens d'une réduction des superficies cultivées, mais l'évolution générale masque des différences entre cultures. Le mil et le sorgho envisagés conjointement montrent une tendance continue à la baisse entre 1960 et la fin des années 1980, avec une remontée sensible entre 1990 et 1994 qui semble directement liée à la sensible amélioration de la pluviométrie au début des années 1990. Cependant, le rassemblement des données de ces deux cultures cache la quasi-disparition du sorgho, alors que le mil, après avoir connu la même tendance à la diminution, suit la remontée pluviométrique de ces dernières années, avec toutefois une forte sensibilité à l'aléa pluviométrique. Le déclin est également fortement marqué pour l'arachide dont les superficies sont divisées par deux ou trois selon les années, oscillant actuellement entre 10 000 et 15 000 hectares, alors que l'on se situait entre 25 000 et 35 000 hectares au début des années 1960. Le maïs montre une relative stagnation, les superficies d'emblavement actuelles ne dépassant pas celles des années 1960, avec seulement 1 500 à 2 000 hectares.

Alors que la Basse Casamance est réputée pour sa tradition rizicole, il semble bien, au vu des données globales, que celle-ci soit également menacée. En trente-cinq ans, les superficies emblavées en riz perdent environ 10 000 hectares, en passant de 20 000-25 000 à 10 000-15 000 durant la dernière décennie. À défaut de données statistiques plus précises, notamment en ce qui concerne les différents types de riziculture, mais en fonction de nos observations de terrain et d'autres travaux de recherche, il est possible d'apporter quelques précisions à cette évolution régressive. Elle recouvre la disparition quasi effective des rizicultures de mangrove dont les exigences en force de travail et en eau pour le lavage des sols sont incompatibles avec les disponibilités actuelles. À cette riziculture, qui suppose d'importants aménagements de la mangrove, et à la riziculture de bas-fonds se substitue une riziculture pluviale plus sommaire et moins productive à l'hectare qui se pratique en pluvial plus ou moins strict sur les versants. En termes de productivité, les données globales indiquent une stagnation certaine des rendements qui se situent aux alentours d'une tonne par hectare. La sensibilité marquée aux aléas climatiques montre que le riz est conduit comme une culture pluviale non sécurisée au plan hydrique, en dépit des systèmes sophistiqués décrits par Pélissier à la fin des années 1950 – mais actuellement profondément déstructurés – ou des potentialités non encore exploitées d'aménagements récents pour sécuriser au plan hydrique les rizicultures de bas-fonds.

Les emblavements en mil et sorgho, d'une part, et en riz, d'autre part, réagissent de façon contrastée à l'amélioration récente de la pluviométrie : les mil et sorgho atteignent 40 % des mises en cultures alors que le riz ne dépasse pas les 25 % durant la même période. Ce faible engouement pour la riziculture traduit une dégradation profonde des écosystèmes, en particulier des rizières, dont la production, pourtant localisée *a priori* dans des zones bien alimentées en eau, se comporte moins bien que les mil et sorgho sur les plateaux.

La déprise agricole se traduit au plan des disponibilités alimentaire et monétaire par une régression très marquée. Les quantités globales de productions disponibles dans le département de Bignona pour les quatre cultures principales sont divisées par deux en trente-cinq ans : on passe en effet d'un disponible se situant entre 75 000 et 85 000 tonnes par an à des tonnages compris entre 35 000 et 45 000 tonnes. Les fluctuations interannuelles sont importantes et apparaissent encore nettement si l'on considère les données des moyennes mobiles calculées sur trois ans.

La déprise agricole se traduit au plan des disponibilités alimentaire et monétaire par une régression très marquée.

Alors que la production de riz se situait au-dessus de 30 000 tonnes et pouvait atteindre 40 000 tonnes au début des années 1960 avant la première période sèche, on note plusieurs « secousses » correspondant à des années très sèches (1968, 1972 et 73, 1977, 1979 et 1980 et 1983), où la production est quasiment nulle et après lesquelles les niveaux de production du début des années 1960 ne seront jamais plus atteints ; en effet, la production totale du département ne dépassera plus les 20 000 tonnes.

La production d'arachides est divisée par deux, se situant autour de 15 000 tonnes à la fin des années 1990. Cette production subit une

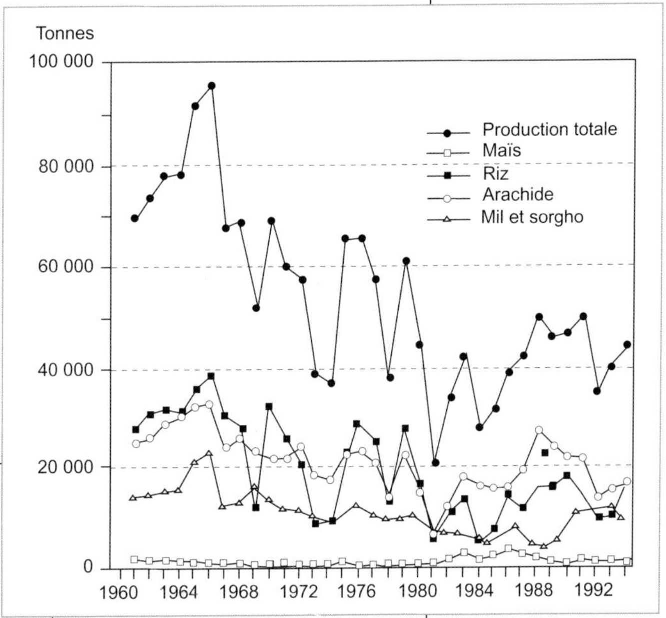

Figure 6 –
Évolution des productions de céréales et d'arachide dans le département de Bignona (1960-1994).

Source : d'après les chiffres de l'inspection régionale d'agriculture.

lente dégradation que ne masquent pas quelques années « exceptionnelles » où les productions se rapprochent des niveaux du début des années 1960. Toutefois, l'arachide apporte une relative stabilité au système de culture dans la mesure où, à l'exception d'une année (1980), les productions ne descendent jamais au-dessous des 10 000 tonnes pour le département mais oscillent entre 10 000 et 25 000 tonnes. La situation est beaucoup plus critique pour le riz lors des années fortement déficitaires en pluie. On rappellera à titre de comparaison qu'entre 1928 et 1936, la production d'arachides du Cercle de Bignona était passée de 11 000 à 16 000 tonnes (MARK, 1978).

Les productions de céréales pluviales, considérées globalement, tendent également à diminuer avec cependant des évolutions contrastées entre elles. La production de sorgho peut être qualifiée de résiduelle et stagnante, alors que celle de mil connaît une remontée sensible depuis la fin des années 1980, dans le contexte d'une remontée de la pluviométrie et d'une faiblesse persistante de la production de riz. Le maïs reste une culture mineure, dont les productions totales n'ont jamais atteint 5 000 tonnes.

Alors que les rendements moyens de l'arachide tendent à augmenter sensiblement durant la dernière décennie en passant de 800-1 000 kg/ha à 1 000-1 200 kg/ha, les cultures vivrières (mil, sorgho et riz) présentent une tendance inverse. Le rendement moyen des mil et sorgho paraît se rapprocher des 600 kg/ha, alors que celui du riz descend vers les 1 000 kg/ha après avoir atteint 1 500 kg/ha. Ce qui paraît caractériser ces évolutions, au-delà de variations interannuelles très sensibles, c'est la stagnation, voire une tendance certaine à la diminution des rendements.

Manifestations locales de la déprise agricole

L'évolution des systèmes de production et la gestion des ressources naturelles à l'échelle des terroirs villageois et, de manière globale, sur l'ensemble de la Casamance ont été traitées de manière privilégiée par des géographes. Nous ferons référence, de manière non exhaustive, à certaines recherches. Les travaux de PÉLISSIER (1966) portent sur l'ensemble de la Basse Casamance – pour ce qui concerne le sud du Sénégal – avec notamment des descriptions particulièrement fines des systèmes de riziculture de mangrove. Ces travaux constituent la référence de la fin des années 1950, période où la ressource en eau est abondante.

Loquay (1979), dans sa recherche consacrée au village de Thionck-Essyl dans le Boulouf, se situe dans une période postérieure aux premiers épisodes de sécheresse et pose le problème des évolutions socio-économiques d'un milieu qui commence à être marqué par de profonds déséquilibres. La sécheresse et ses effets y sont nettement perceptibles et se combinent aux mutations sociales (émigration) dans un contexte agricole nouveau déjà marqué par une désaffection relative des rizières et une extension des cultures pluviales sur les plateaux.

Avenier-Sharman (1987), à propos de la vallée de Bignona, replace les questions de surexploitation des ressources dans le cadre plus large de la dégradation des conditions économiques des ruraux qui induit de la part des populations des comportements prédateurs à l'égard des ressources naturelles.

Cormier-Salem (1989a, 1989b, 1992) s'intéresse à l'évolution des espaces aquatiques et des pratiques de valorisation des ressources halieutiques, complétant ainsi la connaissance des systèmes de production agricole par une description détaillée des systèmes d'activités liés à l'exploitation de ces ressources (huîtres, poissons...), à leur transformation et commercialisation. Si la complémentarité des terroirs aquatiques et exondés ressort particulièrement, l'organisation socio-économique et le poids économique des filières concernées par les produits halieutiques sont également soulignés comme éléments de diversification des activités et de dynamisme de ces sociétés.

La stabilité générale des surfaces en rizières masque en fait une nette hétérogénéité en fonction de leur position dans la toposéquence. Les rizières basses ou profondes, subissant directement l'influence de la marée et auparavant conquises sur la mangrove par de lourds aménagements de digues de ceinture, sont abandonnées. Les rizières moyennes, qui correspondent à un milieu moins artificialisé, se maintiennent, mais les rizières hautes, sur des sols non salés, également plus proches de l'habitat, s'étendent.

Les rizières demandant une grande quantité de travail pour leur entretien sont donc abandonnées au profit de formes de riziculture plus sommaires mieux adaptées à l'évolution de la force de travail mobilisable (Loquay, 1979). Les observations de terrain combinées aux interprétations des images Landsat d'Avenier-Sharman (1987) dans la vallée de Bignona (entre 1973 et 1979) ainsi que les travaux de l'Orstom (comparaison 1969-1984) sur le marigot de Koubalan (Boivin et Le Brusq, 1984) montrent l'importance et la vitesse de la dégradation des mangroves qui provoque la disparition des formes de riziculture profonde.

Les rizières abandonnées atteignent 50 % à 70 % des superficies dans les villages les plus touchés, et rarement moins de 30 % (Mercoiret et Berthomé, 1990).

Dans les années déficitaires en pluie, les mises en cultures rizicoles diminuent nettement : en 1983, sur l'ensemble de la vallée de Bignona, les rizières cultivées ont seulement représenté 15 % du total des rizières. Ces mises en culture sont variables en fonction de la position de la rizière par rapport à la salure. En année très sèche comme 1983, les phénomènes sont exacerbés, mais on retrouve le même comportement que dans les rizières de Thionck-Essyl étudiées par Loquay (1979). Ainsi, dans la partie principale de la vallée fortement soumise à la salure, seulement 6 % des rizières sont cultivées, alors qu'en amont, dans les zones de rizières douces, cette proportion monte à 30 % (Avenier-Sharman, 1987).

Des enquêtes dans les quartiers et les unités familiales de production de trois villages caractéristiques de la diversité socio-économique de la petite région du Fogny (Suelle, Kagnarou et Diaboudior) ont été conduites dans le cadre du projet de recherche-développement Cadef. Dans cette région, une forte proportion des superficies, autrefois cultivées en riz, est aujourd'hui abandonnée, du fait de l'insuffisance de la pluviométrie et de la dégradation des vallées soumises aux processus de salinisation, d'acidification et d'ensablement. Les rizières abandonnées atteignent 50 % à 70 % des superficies dans les villages les plus touchés, et rarement moins de 30 % (Mercoiret et Berthomé, 1990).

Les recherches à Thionck-Essyl (Loquay, 1979) permettent de suivre les superficies mises en culture entre 1954 et 1969, c'est-à-dire avant les fortes crises climatiques des années 1970 et 1980. En fait, les sécheresses ne feront qu'amplifier des mécanismes déjà à l'œuvre durant cette période jugée plus favorable. Ainsi, entre 1954 et 1969, dans ce terroir, la végétation naturelle progresse à la périphérie des zones cultivées qui elles-mêmes se déplacent vers le centre du terroir. Entre 1954 et 1969, la superficie cultivée n'augmente que de 10 %, soit une progression relative de 30 %, mais cette progression est surtout remarquable pour les cultures de plateau (de 1 110 à 1 879 hectares). Les rizières restent stables (de 1 580 à 1 620 hectares), mais leur part relative dans le terroir diminue en passant de 59 % à 46 % des superficies cultivées totales. Dans la zone de plateau autour de Bignona, Avenier-Sharman (1987) estime que la superficie défrichée a doublé entre 1968 et 1983, soit 1 000 hectares environ défrichés sur une période de quinze ans.

Les enquêtes dans le Fogny (Mercoiret et Berthomé, 1990) attestent que les efforts agricoles se concentrent encore plus sur les cultures pluviales, même si celles-ci sont conduites avec une faible maîtrise technique et de manière relativement extensive malgré le développement du labour mécanisé dans les zones mandingue. Ce recours accru aux cultures pluviales est facilité par la diffusion de la traction animale dans certaines zones, mais le caractère partiel de la mécanisation des opérations culturales, réduite à la préparation du sol, rend compte du caractère extensif du système de culture. En effet, les superficies mises en culture grâce à la traction animale excèdent généralement les capacités d'entretien des unités de production. Parmi les cultures pluviales, l'arachide occupe la première place et joue un rôle déterminant dans les stratégies familiales de sécurisation alimentaire. Les superficies consacrées à l'arachide sont nettement supérieures à celles consacrées aux céréales.

Avec les crises climatiques, plusieurs interventions vont encourager le développement de blocs maraîchers.

Le développement des vergers de case commence dès les années 1950, encouragé par les autorités administratives du cercle de Bignona (TOUZE, 1963) : « Pour ce qui est des arbres fruitiers, manguiers greffés et, de plus en plus, orangers, mandariniers, citronniers, kolatiers et cocotiers, la Société [de Prévoyance] va, non seulement, sélectionner les espèces valables pour la région dans la pépinière de Djibélor près de Ziguinchor, mais aussi passer des commandes pour ses membres et assurer leur transport gratuit vers chacun des points de la brousse. C'est ainsi qu'au mois de juillet 1951, près de dix mille arbres fruitiers ont été répartis dans la subdivision par les soins de la Société de Prévoyance et que la présence constante, aux distributions, d'agents agricoles a permis aux cultivateurs d'éviter toute erreur au cours de la remise en terre des plants reçus ».

À Thionck-Essyl, dans le Boulouf, entre 1954 et 1969, le développement des vergers de case est nettement repérable sur les photos aériennes, certaines zones étant même défrichées pour installer ces nouvelles productions de rente (LOQUAY, 1979).

Ce phénomène va s'amplifier avec les crises climatiques ; plusieurs interventions vont soutenir les stratégies de diversification en encourageant le développement de blocs maraîchers. Ce phénomène est marquant. Les chiffres disponibles, même limités et sujets à caution, montrent, de par les ordres de grandeur, l'ampleur des processus en cours ; en dix ans, entre 1969-1970 et 1978-1979, la production régionale (région de Ziguinchor) totale de légumes de type européen est multipliée par 10, passant de 300 à 4 000 tonnes (AVENIER-SHARMAN, 1987).

Une perte de maîtrise agricole du milieu

La dégradation de l'écosystème est donc globale : salinisation, acidification massive et très forte, ensablement des rizières, déboisement et

La dégradation de l'écosystème est globale : salinisation, acidification massive et très forte, ensablement des rizières, déboisement et érosion sur les plateaux et les versants.

érosion sur les plateaux et les versants. Des comportements adaptatifs se révèlent certes efficaces à court terme, mais induisent des dynamiques d'exploitation contrastées des ressources renouvelables mettant en péril la base productive des systèmes agraires :

- l'abandon progressif des rizières ;
- l'extension des mises en culture sur les plateaux et les versants en fonction de la dégradation des rizières ;
- le recours aux produits de cueillette (forêt et ressources arborées) ;
- l'accroissement des superficies consacrées aux champs de case, qui bénéficient de restitutions organiques plus importantes, ce qui augmente la pression sur les terres de plateau ;
- le développement et l'exploitation extensive des jardins maraîchers pour les cultures de contre-saison et les productions fruitières.

Il en résulte que la maîtrise du milieu cultivé est faible et se traduit par une forte sensibilité des systèmes de production aux aléas climatiques. La culture du riz, pourtant décrite par Pélissier à la fin des années 1950 comme un exemple d'application de techniques de maîtrise du milieu, tend à se comporter vis-à-vis des aléas climatiques comme une culture sous pluie, les niveaux de production étant fortement dépendants des précipitations et de leur variabilité.

La crise sociale et politique

Sans remonter aux racines des résistances casamançaises au pouvoir colonial (ROCHE, 1985), il apparaît comme un fait récurrent que l'expression politique dominante en Casamance se situe dans l'opposition au gouvernement. Cette opposition a pu prendre diverses formes depuis la création du premier Mouvement des forces démocratiques de Casamance (MFDC) par Émile Badiane en 1947 et les positions fortes détenues dans la région par le Parti du renouveau africain (PRA) au moment de l'indépendance et par la suite. Signalons aussi le Parti africain de l'Indépendance (PAI), qui sera représenté en Basse Casamance et dont certains des militants joueront par la suite un rôle significatif dans l'émergence de certaines organisations paysannes.

En marge des évolutions politiques, mais se nourrissant du même substrat de crise économique, le mouvement indépendantiste se trouve en situation d'affrontement armé avec l'État depuis plus de dix ans. Cette guérilla – elle-même très divisée – peut être interprétée comme une forme extrême d'expression du désarroi des sociétés confrontées à des défis très forts auxquels une fraction de la population estime que les pouvoirs publics n'ont pas apporté d'élément de réponse satisfaisant. Ce mouvement, qui a des origines complexes et regroupe des tendances diverses (Marut, 1995), se fonde sur la construction et l'affirmation d'une identité diola qui pourrait laisser croire à une unité politique pourtant rarement observée.

Des activités illicites se développent également, qui se nourrissent de cette situation de crise économique et sociale. La Basse Casamance, du fait de sa position frontalière avec la Gambie au nord, est une zone d'intense « commerce frontalier » et la culture du cannabis fournit une solution rémunératrice face à la crise des productions céréalières et arachidières. Le développement de la culture du cannabis *(yamba)*, dont les débouchés sont « sécurisés » et hautement rémunérateurs, est un symptôme de difficultés économiques et sociales croissantes. Il constitue un pôle d'attraction particulièrement tentant pour les jeunes en situation d'échec scolaire, de retour dans les villages et pour lesquels la récession liée à l'ajustement structurel limite les perspectives de trouver un emploi rémunéré en ville. L'Observatoire géopolitique des drogues (1994) indique : « Dans les îles inhabitées de la Casamance, le long des bras de mer bordés de palétuviers (bolongs), des dizaines d'hectares sont plantés de cannabis. (...) On trouve également des cultures éparses à l'intérieur de la Casamance dissimulées dans les champs de maïs et de mil, en particulier dans le département de Bignona et le long des frontières avec la Gambie et la Guinée » (OGD, 1994).

La prédominance des stratégies individuelles défensives

« Avec la sécheresse, les esprits se sont dispersés. » Cette phrase revient souvent dans les entretiens pour caractériser les comportements et les dynamiques individuelles, pour ne pas dire individualistes – en opposition avec la solidarité collective prônée par les valeurs coutumières – qui ont vu le jour lorsque les sociétés de Basse Casamance ont dû faire face aux crises climatiques successives des décennies 1970 puis 1980.

« Avec la sécheresse, les esprits se sont dispersés. »

Rares, en effet, sont les unités de production bien dotées en matériel de culture attelée et disposant encore d'une capacité de mobilisation de la main-d'œuvre et de ressources monétaires minimales (semences, main-d'œuvre ponctuelle...) qui se situent dans une dynamique économique d'accumulation. Leur matériel date maintenant de plus de vingt-cinq ans, car il fut acquis durant la période de l'Oncad (Office national de coopération et d'assistance pour le développement). La majorité des producteurs raisonnent en termes de stratégies anti-aléatoires guidées par la recherche d'une sécurité alimentaire pour laquelle le recours à l'agriculture n'est plus nécessairement dominant.

Pour la très grande majorité des unités de production, les choix se font en fonction des opportunités de gains monétaires immédiats et ont pour caractéristique d'échapper à toute forme de planification à moyen terme, le court terme étant primordial pour assurer la survie du groupe familial : migration pour des emplois précaires dans les villes du Sénégal ou en Gambie, importance de l'arachide dans les stratégies agricoles, diversification des productions (saison sèche en particulier) et des activités extra-agricoles lorsque des opportunités marchandes se présentent (petit commerce, embouche, teinture...). Si les stratégies individuelles ont été massives, poursuivant en cela des dynamiques anciennes ancrées dans les pratiques, la période récente est tout de même marquée par l'apparition de dynamiques collectives qui tentent d'apporter des réponses aux contraintes rencontrées par les producteurs agricoles.

Les dynamiques migratoires : permanences et transformations

Les stratégies individuelles migratoires ont un ancrage social ancien dans les sociétés de Basse Casamance, mais elles se situaient en référence à un cadre collectif de famille plus ou moins élargie. Si l'on met à part les déplacements collectifs correspondant à la recherche de « nouvelles terres » par une famille ou un segment de lignage et qui se traduisent *in fine* par la colonisation de nouveaux terroirs, la migration temporaire est une pratique ancienne en Basse Casamance.

En dehors du domaine de la production agricole, divers auteurs mentionnent les migrations temporaires des jeunes hommes liées au développement de l'économie marchande, notamment à partir du XIXe siècle. La recherche d'emplois salariés dans les maisons de commerce installées en Casamance à partir du milieu du siècle, les emplois sur les docks de Ziguinchor pour les femmes ou la commercialisation du caoutchouc et des produits du palmier à huile en Gambie au début du XXe siècle (MARK, 1977) en sont des illustrations significatives.

Pour le milieu du XXe siècle, THOMAS (1960) a particulièrement décrit ces migrations rurales saisonnières liées au déroulement du cycle des travaux agricoles : pêche, récolte des produits du palmier... À partir des années 1950, le développement des villes, la monétarisation croissante de l'économie, la recherche d'une autonomie sociale de la part des catégories dépendantes et dominées combinés à la faiblesse des revenus monétaires issus de l'activité agricole détermineront de nouvelles formes de migration temporaires puis permanentes (CORMIER, 1985 ; CORMIER-SALEM, 1992).

Le développement de la transformation de l'arachide à Ziguinchor offre de nouvelles opportunités de travail salarié pour les hommes alors que les femmes voient leurs emplois sur les docks de Ziguinchor remis en cause par la dépression causée par la guerre. Dès lors, elles cherchent de nouveaux emplois dans des villes comme Dakar en tant qu'employées de maison (SNYDER, 1981).

Ce type de migration accentue la tendance à la diminution de la force de travail mobilisable dans les champs, car l'absence ne se limite plus à la seule saison sèche et prive les unités de production de la main-d'œuvre aux périodes critiques pour le riz (SNYDER, 1981). La période de l'après-guerre correspond en outre, selon SNYDER (1978), au début de la monétarisation des prestations de travail réalisées par les associations par classe d'âge et à « une pénétration plus forte de l'économie capitaliste » qui se traduit par des changements dans les relations entre groupes sociaux.

Le pouvoir des aînés est progressivement remis en cause, les jeunes supportant de plus en plus difficilement de travailler sous l'autorité des anciens sans espoir de disposer d'une part significative d'une production contrôlée par ces derniers. Les dynamiques migratoires s'amplifient avec l'Indépendance et justifient, pour le nouvel État, les organismes d'intervention étatiques ou non gouvernementaux et les bailleurs de fonds, le lancement de nombreuses initiatives destinées à « lutter contre l'exode

IRD / M.-C. Cormier-Salem

Des projets destinés en priorité aux hommes jeunes. Ce fut le cas notamment des projets Gopec.

rural » par la promotion de projets notamment dans les secteurs agricole et halieutique. Les projets Gopec (Groupement opérationnel d'étude et de concertation), les initiatives de Caritas et du centre Cara (Centre d'animation rurale d'Affiniam) par exemple relèvent de ce type de justification.

Les départs des jeunes en migration sont motivés par une recherche d'autonomie qui ne donne pas lieu à des transferts monétaires au bénéfice du chef de *fank*. Souvent les transferts sont le fait des filles émigrées qui envoient de l'argent pour aider leur mère.

Des stratégies défensives dans le domaine agricole

Face à l'augmentation des besoins liée à la croissance démographique, la stagnation des rendements des principales cultures, la baisse tendancielle des mises en culture correspondantes et le caractère éminemment aléatoire des productions obtenues indiquent que l'agriculture devient progressivement une activité fragilisée et peu attractive (PAUL *et al.*, 1995). Du fait de la non-sécurisation technique et économique des activités agricoles et de la stagnation technique des grandes productions, l'activité agricole recourt à des logiques extensives.

Même si le département de Bignona ne compte pas parmi les grandes régions productrices d'arachide du Sénégal, cette culture reste la seule production pluviale dont les débouchés demeurent sécurisés après des plans d'ajustement structurel successifs. Les statistiques du département de Bignona depuis 1960 montrent que la part de l'arachide n'est qu'exceptionnellement descendue au-dessous des 30 % et s'est même maintenue le plus souvent au-dessus de 35 %. De plus, si l'on considère l'ensemble des cultures de plein champ, la part de l'arachide est quasiment toujours supérieure à chacune des autres cultures prises séparément. Des études plus ponctuelles confirment à l'échelle locale ces observations générales.

L'étude de l'Icra (International Center for development oriented Research in Agriculture) (ALBRECHT *et al.*, 1983) sur la frange méridionale de la forêt des Kalounayes estime, sur une cinquantaine d'unités de production, que l'arachide et les revenus tirés d'activités extra-agricoles couvrent 40 % des besoins alimentaires. Au Fogny (MERCOIRET et BERTHOMÉ, 1990), les enquêtes au niveau des unités familiales de production montrent que la couverture des besoins alimentaires par les céréales n'excède pas 50 %, et parfois moins dans les unités les mieux dotées en main-d'œuvre et en matériel. L'arachide contribue largement à l'équilibre vivrier de ces unités de production.

Cette prédominance de l'arachide confère aux chefs de famille un pouvoir d'autant plus important que les femmes ne sont plus en mesure d'assurer l'approvisionnement en riz des familles. Les femmes compensent cette perte de pouvoir par une plus grande autonomie monétaire – certes limitée – grâce aux activités de contre-saison sur les blocs maraîchers (DARDÉ, 1995).

La culture du maïs a été promue par la Somivac (Société de mise en valeur agricole de la Casamance) et plus particulièrement par le Pidac (Projet intégré de développement de l'agriculture en Casamance). Le maïs, autrefois cultivé sur les champs de case d'une manière relativement intensive, car il y bénéficiait d'une certaine fertilisation organique et d'un entretien assez régulier, a été vulgarisé comme culture de plateau au même titre que le mil, le sorgho ou l'arachide. Ce transfert en grandes parcelles supposait implicitement que les conditions qui rendent attractive sa production se trouvent réunies sur les parcelles de plateau. Or, si le maïs répond bien aux techniques d'intensification (mécanisation du travail du sol, engrais minéral et façons culturales améliorées) diffusées sous la forme de paquet technique, son transfert sur les parcelles de plateau ne s'est pas accompagné du respect de l'ensemble des conditions préconisées, notamment en ce qui concerne les apports d'engrais minéraux. Le dispositif de crédit avec achat du produit à la fin de la campagne (crédit intrants et matériel) mis en place par le Pidac n'a pas été suffisant pour convaincre les producteurs de l'intérêt de produire du maïs intensifié sur les grandes parcelles de plateau. Le non-respect de l'itinéraire technique préconisé a entraîné une rémunération de la journée de travail inférieure à celle obtenue sur les parcelles de plateau avec le mil ou le sorgho (DIAME, 1987). Du fait des difficultés inhérentes au projet, la commercialisation n'a en fait été sécurisée que de manière très éphémère et peu durable par le Pidac lors des campagnes 1983/1984 et 1984/1985.

Le maïs ne s'est donc pas développé comme culture de rente, les producteurs préférant une culture peu exigeante en intrants monétaires sur les champs de case et le valorisant comme production de soudure à partir du mois de septembre. La recherche d'une certaine sécurisation a donc pris le pas sur des options techniquement plus séduisantes, mais économiquement plus aventureuses, proposées par les recherches et les structures de développement.

Le développement des blocs maraîchers est un phénomène massif qui caractérise les vingt-cinq dernières années. Si l'on se base sur les chiffres de Dardé (1995) qui recense environ 410 groupements de quartier ou villageois dans le département de Bignona, on peut estimer de manière prudente à 400 le nombre de blocs maraîchers pour l'ensemble du département. Cela correspond à une superficie totale clôturée d'environ 900 ha, ce qui en maraîchage et arboriculture représente un chiffre tout à fait significatif en terme de potentiel de production (Cord-Paarz, 1993). Au niveau des unités familiales, ces activités essentiellement marchandes permettent aux femmes d'assumer des dépenses vitales (huile et condiments, savon, pétrole, médicaments...).

Cependant, la mise en valeur des blocs maraîchers présente un caractère extensif : seulement 12 % à 50 % des superficies clôturées sont mises en culture selon les arrondissements, la moyenne pour le département se situant aux alentours de 25 %, ce qui correspond à une superficie de 225 à 250 hectares exploités (Cord-Paarz, 1993). Cette sous-valorisation des blocs maraîchers est certainement à mettre en relation avec des questions de maintien de la fertilité des sols dans ce type de milieu ainsi qu'avec leur précarité foncière.

Les productions et les résultats traduisent des objectifs et des stratégies très variés que rend possible la diversité des spéculations. Les maraîchères cultivent individuellement en moyenne 40 à 50 m^2. Elles obtiennent des résultats très variables mais pouvant atteindre 40 000 à 50 000 francs CFA par saison. Certains légumes – chou, oignon – traduisent des stratégies fortement marquées par le marché et la recherche d'un gain élevé en cas de succès, mais les risques d'échec sont fréquents. D'autres légumes, comme le *jaxatu,* aubergine amère, ne font pas l'objet des mêmes stratégies : si les chances de gagner beaucoup d'argent sont faibles, les risques d'échec sont relativement rares. En outre, certaines productions comme le *jaxatu* ou la tomate entrent dans la consommation familiale en cas de difficultés commerciales ; elles présentent donc un niveau de sécurisation plus élevé. Les productrices ou producteurs (moins nombreux) combinent les cultures en fonction des perspectives supposées du marché.

Ces stratégies ont comme caractéristique de se situer dans ce que l'on pourrait qualifier comme étant les « marges » des systèmes agricoles où les femmes sont particulièrement actives du fait de leur exclusion du contrôle des autres moyens de production (Dardé, 1995). Les pratiques de cueillette des produits de la forêt et des savanes, la transformation des fruits du néré *(Parkia biglobosa)* en condiment *(nététou)* et la fabrication de jus de citron se sont fortement monétarisées sous l'effet de la crise

La récolte des huîtres de mangrove est une très ancienne pratique dont l'importance est soulignée par la crise économique.

IRD/M.-C. Cormier-Salem

et donnent lieu à une commercialisation à distance sur les marchés de Ziguinchor et de Dakar. Les femmes sont également impliquées dans de multiples travaux artisanaux (couture, teinture...) ou encore dans des activités dites de « petit commerce » concernant soit la revente de produits manufacturés au village, soit la commercialisation de produits de cueillette, de maraîchage ou de produits transformés (poissons séchés...).

Par contre, les activités de transformation des noix de palme et de palmiste, particulièrement développées avant les périodes de sécheresse (EYCHENNE et BEYE, 1990 ; RYCKMANS, 1990) et qui étaient à l'origine de petits groupements de femmes, ont périclité et sont maintenant marginales.

L'exploitation des huîtres est une activité ancienne en Basse Casamance, puisque les amas coquilliers les plus vieux parmi ceux étudiés correspondent à la fin du néolithique et la datation au carbone 14 permet d'en dater d'autres jusqu'au XVe siècle (LINARES, 1971). Aujourd'hui, l'exploitation des huîtres fait partie des activités de diversification des revenus, en particulier dans les zones de mangroves proches de la Casamance (CORMIER-SALEM, 1989 b).

Décalage récurrent des interventions publiques

Face à l'imbrication et à la succession de crises, le pouvoir politique colonial puis l'État sénégalais ont mis en œuvre des interventions dont le fondement réside davantage dans une appréhension nationale des questions agricoles que dans une prise en compte des spécificités de la Basse Casamance. Les choix stratégiques agricoles fondés sur la production arachidière (1955-1965) ou sur les grands barrages pour lutter contre les remontées de sel (sécheresse des années 1970-1985) manifestent une prise en compte insuffisante des conditions du milieu physique en Basse Casamance et des modes de mise en valeur par les sociétés rurales. Il en résulte, après 1945, un décalage récurrent dans les objectifs, les contenus et les modalités de l'intervention publique en milieu rural.

L'évolution des politiques publiques

Continuité et filiation avec les politiques coloniales des années 1950

L'économie agricole du Sénégal est dominée par la culture de l'arachide dont la promotion par les industriels auprès des gouvernements français successifs remonte au milieu du XIXe siècle (HARDY, 1921). Vers le début du XXe siècle, la production avoisinait 100 000 tonnes pour l'ensemble du Sénégal et son expansion fut constamment soutenue par les pouvoirs publics. La production, en progression régulière, avoisinait 600 000 tonnes avant l'Indépendance (BONNEFOND et COUTY, 1987).

Avant que le nouvel État ne confirme l'orientation dominante vers la promotion de l'arachide, qui entraînera la mobilisation des appareils de recherche et le recours à des méthodes d'intervention spécifiques dans le contexte des accords de Yaoundé, les modalités d'intervention de l'État après l'Indépendance se situent dans le prolongement des dynamiques engagées durant la période coloniale. Le plan de développement 1953-1957, qui fait suite à celui de « développement économique et social » des années 1948-1953, « accorde une priorité absolue aux productions vivrières. Un effort essentiel, qui poursuit celui entrepris par le premier plan, porte sur la riziculture » (PÉLISSIER, 1953). En ce qui concerne l'organisation de l'encadrement des producteurs, les dispositions du plan 1953-1957 se traduisent par la création des centres d'expansion rurale (CER) qui vont remplacer les « cantons pilotes » et « réservent une place particulière aux Sociétés indigènes de prévoyance, forme de collectivité rurale déjà existante [depuis 1910] et entrée dans les mœurs, pour appuyer leur action sur la masse paysanne. » Le plan prévoit la refonte de ces organismes, « avec création de sections spécialisées par catégories de production et intervention régulière de techniciens à tous les échelons. Ces "sections spécialisées" groupant des paysans ayant la même préoccupation dominante, devraient évoluer ultérieurement vers de véritables Coopératives de producteurs » (PÉLISSIER, 1953).

L'objectif central de ces interventions est la « modernisation de l'agriculture » à travers une plus grande participation des paysans au développement des techniques, notamment par l'utilisation de nouvelles variétés, de l'engrais, des fongicides et de la diffusion de la culture attelée, pour les cultures vivrières, mais aussi et surtout pour la culture d'exportation, l'arachide. L'action des Centres d'expansion rurale demeure toutefois confidentielle avant l'Indépendance, ne touchant que 18 villages et un total de 2 200 hectares (BA, 1985). À partir de l'Indépendance, les CER subirent différentes réformes et l'élargissement de leur mandat ne s'accompagna pas d'une évolution similaire des moyens mis à leur disposition. Les compétences des CER, destinés à promouvoir les cultures vivrières (1960-1964), furent élargies à la préparation et à la mise en œuvre des « projets des populations », alors que les fonctions directement liées à l'amélioration technique des productions étaient prises en charge par des organismes d'encadrement spécifiques orientés de manière dominante, mais non exclusive, vers la modernisation de la culture de l'arachide. Les centres d'expansion rurale répartis sur l'ensemble du territoire à l'échelon des arrondissements et destinés à favoriser la participation des paysans vont se voir concurrencés par des modes d'intervention plus verticaux, intégrés et accompagnés de la promotion par le haut d'un mouvement coopératif ou de groupements villageois.

En dépit de ces prises de position en faveur des cultures vivrières qui, rétrospectivement, apparaissent quasiment incantatoires, il ne fait pas de doute que la priorité du Sénégal en matière de développement agricole demeurait l'arachide. Si l'on se réfère au rapport connu sous le nom de « Rapport Portères » datant de 1952, on est frappé par l'orientation dominante sur l'agronomie et l'économie des systèmes d'exploitation fondés sur l'arachide comme « culture motrice ». La production rizicole n'occupe que quatre pages dans un rapport qui en comporte plus de quatre cents et les perspectives ne sont guère encourageantes, les augmentations éventuelles de la production en Casamance ne pouvant servir qu'à alimenter l'autoconsommation : « Presque toutes les terres sont sous l'emprise des riziculteurs. Certaines plaines sur le cours moyen de la Casamance et jusqu'au-delà de Sédhiou bénéficieront très certainement d'aménagements au profit des collectivités locales mais il ne faut aucunement compter sur ce surcroît de production pour une fourniture commerciale. Il n'est pas question de lésiner sur l'aide à apporter à cette riziculture de l'intérieur mais d'éviter d'y rechercher une contrepartie d'entraide alimentaire pour le territoire. » (Rapport Portères).

On retrouve sensiblement les mêmes conclusions plus de trente ans après dans le rapport du ministère de la Coopération (Bonnefond et Loquay, 1985) chargé d'apprécier les perspectives de développement de la riziculture en Basse et Moyenne Casamance : « ... dans ces conditions, il convient de rechercher au mieux actuellement l'autosuffisance alimentaire régionale (ce qui représenterait déjà un sérieux progrès) et non l'exportation vers le reste du pays d'un surplus dont la production est tout à fait aléatoire. »

Le renforcement de la pression sur la culture de rente était motivé par l'adhésion du Sénégal aux accords d'association avec la Communauté économique européenne (1963), qui supprimait tout régime commercial privilégié avec la France et qui imposait donc au Sénégal de faire progresser ses productions de 25 % pour compenser la baisse de revenus

L'écart s'est maintenu entre les régions arachidières et la Casamance, alimentant un sentiment d'animosité politique à l'égard du pouvoir central.

devenue effective en 1967. De cette option résultait une dichotomie manifeste entre deux types de structure et de modalités d'intervention contrastées – au moins au niveau des principes – tant au plan des « philosophies » sous-jacentes qu'en ce qui concerne les moyens alloués, priorité étant donnée au développement de l'arachide par le gouvernement sénégalais.

La dynamique arachidière bénéficia à la Basse Casamance, mais l'influence de cette culture de rente fut moindre que dans le bassin arachidier. Les revenus distribués par le biais de l'arachide furent relativement plus faibles que dans les grandes régions productrices, et ce malgré des potentialités naturelles *a priori* supérieures. L'écart s'est maintenu entre les régions arachidières et la Casamance, alimentant un sentiment d'animosité politique à l'égard du pouvoir central concrétisé dans la région par l'audience du Parti du rassemblement africain (CRUISE O'BRIEN, 1975).

Les initiatives publiques successives se sont attachées à créer des structures paysannes selon des modèles préétablis : SIP, puis sociétés de prévoyance, devenues sociétés mutuelles de développement rural à la fin des années 1950, et enfin les coopératives après l'Indépendance furent établies sous l'impulsion volontariste d'un État se réclamant d'un « socialisme africain ». Cette orientation coopérative se fondait assez largement, au plan idéologique, sur le fait que « les structures sociales traditionnelles paraissent militer en faveur d'institutions communautaires » (CAMBOULIVÈS, 1967). Si ce mouvement a réussi après l'Indépendance à briser le monopole des traitants (CASSWELL, 1984), il n'est pas parvenu à créer les conditions d'une structuration durable du monde paysan.

Durant toute cette période et au-delà de l'aventure des coopératives dans le cadre des sociétés de développement régional, la question de l'interlocuteur paysan s'est posée pour l'État et les structures parapubliques de développement. Il en est résulté une floraison de groupements *ad hoc* chargés de fonctions spécifiques nécessaires au fonctionnement du projet ou de la société de développement, mais qui n'ont pas constitué des interlocuteurs représentatifs.

Deux périodes se sont succédé après l'Indépendance. Pendant la première, l'action volontariste de l'État structure le paysage des interventions avec des participations variables mais globalement très modestes des producteurs. La période suivante est marquée par une double dynamique de retrait massif de l'État et paradoxalement de permanence d'organismes d'intervention qui reproduisent les modalités antérieures de relation avec le paysannat. Cette seconde période se caractérise également par l'émergence d'organisations qui ambitionnent de représenter les paysans et les ruraux.

Les interventions de l'État dans les années 1960 et 1970

Les interventions de l'État dans le domaine agricole durant les décennies 1960 et 1970 ont été dominées par une priorité donnée au développement de la culture arachidière. Cependant en Basse Casamance la spécificité des systèmes de production rizicoles a donné lieu à des opérations d'aménagement hydro-agricole et à la diffusion de techniques améliorées destinées à en accroître les performances.

La fin des années 1970 et surtout le début des années 1980 sont marqués par la nouvelle donne macro-économique imposée par les bailleurs de fonds, qui se traduira par plusieurs plans successifs d'ajustement structurel. Il ne s'agit pas ici d'étudier cette situation macro-économique (Duruflé, 1988, 1994 ; Banque mondiale, 1989) mais l'application des recommandations de politique macro-économique va entraîner de profondes répercussions sur l'environnement économique et institutionnel du secteur agricole en Basse Casamance.

Dans un premier temps, le projet politique national est de construire un mouvement coopératif et de développement à la base, fondé sur le développement de la culture de l'arachide à l'échelle du territoire, mais en rupture avec l'économie de traite. Pour cela, le nouvel État indépendant s'appuie sur les services de l'animation rurale et sur les centres d'expansion rurale ainsi que sur les coopératives, et crée les instruments de cette nouvelle politique : l'Office de commercialisation agricole et la Banque sénégalaise de développement. Cette transformation correspond à un changement drastique car « par ce biais, le Sénégal nationalise tout le commerce arachidier et met ainsi fin à un système plus que centenaire » (Mbodj, 1992). Malgré des objectifs affichés ambitieux – encadrement des masses rurales, triplement de la production vivrière commercialisée, développement des équipements en eau du monde rural et extension des zones d'action intensive pour le développement rural – et des investissements importants dans le secteur agricole (13,4 % des investissements), le poids de l'arachide dans l'économie et la politique va obérer de manière significative toute tentative de développement des cultures vivrières et notamment du riz, culture marginale par rapport aux mils et sorghos (MBODJ, 1992). Les services de l'animation rurale sont censés promouvoir une dynamique paysanne à la base afin de contrecarrer les inégalités liées au développement de l'arachide, mais leur influence reste très faible du fait de la perte rapide de leur sponsor politique, Mamadou Dia, emprisonné en 1963 suite au conflit qui l'opposa au président Senghor fin 1962 (CRUISE O'BRIEN, 1975). Pendant la première décennie de l'Indépendance, la dynamique arachidière est forte, grâce à « la priorité accordée à l'arachide par les paysans, [les] programmes de développement et surtout [...] la modernisation des pratiques culturales et des instruments de culture [qui] permettent d'atteindre la production record de 1 million de tonnes en 1965. La production moyenne 1960-1971 de 937 000 tonnes et le rendement moyen de 879 kg/ha demeurent des records encore inégalés » (MBODJ, 1992). C'est donc dans un contexte dominé par l'économie de l'arachide que se situent les tentatives de développement de la riziculture conduites dans une première période par la puissance publique.

Le département de Bignona a suivi ce modèle de développement : la place de l'arachide et l'utilisation de la culture attelée ont été consolidées dans l'est du Fogny et les Kalounayes où l'arachide joue un rôle déterminant dans l'équilibre des exploitations familiales. À une échelle moins importante et de manière moins massive que dans le bassin arachidier, la politique d'équipement à crédit a permis le développement d'un début de mécanisation pour les cultures pluviales gérées par les hommes. Cette mécanisation se retrouve encore dans le paysage agraire casamançais et reste un critère discriminant de la diversité des systèmes d'exploitation (KAMUANGA *et al.*, 1989 ; BERTHOMÉ et MERCOIRET, 1990) dans la région dont l'équipement actuel date de cette époque. La direction de la coopération, le réseau des coopératives et surtout l'Oncad ont été les instruments de cette politique jusqu'à la suppression de ce dernier en 1980 et l'effondrement du mouvement coopératif.

En même temps, la spécificité rizicole de la Basse Casamance est prise en compte. Des projets sont mis en œuvre par des opérateurs distincts de l'administration sénégalaise sur des financements européens (Fonds européen de développement notamment), avec le bureau d'études néerlandais International LAnd COnsultant (Ilaco), et du gouvernement de Formose avec la présence de la Mission agricole chinoise (Mac) à partir de 1963, puis de la République populaire de Chine en 1974. Dans une deuxième étape, à partir de 1976, la vocation rizicole de la Basse Casamance est réaffirmée avec la création d'une société régionale de développement, la Somivac (Société de mise en valeur de la Casamance), dont une des fonctions consiste à coordonner les interventions dans le domaine du développement agricole. Celle-ci est constituée en établissement public industriel et commercial de développement régional, "chargée de concevoir, de suivre et de coordonner l'ensemble du développement rural en Casamance", mais surtout en Basse et Moyenne Casamance. L'exposé des motifs est plus explicite lorsqu'il précise que la Somivac devra mettre fin à « l'anarchie qui voulait qu'à chaque nouveau projet à financement extérieur corresponde une nouvelle structure » (DARBON, 1988).

La création d'une société régionale de développement, la Somivac doit mettre fin à « l'anarchie qui voulait qu'à chaque nouveau projet à financement extérieur corresponde une nouvelle structure » (DARBON, 1988).

La Somivac coordonne et abrite donc plusieurs projets : le projet rural Sédhiou pour la Moyenne Casamance, le Pidac pour la Basse Casamance (à l'exception de l'arrondissement de Niaguis) et la Mac pour l'arrondissement de Niaguis ; enfin le projet Guidel pour le barrage de Guidel (BONNEFOND et LOQUAY, 1985). Les objectifs de la Somivac sont les suivants : « augmenter rapidement et régulièrement la production agricole par la maîtrise de l'eau et l'utilisation des facteurs de production, promouvoir un développement équilibré entre les cultures industrielles et les cultures vivrières (en portant les efforts sur le riz et le maïs), diversifier les cultures (fruits, maraîchage, coton, soja), développer l'élevage, la pêche, le secteur forestier, accroître et sécuriser les revenus, enfin favoriser l'auto-développement du monde rural » (BONNEFOND et LOQUAY, 1985). La Casamance est alors découpée en fonction des interventions et des bailleurs de fonds (fig. 7).

Le moins que l'on puisse dire est que ces objectifs sont extrêmement ambitieux. Le Pidac intervient notamment dans le département de Bignona. Il réalise des aménagements hydro-agricoles, organise les paysans en groupements, assure la vulgarisation et approvisionne les producteurs en moyens de production à crédit (semences, engrais, matériel).

Cependant, parallèlement à toutes ces interventions « verticales » laissant peu de place à l'initiative paysanne et conduites par des sociétés parapubliques sous l'égide du ministère du Développement rural et de l'Hydraulique, s'est perpétuée depuis l'Indépendance une intervention inspirée par une approche de « développement à la base » animée par les centres d'expansion rurale à l'échelle des arrondissements. Le CER est une équipe pluridisciplinaire formée d'agents des services techniques du ministère du Développement rural (agriculture, élevage, eaux et forêts) ainsi que d'agents du Développement communautaire (monitrices rurales...) sous la direction d'un chef de CER relevant du

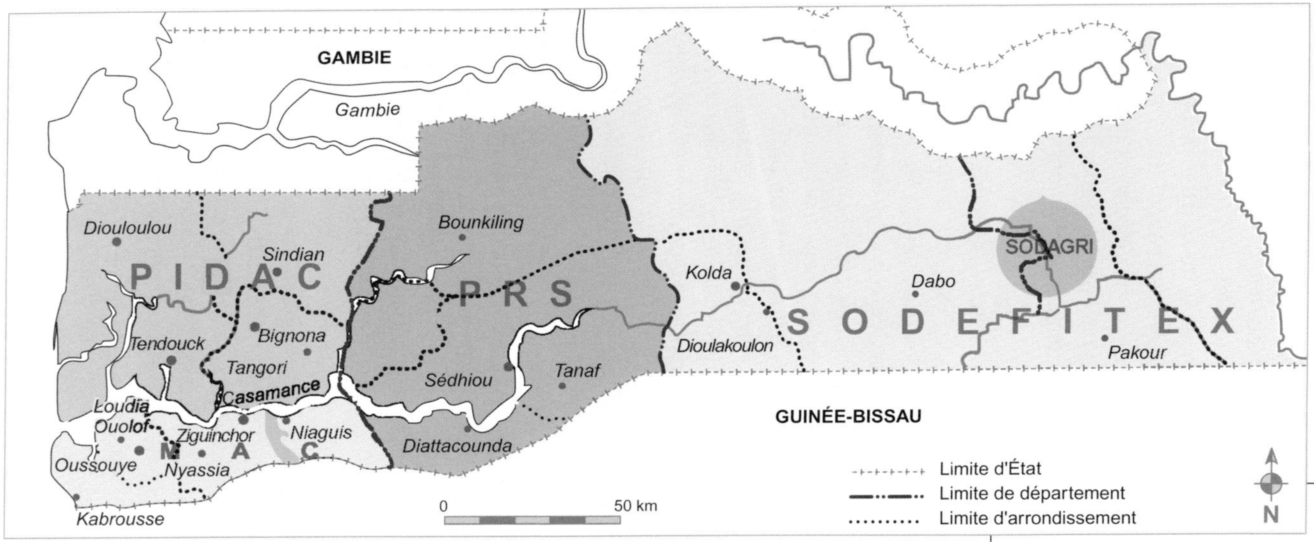

Figure 7 –
Localisation
des organismes d'intervention
en Casamance
en 1982.

ministère de l'Intérieur dans le cadre de la politique de décentralisation. Cette structure a pour fonction d'élaborer des plans locaux de développement en étroite collaboration avec les conseils ruraux et les sous-préfets, et de contribuer à leur mise en œuvre. Une telle approche est peu compatible avec celle des grands projets. De fait, les CER ont toujours été défavorisés en raison de la faiblesse de leurs moyens de fonctionnement. En outre, les plans locaux de développement, une fois élaborés, ont du mal à connaître un début de réalisation en raison de la modicité des ressources locales – en l'occurrence les budgets de la Communauté rurale – et de l'absence d'un fonds de développement approprié (BA, 1985).

Parallèlement aux interventions «verticales» laissant peu de place à l'initiative paysanne s'est perpétuée depuis l'Indépendance une intervention inspirée par une approche de «développement à la base» animée par les centres d'expansion rurale.

Le département de Bignona a également accueilli quelques projets plus modestes comme celui des Kalounayes et le projet de développement des communautés de base de l'arrondissement de Tendouck. D'autres projets sont de type sectoriel, tel le projet forestier (le Projet de protection des forêts du Sud – PPFS) en cours d'achèvement, le Pamez, projet de développement de la pêche maritime artisanale dont les actions concernent la pêche mais aussi le secteur de la transformation et de la commercialisation, où les femmes sont très actives, particulièrement dans la région de Kafountine. Les actions impulsées par l'État appuient également la création d'entreprises, à travers le programme Gopec notamment, rattaché aux services du Développement social, avec une vocation spécifique de promotion des groupes de jeunes entrepreneurs.

La machinerie de la Société régionale de développement, l'ensemble des initiatives sectorielles et catégorielles prises plus ou moins en marge, voire en opposition avec les services de l'État, représentent autant d'initiatives ponctuelles faiblement en prise avec les dynamiques sociales. L'ensemble de ce dispositif, y compris les services de l'État, va se trouver confronté dès 1979 à la rigueur des plans d'ajustement structurel successifs.

Le temps de l'ajustement structurel

C'est en 1979 que sont prises les premières mesures de redressement économique dans le cadre d'un plan de stabilisation à court terme, suivi d'un plan de redressement économique et financier (1980-1985) puis d'un plan d'ajustement à moyen et long terme (1986-1992). On passe ainsi rapidement d'un ajustement de type conjoncturel à une conception de type structurel de l'ajustement avec l'intervention massive de la Banque mondiale à partir de 1981.

Ces objectifs reposent sur la philosophie sous-jacente de l'ajustement fondée sur la théorie des avantages comparatifs. En fait, la Banque mondiale et le gouvernement ont choisi de délaisser l'arachide, seule production agricole d'exportation sur le marché mondial, au profit des céréales à destination du marché intérieur, tout en imposant un vigoureux programme de désengagement de l'État des structures d'appui aux producteurs. Nous n'évoquerons ici que quelques mesures prises depuis les débuts de l'ajustement, celles qui contribuent à expliquer la situation des opérateurs d'État ou du secteur parapublic exerçant une influence sur le secteur agricole.

Les mesures prévues avaient comme finalité principale de rétablir l'équilibre des finances publiques en réduisant les dépenses de fonctionnement des services de l'État et en limitant le recours aux emprunts extérieurs. Cet arsenal de mesures a donné des résultats plus que mitigés, ce que leur instigateur a reconnu en parlant de « faux départ » (BERG, 1988) pour la période 1980-1984 (MBODJ, 1992). Dans la même logique, le programme d'ajustement économique et financier à moyen et long terme est élaboré pour la période 1985-1992, avec comme finalité de renforcer les orientations précédentes, complétées par des mesures structurelles destinées à restaurer la compétitivité des secteurs productifs. Ces réformes structurelles donnent lieu à l'élaboration d'une « Nouvelle politique agricole » (NPA), et d'une « Nouvelle politique industrielle » (NPI) qui supposent la restructuration profonde du secteur parapublic.

Parmi les mesures prises durant cette période pour le secteur agricole, les plus importantes ont concerné le dispositif institutionnel d'appui à l'agriculture ; la question de la privatisation de la filière arachide ne sera abordée que dans une étape ultérieure. À propos de l'évolution souhaitée de l'encadrement du secteur agricole par l'un des principaux bailleurs de fonds, le rapport-bilan de la Banque mondiale sur le Sénégal (1989) est très clair : « La nécessité de réduire le rôle des organismes parapublics et d'en modifier le fonctionnement est, d'après la Banque, l'élément principal de la réforme indispensable du secteur. Les PAS II et III lui ont accordé une importance toute particulière. »

L'argument principal tient à la charge financière que constituent ces organismes pour le budget de l'État, qui consacre plus de 50 % de l'ensemble des crédits de fonctionnement aux entreprises publiques.

Cette période correspond à la dissolution de l'office de commercialisation Oncad, longtemps repoussée, ainsi qu'au début du démantèlement des sociétés régionales de développement telle la Somivac en Casamance. La restructuration des sociétés rurales d'intervention est conduite selon deux modalités : désengagement de l'État dans certaines, allégement de l'encadrement en ce qui concerne les autres. C'est ainsi que la Sonar (Société nationale d'assistance au monde rural, créée pour remplacer l'Oncad dissous en 1980) et la STN (Société des terres neuves) sont dissoutes en 1985 et en 1987 respectivement. La Sodeva (Société de développement et de vulgarisation), qui opérait dans le bassin arachidier, subit une déflation de personnel de 75 % étalée sur une période de cinq ans. Dans un premier temps, et avant d'être supprimées, la Somivac et la Sodagri (Société de développement agricole et industriel) ont été appelées à fusionner. La gestion des engrais passe de la Sonar aux huileries, qui les vendent directement aux paysans sans subvention. De manière concomitante, la NPA prône la participation des producteurs au travers de la réorganisation du monde rural par la constitution de groupements de producteurs appelés « sections villageoises », ayant directement accès au crédit bancaire : 4 472 sections villageoises sont ainsi créées au début des années 1990 (DIOUF, 1992).

L'analyse rétrospective des mesures prises pendant ces trois périodes de l'ajustement structurel montre clairement qu'une priorité a été donnée par la Banque et par le gouvernement au démantèlement des structures parapubliques sans qu'en contrepartie soient prises des mesures pouvant favoriser « la responsabilisation des paysans » – qui figure pourtant en première ligne dans les mesures annoncées dans le cadre de la NPA. Cette responsabilisation des paysans est entendue comme un simple transfert de fonctions, mais surtout de charges.

Outre les questions relatives au démantèlement des dispositifs institutionnels, les plans d'ajustement structurels sont dominés dès 1979 par la question de la politique des prix. Celle-ci a promu des hausses significatives des prix à la production, mais la Banque avoue ne pas très bien savoir « quelle est l'influence des incitations par les prix sur la production ». Pour l'ensemble du pays, il semble que « les fluctuations annuelles des superficies cultivées et de la production correspondent aux changements de culture et à l'influence des conditions climatiques, plutôt qu'à un mouvement d'expansion des superficies ou à une amélioration de la productivité » (Banque mondiale, 1989).

La responsabilisation des paysans est entendue comme un simple transfert de fonctions, mais surtout de charges.

En Basse Casamance, l'accent sur la politique des prix a des conséquences limitées, sauf en ce qui concerne l'arachide qui joue un rôle décisif dans les stratégies agricoles de sécurisation des revenus. Dans de nombreux secteurs, l'arachide a contribué de manière déterminante à l'équilibre alimentaire des familles en leur permettant d'acheter du riz importé souvent en contrebande.

Pendant cette période, les producteurs de riz, de maïs, de mil et de sorgho s'efforcent de diminuer autant que faire se peut le recours au marché par des mises en culture choisies et étalées dans la saison de manière stratégique, de manière à atténuer les risques. La Banque reconnaît l'importance de facteurs autres que la politique des prix auxquels il conviendrait d'attacher plus d'importance dans la perspective d'une relance de la croissance agricole : « Alors que l'importance nouvelle accordée au rôle des prix est une chose hautement souhaitable, les faits semblent indiquer que, dans le contexte sénégalais, la politique des prix ne peut avoir qu'une efficacité limitée tant que l'on ne s'attaque pas à certains autres facteurs affectant sérieusement la performance agricole, tendances climatiques, dégradation des sols, faiblesse des services de recherche et de vulgarisation » (Banque mondiale, 1989).

Ce diagnostic correspond à la situation en Basse Casamance, où il convient de tenir compte plus particulièrement du poids des facteurs environnementaux et des modalités de leur prise en compte par les acteurs du développement.

Dans le domaine agricole, cette période est essentiellement marquée par la mise en œuvre de la Nouvelle politique agricole (NPA) à partir de 1985. Les mesures prises en matière de subventions aux intrants aboutissent à l'élimination définitive de celles-ci en 1989-1990, au transfert de la distribution des engrais au secteur privé et à la libéralisation des importations d'engrais. En 1990, les quantités d'engrais utilisées dans la région de Ziguinchor ont été de 114,9 tonnes, ce qui représenterait moins de 3 kg d'engrais par hectare en considérant uniquement les 40 000 ha cultivés par an sur le seul département de Bignona (FAO, 1990).

Le recours au crédit demeure faible compte tenu des procédures contraignantes de la CNCAS (Caisse nationale de crédit agricole du Sénégal) et des avatars des précédents systèmes de crédit. Le crédit tend à être considéré comme un « bien public », eu égard aux résultats des opérations de crédit antérieures – coopératives et projets des sociétés régionales de développement rural – qui se sont soldées en général par des remises de dettes. Cette situation de « méfiance réciproque » qui entoure les actions de crédit ne facilite guère le développement des relations commerciales des producteurs avec ces opérateurs privés.

La disparition de la société de développement régional, la Somivac, et des projets qu'elle « abritait » marque une rupture avec l'ère des interventions des sociétés parapubliques, dont le renforcement avait été favorisé par la Banque avant la période des ajustements structurels pour contourner la faiblesse des interventions du ministère de l'Agriculture (Banque mondiale, 1989). Les commentaires de la Banque sur cette question sont particulièrement explicites et clairs : « Il semble que durant les années 1970, la Banque ait pratiqué à l'égard du secteur parapublic une politique assez bornée, animée par des préoccupations qui en limitaient la portée, notamment la nécessité de court-circuiter les organismes traditionnels du gouvernement quand il s'agissait d'exécuter les projets. »

« Au cours des années quatre-vingt, les institutions internationales – en particulier le FMI et la Banque mondiale – démantelèrent les États du Sud avec la même ardeur qu'elles avaient mise pour les renforcer au cours des années soixante-dix » (Rist, 1996).

La stratégie de l'ajustement structurel à l'égard des organismes parapublics est donc une condamnation explicite de la politique conduite par la Banque dans les années 1970. Ce phénomène n'est pas propre au Sénégal mais concerne l'ensemble des pays qui doivent ajuster leur secteur public et libéraliser leur économie : « Au cours des années quatre-vingt, les institutions internationales – en particulier le FMI et la Banque mondiale – démantelèrent les États du Sud avec la même ardeur qu'elles avaient mise pour les renforcer au cours des années soixante-dix » (Rist, 1996).

Cependant, malgré le caractère radical des PAS à l'égard des organismes parapublics, ce type d'intervention n'est apparemment pas totalement remis en cause comme en témoigne la présence de deux grands projets, l'un ayant pour cadre géographique d'intervention la Basse Casamance — le Derbac (Projet de développement rural de la Basse Casamance) —, l'autre intervenant en Basse et Moyenne Casamance sur l'aménagement de vallées. Au-delà des discours et des PAS, il semble que l'on doive parler de continuité avec la période antérieure plutôt que de rupture. Les deux projets qui interviennent à la fin des années 1990 en Basse Casamance emploient des méthodes ne différant pas fondamentalement de celles des anciens projets pilotés par la Somivac.

La période récente : ruptures et permanences

Dans les années 1990, les seuls contacts des producteurs avec l'État en Basse Casamance ont lieu par le biais des agents du Programme national de vulgarisation agricole, dont les recommandations sont d'une pertinence variable selon les cultures mais présentent surtout le défaut de ne pas être accompagnées des moyens de leur application. Les services de la protection des végétaux maintiennent une activité modeste, largement dépendante des dotations de la FAO en produits de traitement et en matériel. Ces dotations sont très inférieures aux besoins des populations, alors que la pression même des ravageurs et des maladies n'est pas le principal facteur limitant les productions en Basse Casamance.

Les messages d'intensification, dont on peut souligner le caractère récurrent depuis plusieurs décennies, sont voués à rester lettre morte tant que le coût des intrants demeure prohibitif et que tout recours au crédit demeure illusoire pour la grande masse des producteurs. Adopter les techniques d'intensification entraîne un risque économique que la plupart des producteurs ne peuvent se permettre de courir tant que les risques techniques ne sont pas significativement réduits. La maîtrise de ces risques techniques passe par l'adoption de pratiques agronomiques globales qui impliquent de dépasser le seul cadre de la parcelle pour raisonner à l'échelle des terroirs afin de sécuriser les flux de matière et d'eau.

Les opérateurs du secteur public sont directement touchés par les importantes réductions budgétaires liées aux plans d'ajustement structurel. Si l'on peut considérer de telles mesures comme légitimes malgré une efficacité relativement faible, il est certain qu'une telle politique de désengagement de l'État souffre cruellement d'un manque de réflexion sur le type de fonctions qu'il est indispensable que l'État assure et sur les modalités nécessaires pour en assurer l'efficacité. L'exemple de l'arrêt des Travaux publics à l'échelle de la région en est une illustration alors que la compétitivité des produits (maraîchage, fruits, produits de cueillette) casamançais est menacée par des coûts de transport et de transaction bien trop élevés, compte tenu de l'état déficient des infrastructures dans toute la région.

La décennie 1985-1995 est celle des interventions extérieures les plus faibles et les moins structurées. Deux dynamiques institutionnelles coexistent : le retrait de l'État offre un espace d'initiative aux structures non gouvernementales alors que, dans le même temps, les mêmes principes président peu ou prou à la mise en œuvre de nouvelles initiatives calquées sur les modèles antérieurs.

Alors que l'État est fortement en retrait et cantonné dans une lointaine position de supervision, les interventions non gouvernementales participatives se multiplient.

Alors que l'État est fortement en retrait et cantonné dans une lointaine position de supervision, les interventions non gouvernementales participatives se multiplient, en concernant surtout les marges des activités des systèmes de production et des catégories sociales souvent – mais pas toujours – marginalisées dans les dispositifs « classiques » d'intervention. Entrent dans cette catégorie les organisations non gouvernementales ainsi que les institutions d'origine confessionnelle (centre Cara d'Affiniam) implantées dans le département de Bignona depuis plus de vingt ans pour certaines des plus anciennes. Ces institutions, dont les motivations d'aide aux paysans relèvent surtout de principes moraux (solidarité, souci humanitaire, aide aux catégories sociales marginalisées ou considérées comme telles) s'avèrent très diverses par leurs objectifs et leurs programmes, leurs modalités d'intervention et leurs choix d'interlocuteurs privilégiés.

Les ONG interviennent le plus souvent en appui à des groupements de base, plus rarement à des associations, et souvent directement au niveau des villages, indépendamment de l'existence de groupements de producteurs. Elles ont alors tendance à souligner la difficulté que constitue l'inorganisation des populations. Leurs moyens demeurent en général modestes et leurs relations avec les services techniques de l'État sont marquées par un sentiment de défiance. La question des moyens mis en œuvre et des compétences mobilisables par ces organisations demeure lancinante et obère bien souvent la portée des résultats obtenus, en dépit d'une très forte motivation de leurs membres et des populations. Leurs objectifs et leurs programmes traduisent des ambitions diverses. Certaines institutions affichent des objectifs « humanitaires », plus ou moins vastes (limiter l'exode rural) ou précis (appui au développement), d'autres ont focalisé leur action sur quelques problèmes agricoles majeurs (revalorisation des rizières) ou sur des activités de diversification qui permettent de sécuriser les revenus des unités de production. La diversité des problématiques abordées et la faiblesse des moyens mobilisables rendent compte d'une certaine dispersion des énergies et d'une atomisation certaine des interventions.

La diversité des problématiques abordées et la faiblesse des moyens mobilisables rendent compte d'une certaine dispersion des énergies et d'une atomisation certaine des interventions.

Les ONG interviennent le plus souvent en fonction des demandes des populations dont la participation comprend une cotisation monétaire et un apport sous forme de travail. Certaines ONG déplorent le manque de structuration du milieu ; elles ont du mal à mobiliser les gens ou à obtenir des participations financières. Leurs interventions entrent en concurrence avec d'autres priorités des populations. Des ONG mentionnent la difficulté de mobiliser les producteurs occupés à d'autres tâches de production ou pris par diverses obligations sociales.

De manière surprenante dans cette période de liquidation des organismes parapublics, à la fin des années 1980 est créé le Derbac, projet régional de développement intégré, qui affiche une vocation d'appui global à la production agricole. Il constitue à son tour des groupements (dits groupements « Derbac »), qui prennent le relais des groupements « Pidac » et se superposent parfois aux groupements créés par les associations paysannes. Il assume des fonctions d'aménagement (pistes, barrages, puits, etc.) et de vulgarisation. En matière de crédit, il oriente les groupements vers la Caisse nationale de crédit agricole (CNCAS) mais bénéficie d'une ligne de crédit pour des taux bonifiés. Le Derbac partage sa zone d'intervention en Basse Casamance avec le Projet de gestion des eaux dans la zone Sud (Proges) dont le lancement réaffirme la priorité donnée à la réhabilitation de la riziculture. Le Proges procède à des aménagements hydro-agricoles et pense étendre ses actions à la vulgarisation des techniques culturales d'intensification qui sont expérimentées en même temps que sont construits les aménagements. La différence essentielle avec le Derbac réside dans le souci largement affirmé d'une prise en charge effective des aménagements et de leur entretien par les populations (WADE et FAYE, 1995), ce qui implique un recours aux ONG locales pour le suivi et la formation, aux entreprises privées de la région pour la construction du gros œuvre, aux populations dans le cadre de démarches participatives (cotisations, apports en travail et formation de comités de gestion) et aux organisations paysannes pour les questions relatives à l'animation.

Dans le même temps se met en place le Programme national de vulgarisation agricole (PNVA) qui concerne l'ensemble du territoire national et dont les méthodes sont adoptées par les nouveaux projets tel le Derbac dans leurs zones d'intervention.

Les politiques publiques dans le secteur agricole présentent donc en Basse Casamance un panorama assez complet des formes d'interventions qui ont caractérisé les grandes périodes de l'histoire récente du développement. Ces actions ont relevé d'approches souvent assez peu compatibles entre elles, en épuisant successivement tous les registres de l'action publique jusqu'à la non-intervention. Celle-ci est maintenant prônée par les bailleurs de fonds qui ont imposé des redéfinitions abruptes du dispositif d'encadrement du secteur agricole. C'est également au cours des années récentes caractérisées par la non-intervention publique, alors que l'État laisse un large espace d'initiative au monde rural, que s'élargit le mouvement associatif paysan avec la consolidation des organisations paysannes autonomes les plus anciennes et la création de nouvelles.

L'évolution de la conception des interventions techniques

Dans le cadre général des politiques de développement, des orientations et des contenus de la recherche agronomique ont été définis afin de fournir des bases techniques aux interventions publiques en Basse Casamance. Les recherches agricoles ont permis de réunir des connaissances importantes sur les évolutions du milieu physique, sur les ressources génétiques et leur mise en valeur dans le cadre de systèmes intensifs (de type révolution verte), sur la mise en œuvre de différents types d'aménagements hydro-agricoles et leurs conséquences, voire sur les systèmes de production agricoles. Cependant, si ces résultats ne sont pas contestables en eux-mêmes, ils n'ont pas permis aux populations de mieux répondre aux crises. L'absence d'intégration et de coordination entre des travaux relevant de disciplines et d'institutions distinctes ainsi que des modes d'intervention hiérarchiques expliquent cet échec.

Les propositions de la recherche pour le développement et les réactions des producteurs

La mise en place de la recherche agronomique

La première station de recherche agricole est établie à Séfa en Moyenne Casamance à la fin des années 1940 à la demande la Compagnie générale des oléagineux tropicaux (CGOT) afin d'entreprendre des recherches d'accompagnement sur l'arachide de bouche. La seconde station de recherche, Djibélor, à proximité de Ziguinchor, est créée en 1951 sous la tutelle des Services agricoles.

La station de Séfa est créée effectivement en 1949 et les premiers essais sont conduits en 1950 sur une superficie de 750 hectares sur les 16 000 hectares qu'elle comporte. Cette station est reprise par l'Irat (Institut de recherche agronomiques tropicales) en 1960 et son domaine de recherche englobe alors l'ensemble des cultures pluviales. Cependant, les recherches ne concernent que ces cultures pluviales – au premier rang desquelles l'arachide constitue une priorité – avec l'objectif de mettre au point la culture mécanisée par assolement conservant la fertilité des sols (arachide, riz pluvial et engrais vert). Les recherches sont thématiques et combinent la connaissance agro-pédologique des milieux cultivés sous pluie (cultures pluviales), la mise au point d'itinéraires techniques mécanisés et les conséquences sur ces milieux des techniques culturales préconisées.

En riz pluvial, les recherches conduisent à des rendements compris entre 3 t et 3,5 t/ha, avec un itinéraire technique préconisant un labour à la culture attelée en évitant les pentes trop fortes pour limiter les risques d'érosion et un semis précoce pour obtenir une couverture rapide du sol (BIRIE-HABAS, 1966). Les questions relatives à l'enracinement en fonction du travail du sol seront particulièrement étudiées (NICOU et SÉGUY, 1970 ; HADDAD et SÉGUY, 1972). La recherche conclut à la possibilité de développer avec succès le riz pluvial sur des sols gris avec nappe plus ou moins profonde « à condition de respecter les impératifs mis en évidence par quatre années d'expérimentation : labour profond, variété adaptée, semis précoce, fumure minérale. L'application de ces thèmes en milieu paysan (village d'Inor) a permis d'obtenir des rendements moyens de 25 q/ha » (HADDAD et SÉGUY, 1972).

En matière variétale, à la fin des années 1950, une première collection de 200 variétés originaires de Casamance ou introduites est recensée par les Services agricoles et la station de Séfa. Pour la riziculture expérimentée à Séfa, des variétés de 100 à 110 jours, résistantes à la pyriculariose et à l'helminthosporiose, sont sélectionnées à partir du matériel rassemblé en collection depuis 1951, d'introductions de matériel végétal résistant aux champignons (Ineac, Congo, Brésil et Viêt-nam), et d'hybridations (JACQUOT, 1966).

Dès l'indépendance du Sénégal, une étude globale des potentialités et des contraintes est entreprise par la Cinam-Seresa sous la direction du R. P. Lebret. Pour la Basse Casamance et le département de Bignona en particulier, des constats servent de base à des propositions opérationnelles de mise en valeur.

Le rapport note « la régression de la riziculture traditionnelle au profit de l'arachide, la régression de la culture des rizières par les hommes sous l'influence mandingue et la forte émigration des jeunes vers les centres urbains ». Malgré tout, une orientation rizicole est affirmée pour la Basse Casamance et pour la partie mandingue de la Moyenne Casamance. L'objectif affiche « l'extension ou la modernisation de la riziculture casamançaise sur 4 000 hectares apportant un surcroît de production de 3 500 tonnes environ de riz paddy » selon des modalités d'intervention participative : « La population serait amenée à participer à cet effort. On peut légitimement penser que, se sentant directement concernés et ayant pris davantage conscience par ce travail de leur "solidarité" collective avec les rizières des terres aménagées, encouragés en même temps par une "politique commerciale du riz" appropriée, guidés par les Centres d'expansion rurale et les équipes polyvalentes d'animateurs, les villageois se concentreront mieux et davantage à la riziculture. » Ces ambitions sont tout à fait modestes au regard des superficies en rizières à cette période (environ 40 000 hectares, soit dix fois plus que les 4 000 hectares choisis comme cible en matière d'intensification).

Les orientations stratégiques retenues et leurs évolutions ne favorisent pas la recherche de solutions aux difficultés agricoles des populations.

À cette époque-là, la Casamance ne produit pas assez de riz pour couvrir ses propres besoins, ce qui est mis en relation avec des pratiques de thésaurisation du riz en pays « diola-floup ». Les propositions techniques portent sur la distribution de semences sélectionnées, la diffusion d'engrais et le développement du labour mécanisé sous forme de prestations de service payantes, l'encadrement des paysans devant être assuré par un total de dix-neuf centres d'expansion rurale sur l'ensemble de la Casamance. Cependant, cette option *a priori* favorable à la riziculture, mais tout à fait modeste eu égard à l'importance et à la complexité des formes de riziculture, ne s'est pas traduite dans les faits par une prise en compte de la diversité des écosystèmes transformés à des degrés divers par la riziculture.

Les orientations stratégiques retenues et leurs évolutions ne favorisent pas la recherche de solutions aux difficultés agricoles des populations. Au-delà d'intentions de principe fort louables, les ambitions modérées affichées dans ce rapport révèlent la faible importance accordée en réalité à la riziculture casamançaise par rapport au reste de l'économie agricole sénégalaise. On reste dans l'optique du rapport Portères de 1952.

Les recherches sur la riziculture

Les recherches ne s'orientent que progressivement vers la riziculture inondée, en dépit de l'intérêt porté à cette « civilisation » du riz par des botanistes et géographes. Certains s'engagent dans le développement et réalisent dans les années 1950 des travaux faisant référence (DRESCH, 1949 ; PORTÈRES, 1950 ; PORTÈRES, 1955 ; Gouvernement général de l'AOF (Mission R. Portères), 1952 ; PÉLISSIER, 1966). Ainsi, à partir de 1959, commence en Basse Casamance un inventaire des variétés utilisées en riziculture inondée. Cet inventaire se concrétise par la mise en place, entre 1964 et 1966, d'une collection à la station de Djibélor à la suite d'une prospection variétale par l'Irat, qui s'accompagne d'une première approche des sols de rizières. Dans les années 1962-1963, la FAO a mis en place des essais de démonstration montrant que l'azote joue un rôle positif sur les rendements du riz. Les débuts sont modestes. Ce n'est qu'à la fin des années 1960 que l'accent est mis de manière plus affirmée sur les écosystèmes submergés de manière permanente ou temporaire.

En 1967, un programme de recherche sur le riz inondé débute à la station de Djibélor dont les terres sont progressivement aménagées en rizières. Djibélor devient la station de recherche principale en 1975 avec la création de l'Isra (POSNER, 1985). De 1967 à 1969, la station abrite deux programmes de recherche – l'agro-pédologie des sols submergés et l'amélioration du riz aquatique – auxquels viennent s'ajouter un programme sur la mécanisation des pratiques culturales pour le riz aquatique (1970-1976), puis d'autres programmes centrés sur le riz : entomologie (1970), phytopathologie (1981) et malherbologie (1981) (POSNER, 1988).

Les recherches sur le milieu physique permettent de mieux cerner les potentialités et les contraintes des différents types de sols exondés (BERTRAND, 1973 ; SIBAND, 1974, 1976). Par la suite, des recherches appliquées sont conduites dans le cadre du projet Ilaco sur les conséquences des aménagements réalisés dans le contexte de crise climatique à la fin des années 1960, notamment en matière d'acidification (BEYE, 1972 ; BEYE 1973 a). Des recherches finalisées sur la fertilité des sols inondés et sur les moyens de résoudre les graves problèmes d'acidité par des amendements, l'utilisation de pailles (BEYE, 1973 b), et de la fumure azotée (BEYE, 1977) ou de lutter contre la salinité (BEYE, 1975) fournissent une base de connaissances sur les possibilités mais aussi les limites des solutions techniques. En amont des recherches sur la riziculture inondée et en complément des inventaires variétaux, une classification des différents types de rizières et de leurs contraintes est proposée (HADDAD, 1969). Des essais aboutissent à la mise au point d'itinéraires techniques mécanisés pour la riziculture aquatique (TRAVERSE, 1971 ; 1973).

Les dates optimales et l'écartement entre les lignes pour le semis direct en ligne sont précisés, de même que les techniques de pépinière (doses, fertilisation) pour le riz repiqué (Recherches rizicoles en

Casamance, 1979). Au début des années 1980, la recherche agronomique dispose ainsi d'un référentiel relativement complet. En fonction de la diversité des formes de riziculture, la recherche propose une gamme de variétés améliorées (introductions et croisements) adaptées aux diverses conditions d'inondation (CNRA, 1982).

De la recherche en station à la recherche avec les paysans

En terme de démarche, la recherche reste jusqu'à la fin des années 1960 centrée sur les parcelles expérimentales de stations. Elle se préoccupe de mettre au point des paquets techniques permettant d'améliorer les pratiques et les rendements tout en maintenant la fertilité du sol. Les systèmes de culture préconisés intègrent une rotation et l'apport de fumure minérale.

Des expériences novatrices préfigurent un engagement plus poussé de la recherche vers les situations réelles.

Des expériences novatrices ont pourtant permis une certaine prise en compte de la diversité agro-écologique et préfigurent d'une certaine manière un engagement plus poussé de la recherche vers les situations réelles. Des dispositifs permettant d'associer la recherche aux observations issues du développement ont été créés au sein de la structure nationale de recherche : la Section d'application de la recherche à la vulgarisation (Sarv) du CNRA de Bambey, les stations régionales et certains des Papem (Points d'appui, de prévulgarisation et d'expérimentation multilocale) ainsi que les Unités régionales d'expérimentation multilocales. Mais « ces actions avaient essentiellement concerné la démonstration de thèmes techniques liés à une culture ou de thèmes techniques isolés auprès de paysans dits "correspondants" encadrés par des agents des sociétés de développement » et leur influence sur le développement reste modeste (POCTHIER, 1981).

POCTHIER (1981), tout en reconnaissant les apports de ces expériences (acceptabilité des variétés nouvelles, mise en échec de certains thèmes techniques et compréhension des raisons de ces rejets, sensibilisation de l'encadrement et de certains paysans aux nouvelles techniques), en a bien montré les limites : caractère sectoriel des démonstrations qui concernent une seule culture, faiblesse de la superficie améliorée au niveau d'une exploitation (inférieure à 5 %), dispersion des interventions (un à deux paysans par village et un à deux villages par région), réussite des démonstrations dépendant des relations personnelles entre l'encadrement et les paysans, et enfin réponse à des demandes de court terme pour le développement.

C'est à la fin des années 1960 que se développent de nouvelles orientations de recherche avec les Unités expérimentales dans le Sine-Saloum. Ce programme, particulièrement important dans l'histoire de la recherche agricole tropicale, ne concerne pas directement la Casamance (BENOIT-CATTIN, 1986). Cependant, en s'inspirant de cette démarche un programme dit de "transfert de technologie" en vraie grandeur commence sur le site de Mampalago en 1973 (POCTHIER, 1981).

L'opération de Mampalago succède à des productions de semences et à des démonstrations de culture attelée et de nouveaux systèmes de culture à base de riz pluvial et de riz de nappe. Conduites à proximité (Inor et Bounkiling), elles ont suscité l'intérêt des paysans de Mampalago.

Cette recherche – que l'on qualifierait aujourd'hui de « recherche-développement » ou de « recherche-action » – constitue à bien des égards une rupture avec les pratiques antérieures focalisées sur les parcelles expérimentales des stations de recherche.

L'échelle de travail est le village et l'action de démonstration intervient à la suite d'une demande insistante de quelques agriculteurs. On notera que ce village aux confins de la Basse et de la Moyenne Casamance, éloigné de Bignona, bénéficie alors d'autant moins du soutien de l'administration qu'il se situe politiquement dans l'opposition.

Avec une implication modeste de la recherche en terme de présence permanente sur le terrain, les demandes des agriculteurs conduisent à un aménagement du terroir qui touche 37 chefs d'unités de production et 102 hectares en 1978 puis 50 chefs d'unité de production sur un total de 78 et 180 hectares en 1980.

En même temps, des comités de quartier se constituent « en vue de faciliter la communication et de responsabiliser les quartiers tant pour l'expression des besoins en facteurs de production que pour leur mise en place et le remboursement des crédits de campagne » (POCTHIER, 1981). Par la suite, ces comités de quartiers joueront un rôle déterminant dans le processus de développement.

L'opération de Mampalago introduit plusieurs innovations : les sciences sociales sont associées à la recherche-action de manière à comprendre les déterminants socio-économiques des producteurs. L'échelon d'organisation de la population du village est laissé ouvert par la recherche, le niveau du quartier, voire du sous-quartier, est retenu par les gens comme unité sociale pertinente de réflexion et d'action. Les démonstrations et les actions associent l'aménagement du milieu physique et la promotion de techniques améliorées.

D'une recherche autonome à la collaboration avec une organisation paysanne

En matière agronomique, les recherches engagées au cours des années 1980 paraissent répondre à plusieurs options, parfois contradictoires mais toutes argumentées à partir du constat de la dégradation de la riziculture dans les vallées. Cette époque correspond au renforcement de la recherche agronomique sénégalaise, grâce à un financement important de la Banque mondiale. Elle institutionnalise la dimension systémique des recherches avec la création du département des systèmes de production au sein de l'Institut sénégalais de recherche agricole (Isra). La recherche bénéficie de financements importants et poursuit à bien des égards les approches en milieu réel impulsées dans la période précédente (BENOIT-CATTIN, 1986). La Basse Casamance sera l'une des régions choisies par l'Isra pour implanter un programme de recherche sur les systèmes de production (FAYE et BINGEN, 1989).

Les recherches s'appuient déjà sur des acquis importants. Le nouveau dispositif fonde ses orientations sur une synthèse des acquis des recherches conduites jusqu'alors en Basse Casamance (POSNER, 1988) et sur les diagnostics de l'équipe « systèmes de production » qui fournissent une meilleure connaissance de la diversité du milieu socio-économique (KAMUANGA *et al.*, 1989) et des réactions des producteurs en situation de forte contrainte pluviométrique (POSNER *et al.*, 1985).

D'après des indicateurs clés, des zones à problématiques de développement relativement homogènes sont identifiées (KAMUANGA *et al.*, 1989). Cette prise en compte de la diversité se traduit par le choix de deux villages par zone comme sites de recherche. L'étude des stratégies des producteurs va orienter la recherche vers plusieurs objectifs finalisés :

« – l'intensification de la production sur les terres fertiles en accroissant le rendement du riz dans les bas-fonds grâce à l'utilisation d'engrais et de variétés améliorées et le maïs dans les champs de case ;

– la diversification du système de culture en introduisant une culture de semis tardif (patate douce, niébé, sorgho et/ou mil) exigeant peu de travail pour ne pas concurrencer les travaux de labour ;

– la réhabilitation du riz de plateau abandonné à cause du déficit pluviométrique et du riz de bas-fond abandonné à cause de l'intrusion des eaux salées ;

– la valorisation de l'humidité résiduelle des rizières par une culture relais (patate douce) » (FAYE et BINGEN, 1989).

« Les recherches menées par l'Isra paraissent en décalage avec les stratégies paysannes de développement des cultures exondées, des cultures maraîchères et de l'arboriculture fruitière » (Faye et Bingen, 1989).

À partir d'un zonage, des enquêtes et les essais correspondants vont être menés entre 1982 et 1986 sur plusieurs thèmes. Pour la riziculture, la recherche agronomique travaille à la mise au point d'itinéraires techniques améliorés, intensifs et mécanisés, basés sur des variétés améliorées à cycle court et adaptées aux milieux dégradés. Ce diagnostic de dégradation des vallées conduit à développer des recherches complémentaires sur les milieux exondés et à focaliser la recherche sur les cultures pluviales, notamment sur le maïs (Posner, 1985). La recherche agronomique durant cette période s'efforce de mieux prendre en compte les stratégies de diversification des producteurs face à la dégradation des conditions physiques de production (Posner *et al.*, 1985).

Pour l'ensemble du dispositif Isra, « la recherche rizicole reste cependant prédominante. Des itinéraires techniques pour le riz de nappe et le riz aquatique mis au point en station existent mais on en est toujours à extrapoler les résultats obtenus en station en Moyenne Casamance à la Basse Casamance. [...] Les recherches menées par l'Isra paraissent donc en décalage avec les stratégies paysannes de développement des cultures exondées, des cultures maraîchères et de l'arboriculture fruitière » (Faye et Bingen, 1989).

Le programme de recherche sur les systèmes de production connaît des difficultés importantes : le travail décalé dans le temps des chercheurs, ce qui nuit à la pluridisciplinarité affichée, les départs en formation des chercheurs initiateurs des programmes, l'importance quantitative des données produites et l'insuffisance des moyens de traitement, l'arrêt des financements. Cette situation budgétaire difficile entraîne des conséquences importantes sur la stratégie et les conditions de recherche. Face aux difficultés budgétaires et de personnel, « la solution qui reste est d'accepter les offres de collaboration avec une organisation paysanne, le Comité d'action pour le développement du Fogny (Cadef) » et de ne maintenir que les essais de vérification pour la campagne agricole suivante (1987-1988) (Faye et Bingen, 1989).

La collaboration avec le Cadef s'amorce dans un contexte nouveau marqué par la mise en œuvre de la NPA et dans une conjoncture difficile pour l'Isra en Basse Casamance. À cette époque, le Cadef est arrivé au constat que « son impact resterait limité s'il ne s'attaquait pas à l'amélioration des systèmes de production familiaux. D'où sa demande de collaboration avec l'Isra, mais avec des exigences affirmées. Le Cadef part du principe que c'est à lui de décider en dernier ressort des problèmes prioritaires sur lesquels il collaborera avec la recherche et le Ciepac. Il a ses financements propres et le Ciepac l'a aidé à former ses propres animateurs qui doivent s'occuper de la réalisation des tests retenus avec les paysans que les comités villageois choisiront. Ceux-ci devront aussi prendre en charge les fonctions de vulgarisation qu'assurait le Pidac » (FAYE et BINGEN, 1989).

Le Cadef part du principe que c'est à lui de décider en dernier ressort des problèmes prioritaires sur lesquels il collaborera avec la recherche et le Ciepac.

Un programme de collaboration plus large incluant le département des systèmes agraires du Cirad et l'École nationale d'économie appliquée (Dakar) se concrétise sous la forme d'un projet de recherche-développement, dit PRD Cadef. En phase avec la politique de désengagement massif de l'État, ce projet est novateur par rapport à une recherche profondément marquée par une distance vis-à-vis « d'une demande sociale construite ». FAYE et BINGEN écrivent en 1989 : « Les exigences du Cadef remettent en cause le système de recherche-vulgarisation en place au Sénégal et les rôles respectifs des différents partenaires : recherche, vulgarisation et paysans. Il ne sera pas unanimement admis au sein de l'Isra, et la société régionale de développement risque de le percevoir comme une remise en cause ».

L'évolution des recherches agricoles en Basse Casamance illustre une faiblesse chronique et récurrente des relations avec le milieu paysan. La recherche ne se trouve intégrée au « développement » qu'au début des années 1950 dans le cadre de la CGOT (Compagnie générale des oléagineux tropicaux) avec le « succès » que l'on sait en matière de destruction rapide des sols compte tenu du modèle technique alors retenu (motorisation et intensification). Les évolutions concrétisées dans les années 1980 par la mise en place des recherches sur les systèmes de production vont permettre à la recherche agricole d'acquérir une meilleure connaissance de la logique et de la cohérence des systèmes de production ainsi que de l'organisation sociale. Cependant, cette meilleure connaissance de l'organisation sociale reste déconnectée de l'intervention pour le développement ; elle n'est pas valorisée par les actions de développement qui demeurent focalisées sur l'augmentation des potentialités culturales.

Grands ou petits barrages ?

Le Sénégal indépendant a confié le développement de la culture du riz en Casamance à deux sociétés d'intervention, l'International Land Development Consultants (Ilaco) associé à la Société centrale pour l'équipement du territoire (Scet) dans un groupement, le Gerca, Groupement d'études rurales en Casamance. L'Ilaco a créé, à une échelle expérimentale, deux casiers pour tester la viabilité d'aménagements. La stratégie d'aménagement de l'Ilaco se disait fondée sur le savoir-faire des paysans : l'option retenue fut celle de la création de « polders » par l'établissement de réseaux de canaux de drainage facilitant le dessalement des terres. L'accent mis sur la lutte contre la salinité occulta les questions relatives à l'acidification, alors que cette expérience a coïncidé avec les périodes de sécheresse de la fin des années 1960 (à partir de 1968-1969). Du fait d'un manque d'eau, le drainage provoqua une acidification massive des sols, remettant en cause le modèle technique proposé. C'est cependant sur ces principes que furent conçus les grands barrages anti-sel destinés à protéger les grandes vallées affluentes de la Casamance. Pendant leur construction, les conditions antérieures de pluviométrie qui justifiaient ce type d'aménagement ne sont plus réunies. Un drainage profond entraîne une acidification massive et brutale des sols, potentiellement sulphatés acides, due à une oxydation brutale des sulfures avec libération d'acide sulfurique et des sels toxiques d'aluminium suivie d'une baisse brutale du pH (MARIUS, 1979). Dès cette époque, des avis scientifiquement argumentés s'opposent à la mise en œuvre d'une politique de grands barrages dont certains seront pourtant encore construits plus tard (MARIUS, 1979).

Des débats passionnés portent alors sur les choix techniques en matière de politique d'aménagement agricole pour la Basse Casamance. Y participent l'État, les opérateurs de développement et la recherche agronomique. Les options en présence concernent, d'une part, l'alternative entre petits et grands aménagements et, d'autre part, l'alternative entre riziculture aménagée dans les vallées et cultures pluviales sur les plateaux.

En dépit des réticences, voire de l'opposition d'une partie de la recherche, de grands aménagements, prévus à la confluence des grands marigots avec l'estuaire de la Casamance soumis à la marée, sont mis à l'étude. Deux grands barrages sont finalement construits, et actuellement opérationnels : le barrage de Guidel (1983) et le barrage d'Affiniam (1987). Ces grands barrages ont pour finalité de protéger les affluents directs de la Casamance contre les intrusions salines et de réguler les niveaux d'inondation sur l'ensemble des terroirs rizicoles situés en amont.

La recherche – et plus particulièrement l'Orstom – soutient une option techniquement et socialement différente, celle des petits barrages anti-sel et des barrages de retenue dans des vallées moins larges et à bassin versant plus restreint. Cette option est mise en œuvre dans un

Figure 8 –
Localisation
des grands aménagements
hydrauliques en Casamance
en 1982.

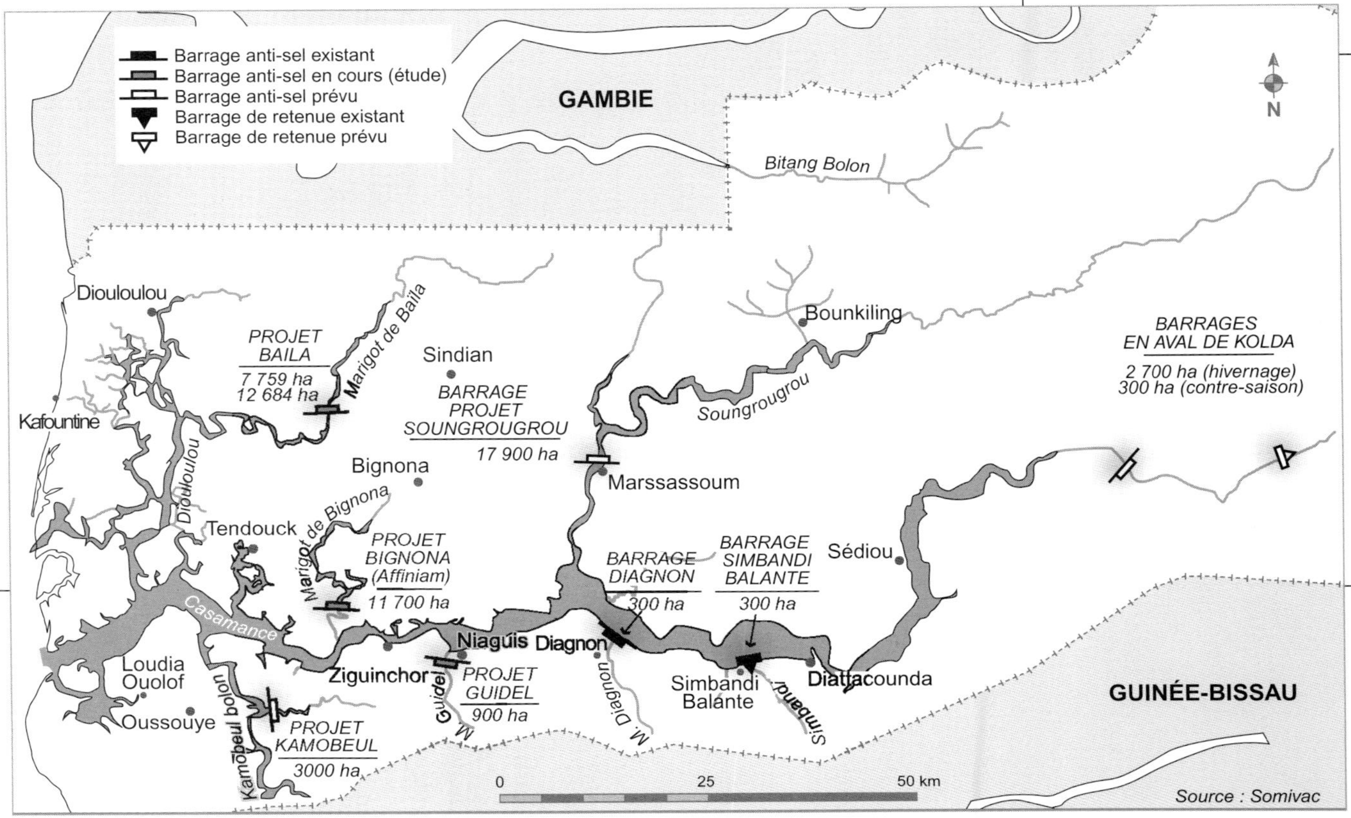

premier temps par le Pidac, puis reprise par d'autres opérateurs. De manière parallèle, le Pidac accorde une place importante à la diffusion de propositions techniques destinées à améliorer les itinéraires techniques du riz mais aussi de l'ensemble des cultures pluviales. La première phase du Pidac, considérée comme un succès sur le plan des aménagements, devait se prolonger par une seconde phase de façon à généraliser ce type d'aménagement à l'ensemble de la Basse Casamance. Il s'agit également de vulgariser les techniques d'intensification de la riziculture (variétés améliorées, engrais chimiques, techniques culturales...). Cette deuxième phase ne sera jamais mise en œuvre par suite du démantèlement de la Somivac.

Depuis l'expérience du Pidac, d'autres opérateurs de développement se sont inspirés plus ou moins directement de ces principes d'aménagement. Ces intervenants se multiplient dans les années 1990 (projet autonome de développement rural de la Casamance, dit projet Derbac [1990-1994]) ; projet de gestion des eaux de la zone Sud, Proges ; projet de recherche-développement Cadef [1989-1994]) ainsi que les programmes de diverses associations paysannes (Entente de Diouloulou et Entente de Tendouck avec l'appui de l'Inter-Entente) ou ONG (Enda-Acas, Tara...). Ces interventions en matière d'aménagement sont ou non accompagnées d'actions techniques pour la riziculture.

Grands barrages anti-sel, petits résultats agricoles

Le bilan de ces grands aménagements est contrasté. Leur rôle pour la protection du milieu peut être considéré comme positif, alors que leur effet sur la mise en valeur est nettement plus limité.

Le barrage de Guidel – le premier à être aménagé – est devenu opérationnel à partir de 1983 ; il devait permettre de protéger les sols de mangroves et de mettre en valeur les terres salées en amont (BARRY *et al.*, 1988). Le barrage d'Affiniam a été mis en service en 1987. Aucun autre barrage de ce type n'a été mis en chantier depuis.

Le bilan de ces grands aménagements est contrasté. Leur rôle pour la protection du milieu peut être considéré comme positif, alors que leur effet sur la mise en valeur est nettement plus limité.

Ce type de barrage est établi à proximité du point de confluence avec la Casamance, avec un principe simple de fonctionnement : en hivernage, les portes sont fermées afin de retenir les eaux douces provenant du ruissellement sur le bassin versant ; en saison sèche, à l'inverse, les portes sont ouvertes pour permettre l'entrée d'eau salée afin de prévenir les phénomènes d'acidification en maintenant une côte minimale (BOIVIN et LOYER, 1989).

Le barrage anti-sel d'Affiniam, sur le marigot de Bignona.

IRD / J.-P. Montoroi

Pour le barrage de Guidel, les principaux résultats obtenus en matière de protection du milieu contre la salinité peuvent être résumés comme suit :

– la salinité des eaux de surface a tendance à baisser d'autant plus que les pluies de l'hivernage sont abondantes. Si le cours d'eau est profond, il y a stratification des eaux en fonction de leur teneur relative en sel et concentration des eaux les plus chargées en profondeur, les eaux de surface présentant une salinité très variable (BOIVIN et LOYER, 1989) ;

– les bilans de salinité effectués (1984 et 1985) montrent une nette évacuation des sels entre les lâchers d'hivernage (solubilisation des sels dissous dans le sol) et les entrées de saison sèche (BOIVIN et LOYER, 1989).

Si l'on constate une reprise de la mangrove, une protection certaine du milieu contre la salinité et l'acidification ainsi qu'un effet sur la faune halieutique, les résultats en terme de gestion des niveaux d'inondation dans une perspective de mise en valeur rizicole sont nettement plus

«La gestion du barrage est donc source de conflits.» (Boivin et Loyer, 1989)

réduits : « Tant sur le plan technique qu'humain, la gestion de la lame d'eau pose de difficiles problèmes. L'unicité de la retenue ne permet pas d'adapter la cote du plan d'eau à chaque site de la vallée. Pour ces raisons, les divers villages concernés ne peuvent être simultanément satisfaits par les choix réalisés. La gestion du barrage est donc source de conflits. Dans certains cas, le conflit a abouti à la réalisation de retenues secondaires à l'intérieur de la zone aménagée, les paysans cherchant ainsi à récupérer leur autonomie de gestion des eaux» (Boivin et Loyer, 1989).

Quant au barrage d'Affiniam, qui contrôle l'ensemble du bassin hydrologique du marigot de Bignona, le constat des mises en valeur possibles est encore plus réduit, du fait de la complexité et de l'étendue du réseau hydrographique concerné par cet unique ouvrage. Certaines études (République du Sénégal, 1986), des concertations entre recherche, développement, bailleurs de fonds et responsables techniques et politiques (IIe Table ronde sur les barrages anti-sel, 1985) avaient attiré l'attention des pouvoirs publics sur les risques d'effets limités en terme de mise en valeur : « Compte tenu de la potentialité de cette vallée [de Bignona], des aménagements existants et des interrogations suscitées par le barrage d'Affiniam, des types variés de vallées adjacentes, un schéma d'aménagement intégrant toutes les données de base et les perspectives est absolument nécessaire pour envisager un développement répondant aux besoins des populations» (République du Sénégal, 1986).

Rejoignant des recommandations déjà anciennes de la recherche (Haddad, 1969), cette étude insiste notamment sur la diversité des systèmes de vallées adjacentes à la vallée principale aux points de vue pédologique, hydrographique et topographique, ce qui aurait dû requérir une grande capacité d'adaptation des aménagements.

La conception de ces aménagements repose, en outre, sur les données pluviométriques et hydrologiques antérieures à la période sèche des années 1980 et 1990 ; il en a résulté un surdimensionnement mais surtout des attentes en matière de réhabilitation de la riziculture qui sont loin de pouvoir être satisfaites dans une période de déficit hydrique persistant. «Les projets de barrage sur les marigots de la Basse Casamance ont été conçus (dans les années de pluviométrie normale avant 1970) dans le but de produire deux récoltes de riz par an, afin de dégager un surplus pour l'exportation. Or, compte tenu des aléas climatiques (sécheresse prolongée) et de l'environnement naturel (apports d'eau douce très réduits) il est avant tout urgent d'assurer aux populations locales une récolte de riz par an en leur fournissant un appoint d'eau douce en hivernage (...). Il est totalement exclu que ces barrages soient destinés à arrêter de manière définitive l'entrée de l'eau salée dans les marigots car alors les conséquences sur l'environnement écologique seraient catastrophiques » (République du Sénégal, 1986).

Les investissements requis par ce type d'aménagement sont cependant importants et doivent être mis en rapport avec les terres protégées et potentiellement mises en valeur. Le coût du barrage de Guidel est estimé à un milliard de F CFA en 1985 pour une superficie de 800 hectares de terres salées non encore aménagées en 1990. Le barrage d'Affiniam a coûté environ dix fois plus sans compter les terres qui restent à aménager ; 5 000 hectares sont potentiellement concernés (MONTOROI, 1992).

Petits barrages

Le projet intérimaire pour le développement agricole de la Basse Casamance est mis en place en 1974, suite à la fusion de l'Opération productivité riz « Satec » de Haute Casamance et du projet Ilaco de Basse Casamance. Sa zone d'action concerne la région de Ziguinchor.

Cette opération vise plusieurs objectifs :

– promotion de l'exploitation paysanne, dans une optique d'intégration de l'ensemble de ses activités ;

– diversification des cultures avec le riz comme culture motrice ;

– réalisation de 44 petits barrages et déversoirs pour la mise en valeur de 300 à 500 hectares ;

– construction de digues et de diguettes ainsi que remembrement de certaines vallées ;

– encadrement du riz, de l'arachide, du mil et du maïs.

De nombreux bailleurs de fonds ont participé au financement de ce projet. Il devient effectif en 1978 avec le financement de l'Usaid, mais la construction des barrages ne commence qu'en 1983 pour s'achever en 1985. À propos des petits barrages anti-sel, la stratégie d'intervention du Pidac se fonde sur l'initiative paysanne « car il est plus facile de les motiver pour l'action autour d'un problème précis, quand ils le jugent objectif prioritaire du village. C'est pourquoi il faut d'abord une demande émanant des paysans et assurant un investissement humain volontaire de leur part » (Pidac).

Le projet fournit les matériaux pour l'ouvrage et la participation paysanne se concrétise par la construction de la digue sous le contrôle technique d'un agent du projet. Le projet insiste sur la nécessité de la prise en charge de l'aménagement par les paysans – facilitée par leur implication dans la construction de la digue – et sur « l'utilisation de matériaux locaux pour construire des ouvrages simples à la portée des paysans ». La prise en charge par les populations conditionne l'efficacité du barrage anti-sel qui « dépend principalement du dynamisme du comité de gestion. La rapidité du dessalement est fonction de la pluviométrie, du type de sol et de la stratification, mais surtout de la gestion » (République du Sénégal, 1991 b). En fait, la participation villageoise se révélera souvent d'autant plus importante et effective que le village est enclavé, car la digue sert de liaison entre les quartiers ou les villages en hivernage, évitant ainsi des heures de marche.

Au total, 29 barrages ont été construits par le Pidac entre 1983 et 1985, parmi lesquels 25 barrages anti-sel et quatre barrages de retenue simple. Sur ce total 15 barrages ont été réalisés dans le département de Bignona (fig. 9) (République du Sénégal, 1991).

Le programme a connu des retards importants dans sa mise en œuvre. Prévu pour démarrer en 1974, il débute en 1978, et les barrages ne sont construits qu'entre 1983 et 1985. « Les blocages au niveau de la direction [du projet] et la lourdeur administrative [avaient] "obligé"

Des aménagements en amont des barrages anti-sel jouent un rôle non agricole important : ici le transport.

Figure 9 –
Localisation des petits barrages anti-sel réalisés par le Pidac et par le Derbac.

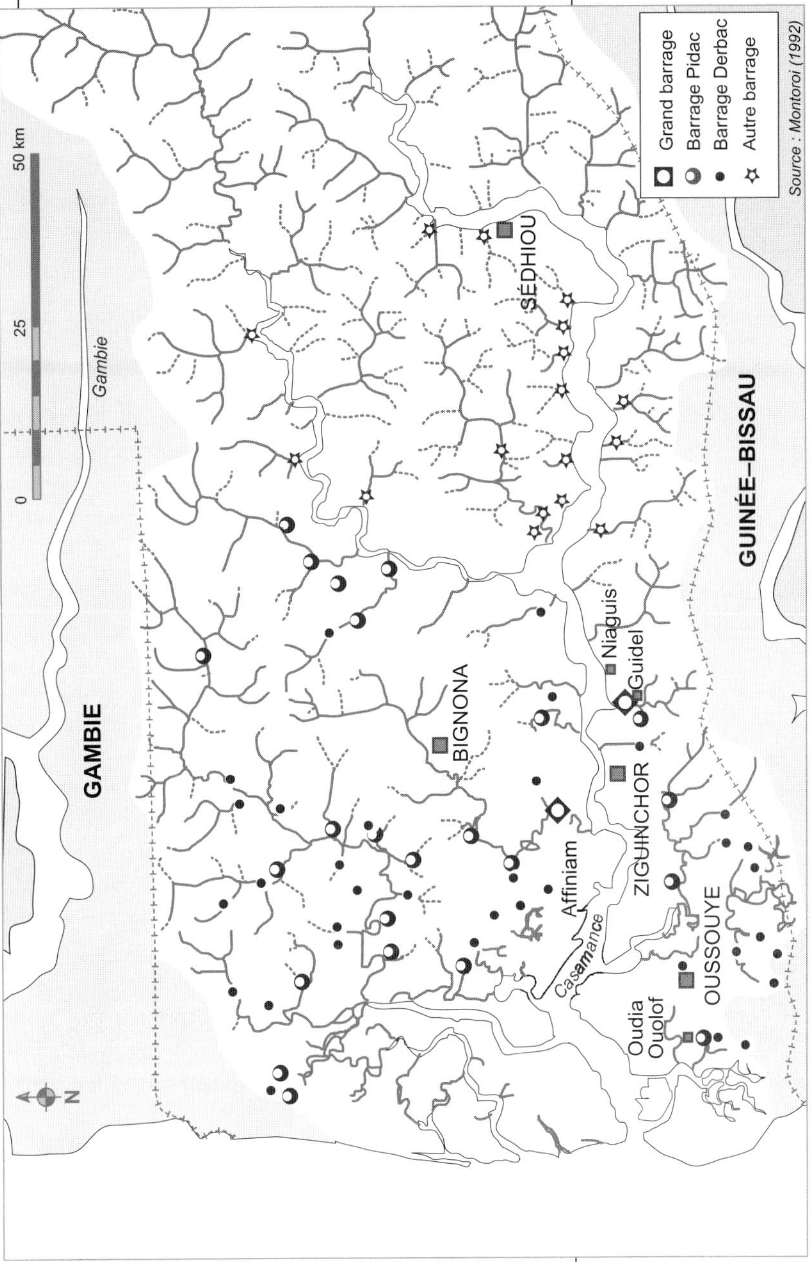

l'Usaid à fournir directement les matériaux de construction à la division Génie Rural, sans passer par la direction du projet. Pour cette dernière la vulgarisation était prioritaire » (République du Sénégal, 1991). Les questions d'organisation interne ont une influence déterminante sur le déroulement du projet, sa direction ayant privilégié la diffusion des thèmes techniques d'une manière générale et plus encore pour le riz de manière indépendante des aménagements. Ceux-ci ont été freinés et non coordonnés avec le volet agronomique.

Par suite de la mise en place tardive des financements, en seulement trois ans (1983-1985) 29 barrages sont construits et mis en service dans la région de Ziguinchor. En 1985, la Somivac effectue une étude sur un échantillon de petits barrages établis sur les sites de Kourikito, Dianky, Kartiack, Djiguinoum, Katouré (sud de Ziguinchor) et Oulampane, afin d'apprécier les effets des aménagements sur le milieu. Les ouvrages étudiés ont été construits par le Pidac sur d'anciens sites déjà aménagés « construits en 1974 et repris par le Pidac en 1981-1982 » par l'Ilaco et choisis pour cette raison (Somivac, 1985 ; MARZOUK, 1992).

Les problèmes techniques sont alors loin d'être résolus : « Par contre, les sites ayant leurs barrages mal réfectionnés voient plutôt l'accélération du processus de salinisation de leur vallée. C'est le cas de Dianki, Djiguinoum et Kouritiko. Il serait souhaitable de refaire ces barrages en vue de permettre de meilleurs résultats malgré les contraintes agronomiques enregistrées » (Somivac, 1985).

Les appréciations des paysans sont mitigées quant aux effets du barrage. La Somivac reconnaît que si le jugement des paysans ne remet pas en cause l'intérêt du barrage en tant qu'outil dans le cadre d'une stratégie de protection des rizières, « il dénonce simplement que certains barrages sont mal construits et se cassent après une année de fonctionnement. C'est le cas des barrages de Kouritiko et Dianki » (Somivac, 1985). Certains témoignages paysans sont plus directs (site de Dianki) : « Le barrage n'est pas capable de freiner la montée du sel et les terres perdues restent toujours inexploitées. Le travail de maçonnerie est mal fait » (Somivac, 1985).

Les questions relatives à la gestion des barrages ne sont pas abordées comme un thème en soi. Dans les enquêtes, seule une remarque y fait référence : « Sur le plan des hommes, le secrétaire à l'organisation rencontre quelques difficultés pour réunir son équipe si l'on en juge aux déclarations des paysans de Katouré. Ils refusent de venir travailler parce que le problème ne les concerne pas et l'eau ne stagne pas dans leurs parcelles» (Somivac, 1985). Cependant, le thème est apparu suffisamment important pour qu'une partie des recommandations y soit consacrée pour suggérer de «confier la gestion primaire du barrage à un groupement de producteurs ou association villageoise qui aura le privilège de s'organiser» de manière autonome, «mais de façon à assurer le bon fonctionnement du barrage» ; il est conseillé d'attribuer la gestion du barrage à un comité inter-villageois «traduisant l'expression d'une solidarité entre les villages ; étendre la participation des populations rurales depuis la conception jusqu'à la réalisation afin de permettre une application des décisions prises en commun à propos des barrages» (Somivac, 1985).

La table ronde qui se déroule en 1985 sur les barrages anti-sel fait le point sur les acquis et les faiblesses de cette opération, et le principe d'une politique basée sur ce type d'aménagement est retenu, sous réserve que soient pris en compte les enseignements de la première phase.

Cependant, le « Séminaire sur les barrages anti-sel et l'utilisation des terres basses en Casamance » qui se déroule en 1991 à Ziguinchor marque un constat d'impuissance de l'État : les recommandations de la seconde table ronde (1985) sont restées sans suite du fait de la liquidation de la Somivac et de l'arrêt du Pidac conformément aux programmes d'ajustement structurel.

Ce séminaire fait le bilan des raisons qui expliquent les difficultés rencontrées dans la démarche d'aménagement :

« – des conflits antérieurs entre villages voisins ;

– un manque de coordination entre les différents intervenants au niveau des mêmes villages (recherche, développement, ONG) ;

– mentalité de certains paysans qui continuent de croire que, pour les aider, l'État doit tout faire sans leur intervention» (République du Sénégal, 1991 b).

La gestion de l'aménagement une fois installé ne va pas de soi, les causes de rupture des digues sont nombreuses :

« – le manque d'entretien ;

– les paysans ont toujours tendance à garder trop d'eau ; ils ne veulent pas vidanger, craignant de ne plus avoir d'eau dans leurs parcelles ;

– les temps de réponse et de montée des crues sont très courts et les paysans accusent toujours un retard sur l'ouverture, surtout quand la pluie survient la nuit ;

– l'éloignement des barrages » (République du Sénégal, 1991 b).

La différence essentielle avec les approches antérieures est le fait du Proges, qui revendique et met en œuvre une démarche associant directement et étroitement les organisations locales : associations paysannes, entreprises de travaux publics et ONG.

Le mécontentement des paysans se manifeste après la récupération et la remise en culture des sols salés du fait de « la mauvaise répartition de l'eau causée par le manque d'aménagement (heureusement que le paysan a généralement plusieurs parcelles réparties selon la toposéquence) et la différence de calendrier cultural (certains paysans commencent le repiquage du riz au moment où d'autres sont prêts à récolter) » (République du Sénégal, 1991 b).

Depuis la fin des années 1980 pour le Derbac et le début des années 1990 pour le Proges, la priorité pour le développement de la riziculture est nettement affichée. à travers des interventions lourdes de type classique. La différence essentielle avec les approches antérieures est le fait du Proges, qui revendique et met en œuvre une démarche associant directement et étroitement les organisations locales : associations paysannes, entreprises de travaux publics et ONG. Quant au Derbac, il opère de la même manière que le Pidac, c'est-à-dire sans souci d'établir des collaborations avec les organisations paysannes. Il continue des interventions lourdes de type classique. Le Proges utilise les compétences de Cord (Coordination des organisations rurales du département de Bignona, cf. infra) pour assurer l'animation, le suivi et la pérennité des aménagements.

Les réponses paysannes

Les conditions d'appropriation des petits aménagements

Les sites étudiés ont été choisis de manière à appréhender la diversité d'aménagements de vallées. La diversité des opérateurs, traduisant les mutations institutionnelles en cours, entraîne des modalités techniques et organisationnelles très variables en ce qui concerne la réalisation des aménagements. Les moyens financiers et techniques mis en œuvre, le poids relatif accordé à l'« investissement humain », les études techniques préalables, les modalités de prise de décision et la manière dont est gérée la participation des populations varient d'un type d'intervention à l'autre. La localisation des sites enquêtés tient également compte de leur situation géographique dans les arrondissements du département de Bignona. Cette répartition géographique permet de prendre en compte les divers modes de mise en valeur des écosystèmes de la Basse Casamance.

Il ne semble pas exister de lien direct entre le type d'intervenant et le succès ou l'échec d'un processus d'aménagement, bien que l'on puisse difficilement considérer que les interventions de type « projet » parapublic aient contribué à résoudre durablement les problèmes de la riziculture casamançaise. À l'opposé de ces modes d'intervention qualifiés de descendants, voire de dirigistes dans certains cas, la décennie des années 1990 a vu l'émergence sur la scène du développement de nouveaux acteurs, organisations paysannes et organisations non gouvernementales, cherchant à promouvoir un mode de développement plus en accord avec les besoins et les aspirations des populations. Dans ce type d'intervention, le bilan est loin d'être univoque, les échecs patents côtoyant les succès les plus significatifs.

Les conditions décisives dans les processus d'appropriation des aménagements interviennent rarement de manière isolée. On a le plus souvent affaire à une configuration complexe de déterminants qui favorisent ou au contraire ralentissent ou empêchent l'appropriation des barrages. Se combinent notamment des éléments convergents de nature technique, socio-économique et organisationnelle, dont le jeu permet ou non une réelle appropriation des aménagements par les producteurs.

Défaillances techniques des barrages

Les problèmes de conception et de réalisation technique des digues et des ouvrages demeurent une cause d'échec particulièrement fréquente et, à bien des égards, prépondérante.

Des paramètres techniques comme le dimensionnement de la digue et des ouvrages, le positionnement des ouvrages par rapport aux axes d'écoulement des lames d'eau ou les types d'ouvrages et leur localisation sur la digue par rapport à la fonction prévue (dessalement et/ou retenue d'eau) ne paraissent pas avoir été pris en compte de manière spécifique en fonction du site précis à aménager et de ses caractéristiques hydrauliques, topographiques et pédologiques. Il en résulte fréquemment une sous-estimation des dimensions de la digue comme de l'ouvrage. Les exemples de tels aménagements conçus indépendamment de leur insertion dans le paysage hydraulique global sont nombreux et ce quel que soit le type d'intervenant ou la période de construction.

À l'inverse, d'autres exemples montrent l'intérêt de prendre en compte la vallée dans sa globalité. C'est notamment le cas de l'aménagement de la vallée de Bougoutoub réalisé par le Cadef et qui se traduit par la mise en place progressive de barrages de retenue en amont du barrage anti-sel construit en 1986, dimensionné initialement de manière à protéger un important bassin versant. Au vu de résultats insuffisants en superficies récupérées, les populations concernées et les responsables du Cadef décident alors de poursuivre l'aménagement par la construction de deux autres barrages en amont qui ont une fonction de retenue (barrages de Banny en 1988 et de Sounaye en 1990). En fait, ces deux barrages ont joué un double rôle : d'une part, permettre une meilleure répartition de la lame d'eau sur l'ensemble de la vallée et, d'autre part, jouer un rôle non négligeable de protection du barrage anti-sel par la limitation du volume et de la pression des lames d'eau mises en mouvement lors des fortes pluies.

Le schéma d'aménagement proposé par le Proges pour les villages de Djimande et Mandegane prend également en compte de manière explicite la dimension globale de la vallée et deux ouvrages y sont réalisés de manière simultanée. De même dans la vallée de Mampalago, sur les deux sites aménagés par le Derbac à Nialokhane, l'aménagement global de la vallée est pris en compte depuis l'aval avec un barrage anti-sel qui ferme l'accès de la vallée aux remontées salées du Soungroungrou jusqu'aux barrages de retenue qui se succèdent en amont. Le cas du quartier de Baga à Thionck-Essyl illustre également cette démarche avec une forte implication des producteurs dans la conception globale de l'aménagement en fonction de leurs connaissances empiriques des écoulements dans la vallée et des portions de terroir sur lesquels ils souhaitent sécuriser l'alimentation hydrique.

Des problèmes liés à la conception des ouvrages peuvent compromettre la viabilité ou une bonne utilisation des aménagements pour le lessivage des sols. C'est le cas des systèmes d'ouverture et de fermeture constitués de batardeaux difficiles à manœuvrer en période de crue et qui ne permettent pas une évacuation par le bas des eaux chargées en éléments toxiques (cas des ouvrages sur le barrage anti-sel de Margoune). La difficulté de manœuvre du système à batardeaux se révèle, dans une certaine mesure, dissuasive lors de contentieux à propos de la hauteur de la lame d'eau.

Cependant, malgré ces défauts de conception, le barrage anti-sel a pu être utilisé de manière relativement efficace pour lessiver les sols en amont. Certes en période de faibles pluviométries, ce mode de lessivage,

L'insuffisance de la prise en compte des questions techniques et des moyens devant être mobilisés pour les résoudre de manière durable paraît dans certains cas être à l'origine d'échecs.

qui suppose l'ouverture complète de l'ouvrage, est particulièrement consommateur en eau. En effet, en dépit des problèmes de toxicité, les usagers de la vallée tendent à vouloir conserver suffisamment d'eau en amont du barrage afin que le riz puisse finir son cycle.

Une prise en compte insuffisante des questions de dimensionnement des digues et des ouvrages correspondants est également source de problèmes qui rendent difficile une réelle maîtrise de l'aménagement par des populations alors trop fréquemment préoccupées par des travaux de réfection. Ainsi la digue de Kourouck (Cadef) a été rompue par la crue d'août 1994 qui l'a endommagée en deux endroits sur la rive droite tout en sapant la zone de raccordement de l'ouvrage central avec la digue. Ce type de dégât provient manifestement d'une sous-estimation du débit à évacuer résultant d'une méconnaissance de la surface drainée. En effet, à cet endroit le bas-fond a une largeur de 260 mètres et visiblement le bassin versant qui lui correspond n'a pas été considéré dans sa globalité. Il en va de même pour la digue de l'ouvrage de Diagong (Cadef), qui s'est effondrée lors de la même crue après un affouillement en amont et en aval.

L'insuffisance de la prise en compte des questions techniques et des moyens devant être mobilisés pour les résoudre de manière durable paraît dans certains cas être à l'origine d'échecs (expérience de l'ONG Tara à Foussolang), même si des intervenants disposant de davantage de moyens connaissent eux aussi des problèmes techniques. Ce type d'intervention, dont nous analyserons les modalités *infra,* met en œuvre des techniques que l'on aurait qualifiées d'« appropriées » ou d'« intermédiaires » dans les années 1975-1985 quand ces concepts étaient en vogue. Le recours à des matériaux prélevés localement – et même très localement, puisqu'ils sont prélevés juste en aval du site même où sera élevée la digue, ce qui contribue à la fragiliser –, l'appel à la participation des populations, la faiblesse des études techniques préalables et l'absence de moyens techniques adéquats limitent *a priori* les perspectives de pérennité de l'aménagement ainsi réalisé. C'est ce que l'on peut observer dès le premier hivernage (1994) quand les deux barrages ont été partiellement détruits et réparés plus ou moins efficacement par les producteurs.

De même, les aménagements réalisés avec l'appui d'Enda (Environnement et développement du tiers monde) à Kagnobon laissent apparaître des insuffisances techniques comparables : l'argile est prélevée en aval même de l'endroit où sera érigée la digue, et celle-ci n'est pas renforcée par des apports en latérite. Les zones où le sable prédomine dans les

Un aménagement dégradé dans un contexte de conflit foncier (Kagnobon).

bas-fonds deviennent les points faibles de la digue du fait de leur plus forte sensibilité à l'érosion. Sur ce même site, les producteurs auraient souhaité une digue plus large, mais le manque de moyens a empêché une telle réalisation : « Nous, nous voulions que cela soit plus large, mais comme nous travaillons avec nos seuls moyens pour lever la digue, nous n'avons pas pu la faire plus large ». Ces problèmes se retrouvent sur de nombreux aménagements quel que soit l'intervenant. Les barrages construits par le Pidac ne comportaient pas de renforcement latéritique, ce qui a favorisé leur érosion rapide (cas de Djilonguia) et actuellement de nombreuses digues sont encore construites sans cette protection (Falmere, Foussolang, Elikakou...). D'autres solutions existent pour protéger l'argile des digues, qui dépendent des moyens et des ressources disponibles ou mobilisables : les coquillages sont utilisés par l'Entente de Diouloulou alors que le Proges utilise des blocs de cuirasse pour renforcer l'amont et l'aval des digues.

À l'inverse, le barrage anti-sel de Margoune, renforcé par de la latérite compactée sur plusieurs centaines de mètres de long – ce qui a permis l'aménagement global de la vallée de Bougoutoub par le Cadef – a été construit il y a presque dix ans avec l'appui du Ciepac. Il en est de même des barrages construits par le Proges qui mobilise, il est vrai, des moyens techniques particulièrement importants.

La nécessité de prévoir un système de drainage permettant à l'eau de circuler et d'évacuer les éléments toxiques ne semble pas être prise en compte par les différents intervenants. En outre, dans les vallées aménagées, les collecteurs centraux tendent à se colmater, rendant difficile un drainage qui se faisait par le passé. Il s'agit pourtant du moyen le plus approprié pour éviter les phénomènes de toxicité et d'acidité.

Difficultés de gestion des barrages

« Après avoir fait les barrages, l'Ilaco a expliqué “voilà les barrages, il faut ouvrir ou bien il faut fermer”, puis ils sont partis mais ils n'ont pas créé de comité de gestion. » Ce constat abrupt des gens de Diaboudior résume bien les conditions dans lesquelles les aménagements sont confiés aux populations censées en bénéficier. Ce type de comportement caractérise la grande majorité des intervenants, pour lesquels la maîtrise technique et sociale des aménagements ne semble pas devoir poser de problèmes particuliers.

«Après avoir fait les barrages, l'Ilaco a expliqué “voilà les barrages, il faut ouvrir ou bien il faut fermer”, puis ils sont partis mais ils n'ont pas créé de comité de gestion.»

Les cas étudiés mettent en évidence l'absence de prise en compte par la majorité des intervenants des conditions organisationnelles. De fait, les opérateurs de développement semblent se reposer sur le pouvoir coutumier pour assurer un bon fonctionnement de l'aménagement. Hormis le Cadef ou, dans une certaine mesure, le Proges, ces opérateurs ne se préoccupent pas de la formation et de l'information des producteurs en matière de gestion de l'eau et de gestion des conflits d'intérêts autour de la ressource en eau. De plus, la mise en place d'une structure chargée de ces questions n'est pas non plus envisagée par les intervenants. Tout se passe donc comme si la prise en charge collective d'un bien commun (le barrage), pour gérer une ressource sur laquelle peuvent exister des tensions au niveau d'un village mais aussi avec les villages de la même vallée, ne devait pas poser de problème pour les autorités coutumières. En fait, les intervenants font l'hypothèse implicite que l'appropriation sociale et technique de l'aménagement peut être confiée à la structure administrative (le chef de village) censée représenter les autorités coutumières. Or, ces mécanismes d'appropriation se révèlent beaucoup plus complexes et ne sont pas réductibles à une seule autorité de nature administrative et ce, même avec l'alibi de démarches en apparence plus participatives que celles des structures d'intervention parapubliques.

L'appropriation de l'aménagement ne commence pas au moment de sa remise aux « bénéficiaires », même si ceux-ci se sont trouvés mobilisés d'une manière ou d'une autre pour sa construction, comme c'est le cas dans le cadre de démarches plus participatives. Ce n'est pas simplement parce que les paysans se seront mobilisés – bon gré mal gré – pour construire une digue que cela va nécessairement impliquer de leur part la mise en œuvre de mécanismes de régulation interne afin d'assurer l'appropriation de l'investissement par la collectivité. Ce n'est pas non plus parce qu'il sera fait appel à l'inévitable « solidarité villageoise » que tous vont nécessairement se sentir concernés et oublier les rivalités de quartier au sein d'une même collectivité qui ne recoupe pas exactement les relations lignagères entre quartiers.

L'aménagement s'apparente en fait à une action à caractère socio-politique interne — la société villageoise traversée par de multiples conflits d'intérêts et de rivalités entre familles — et externe vis-à-vis des villages voisins. Ce type d'intervention met en jeu les rapports au foncier et les relations socio-culturelles qui lient des quartiers proches par la parenté ou le jeu des alliances matrimoniales, mais dans lesquels la dimension conflictuelle ne peut être ignorée. La prise en charge de cette dimension permet d'assurer l'appropriation à long terme de l'aménagement, point souvent critique dans les projets de développement et sur lequel peu de références valables dans la durée sont disponibles. C'est la construction de cette dimension socio-politique qui est occultée dans la plupart des démarches d'intervention.

La dimension socio-politique est occultée dans la plupart des démarches d'intervention.

Il arrive que des conflits plus ou moins anciens concernant des droits sur une partie de vallée resurgissent à l'occasion d'opérations d'aménagement ; ils peuvent alors constituer un obstacle à la mise en œuvre du barrage. Parmi les cas étudiés, un seul, du moins apparemment, est caractérisé par un blocage foncier manifeste résultant d'un ancien conflit en sommeil qui a resurgi au moment de la réalisation d'un barrage par le Pidac. Pour les autres, les conditions foncières ne semblent pas avoir fait obstacle à la réalisation des aménagements mais quand l'opérateur était une association paysanne, les capacités de négociation de celle-ci ont permis de trouver un compromis sur des questions liées au choix de l'emplacement des barrages.

Les questions foncières ont constitué un obstacle significatif dans le cas des villages de Kagnobon et Djégoune, entre lesquels persiste un différend ancien sur une partie des terres de rizières de la vallée qui sépare les deux villages. Ce litige foncier se superpose, en outre, à une rivalité plus ancienne qui s'était traduite dans le passé par des conflits violents entre les deux communautés. Lorsque le Pidac prit contact avec Kagnobon pour édifier un barrage anti-sel, les responsables coutumiers de ce village n'ont pas jugé utile d'avertir immédiatement les gens de Djégoune. Comme ils entretenaient ensemble depuis longtemps une route, les responsables de Kagnobon n'ont pas imaginé que la construction d'un barrage anti-sel pourrait poser un problème. Les travaux ont donc commencé et ce n'est qu'une fois ceux-ci bien engagés que les responsables de Kagnobon ont informé ceux de Djégoune. Les travaux de la digue et ceux de l'ouvrage touchant à leur fin, les gens de Djégoune sont venus marquer une ferme opposition à la mise en œuvre du barrage anti-sel et ont porté le litige devant les autorités compétentes, sous-préfet et conseil rural. Jusqu'à ce jour, le litige persiste et la protection des rizières n'est pas assurée dans cette vallée où pourtant les deux communautés possèdent des terres qui pourraient être récupérées. Les aménagements ultérieurs (à Kagnobon) ont pris en compte cette contrainte en réalisant le barrage anti-sel en amont de la zone litigieuse, ce qui a eu pour effet de limiter les superficies récupérées.

Dans les villages et les quartiers, les décisions pour la gestion des affaires concernant la collectivité sont prises dans le cadre d'institutions coutumières contrôlées par des hommes âgés. Le mode de fonctionnement privilégie la résolution locale des problèmes par la concertation et la recherche d'un consensus « pour préserver le social ».

Le recours aux instances élues (conseil rural) ou administratives (sous-préfet) traduit une situation de désaccord, voire de conflit, relativement grave car n'ayant pu se régler à l'échelon local. Les difficultés de mise en œuvre des conseils ruraux et de la loi sur le Domaine national traduisent la prégnance de l'autorité des institutions coutumières, même si celle-ci a pu se trouver partiellement remise en question par les crises socio-économiques récentes. Ces institutions constituent de fait les interlocuteurs privilégiés des intervenants extérieurs avec qui la faisabilité et les modalités de l'aménagement sont discutées.

Outre ces institutions, les associations paysannes représentent de nouvelles formes d'organisation de la société et entretiennent avec elles des relations encore peu explicitées. Le fait nouveau qui semble

Le fait nouveau est, au travers des associations et des groupements, la possibilité d'une participation accrue des femmes, des cadets et des hommes jeunes aux réflexions d'intérêt général.

le plus significatif est, au travers des associations et des groupements, la possibilité d'une participation accrue des femmes, des cadets et des hommes jeunes aux réflexions d'intérêt général. Dans le cas de l'aménagement des vallées, la capacité de certaines associations à élargir l'espace de discussion et de négociation en impliquant l'ensemble des catégories sociales constitue l'un des traits distinctifs de leur action, tant au niveau intra-villageois qu'entre les villages qui ont accès aux terres de rizières d'une même vallée.

Les réponses aux itinéraires techniques proposés

Les thèmes techniques vulgarisés pour l'amélioration de la production de riz étaient proposés sous la forme classique d'un paquet technique présentant une très forte cohérence agronomique intrinsèque. Ce paquet rassemblait plusieurs composantes : labour à plat mécanisé ou non, variétés améliorées, fumure organique et engrais minéral, semis en ligne ou repiquage, sarclage mécanisé. Les éléments d'appréciation et d'interprétation reposent sur les données disponibles dans différents documents relatifs aux interventions qui se sont succédé dans la région (Ilaco, Pidac, Derbac, Proges) et sur les entretiens réalisés en 1994 qui permettaient d'appréhender l'adoption ou le rejet des thèmes techniques avec un recul de dix ou vingt ans. À cet égard, il est intéressant de noter la pérennité du modèle technique proposé – avec toutefois quelques changements mineurs – même si, au fil des ans, de nombreuses questions pouvaient être soulevées quant à son efficacité par rapport aux contraintes culturales ressenties par les producteurs. Cette permanence du modèle technique proposé par les différents intervenants a été résumée de manière abrupte mais significative par un cultivateur de Kagnobon : « C'est le nom qui change, mais tout ça c'est le même type. »

Le labour à plat

La très forte cohérence agronomique du paquet technique rend difficile son fractionnement. En 1984, la cellule de suivi-évaluation du Pidac note à propos de la faible utilisation du labour à plat : « Les rendements moyens des parcelles labourées en billon (1 670 kg/ha) sont plus élevés que ceux pour le riz repiqué sur le plat (1 045 kg/ha). Ce résultat n'est pas en contradiction avec les conseils du Pidac : le fait de labourer à plat n'est pas lui-même un facteur d'augmentation des rendements, l'objectif visé par le labour à plat est de faciliter le semis en ligne qui à son tour peut faciliter l'épandage des engrais, l'application d'herbicides et des autres produits et surtout de faciliter un ou des sarclages plus rapides » (Somivac, 1984 b).

Pour être en mesure de porter un diagnostic plus précis, il conviendrait de disposer d'une appréciation des effets du labour qui tienne compte d'autres variables agronomiques, notamment la plus ou moins forte présence de sel ainsi que les dates (plus ou moins tardives) et les modalités d'implantation du riz (repiquage ou semis direct) (Pocthier, comm. pers.). Il n'en reste pas moins que la préconisation d'un tel message technique pour toute la Basse Casamance se révèle fort peu efficace, face aux conditions agro-pédologiques si contrastées au niveau de ses rizières.

La justification technique du labour à plat montre à quel point les thèmes techniques forment un paquet dont les composantes peuvent difficilement être dissociées. Les cultivateurs reconnaissent l'efficacité des propositions techniques faites par les organismes d'intervention. Une femme de Diaboudior exprime bien l'opinion générale : « Le bilan technique est positif. Nous avons fait l'expérience et nous avons bien maîtrisé ces techniques, mais nous n'avons pas continué à les pratiquer. L'engrais a été utilisé après le départ de l'Ilaco car il nous restait un peu de stock. Une fois les aménagements Ilaco détruits, les variétés améliorées ne mûrissaient plus et nous les avons perdues. Les techniques de labour à plat et de semis en ligne, nous ne les avons pas conservées : c'est trop lent et nous n'avons pas le matériel pour le faire, les gens sont retournés aux billons ! »

Dans ces conditions, les variétés habituellement utilisées sont également perdues ; leur durée de cycle étant plus longue, elles ne parviennent plus à terminer leur cycle en année sèche.

À la pérennité du modèle technique s'oppose la fugacité de l'adoption des thèmes techniques vulgarisés, dès lors qu'un certain nombre de conditions incitatives ne sont plus remplies par l'encadrement ou l'environnement économique (engrais gratuit ou fortement subventionné).

Le labour à plat a été recommandé sur l'ensemble de la Basse Casamance. En fait, il ne constitue un changement de pratique que pour les populations pour lesquelles la division du travail se fait selon les opérations culturales et qui utilisent donc le *cayendo* pour la préparation des sols. Dans le reste de la région, où ce sont les femmes qui ont la responsabilité de la riziculture, le labour est réalisé à plat avec une bêche munie d'un long manche (*efanting*).

Or, ceux qui utilisent le *cayendo* refusent globalement d'adopter le labour à plat. Si les unités de production ne sont pas mécanisées, la réalisation du labour à plat avec le *cayendo* est trop longue car on doit retourner deux fois plus de terre que lors d'un labour en billons et les adventices sont moins bien enfouies et détruites, ce qui favorise leur repousse et rend indispensable un sarclage. Pour les unités de production équipées en traction animale, priorité est donnée par les hommes aux cultures pluviales sur les plateaux qui mobilisent les attelages de manière privilégiée. Ensuite, lorsque l'hivernage est avancé, le labour dans les rizières est réalisé au *cayendo* pour des raisons de temps de travail ; cette attente de l'avance de l'hivernage étant d'autant plus nécessaire que la rizière présente un sol argileux, plus long à humecter.

Avec la réduction du cycle pluviométrique et des disponibilités en eau et en l'absence d'aménagement, la poursuite de la pratique du billonnage tend à accroître les risques de la riziculture. En effet, dans un contexte de bonne pluviométrie, la mise en billons – outre ses avantages en termes de temps de travail et de lutte contre les adventices – permettait un lessivage des sels par percolation de l'eau douce dans la partie du sol ainsi rehaussée et explorée par les racines. Au contraire, en l'absence de pluies suffisantes, le billon joue un rôle négatif en matière de circulation de l'eau, en sol salé comme en sol non salé : le sol du billon n'est plus lessivé (sol salé) et s'assèche d'autant plus rapidement qu'il n'est plus suffisamment alimenté par les pluies (sol non salé).

Dans les secteurs où les femmes sont entièrement responsables de la production rizicole, leurs demandes en matière d'innovation technique vont dans le sens d'un allégement de la pénibilité des travaux par le développement de la mécanisation mais surtout de la motorisation des opérations culturales.

Parmi les variétés améliorées diffusées en l'absence d'aménagements des vallées, les variétés à cycle court, à paille courte comme I Kong Pao (IKP), Ablaye mano ou la DJ 12, ont retenu l'attention des populations et se sont largement diffusées. D'abord distribuées par les intervenants dans une perspective d'intensification de la riziculture car répondant bien aux engrais, ces variétés ont été adoptées de manière extensive sans les autres composantes du paquet technique, essentiellement du fait de leur précocité adaptée au raccourcissement du cycle pluviométrique. Par exemple, les qualités d'I Kong Pao sont appréciées par un cultivateur de Thionck-Essyl : « Elle pousse bien et talle bien, elle n'est pas très courte donc la moisson est facile. C'est une variété hâtive et dense qui peut mûrir même si la pluie est faible. Elle peut mûrir même dans les parties hautes, elle est facile à décortiquer, son goût est bon, de même que sa cuisson. »

Le semis direct en ligne et le sarclage

Préconisé derrière le labour et supposant l'utilisation combinée de la houe attelée, le semis direct en ligne implique pour les paysans de tracer les lignes avant de réaliser le semis. Selon les données de la Somivac (1984 b), 12 % des superficies cultivées en riz aquatique et 16 % des superficies en riz de nappe ont été semées en ligne.

D'une manière générale, selon nos entretiens, quelle que soit la technique de labour (au *cayendo* ou à l'*efanting*) plusieurs raisons font obstacle au semis en ligne. D'une part, chez ceux qui labourent au *cayendo,* l'impossibilité d'effectuer le labour à plat rend peu attractif le semis en ligne. Cette opération consommatrice en temps de travail tend à retarder encore la mise en place de la culture. Elle a été globalement rejetée, même par ceux qui utilisent l'*efanting* pour le labour. Le semis direct en ligne ne permet pas un contrôle de la quantité et de la répartition des semis.

Semis direct en ligne et sarclage sont étroitement dépendants, la pratique du semis en ligne entraînant celle du sarclage qui est alors plus exigeant que dans le cas du semis direct à la volée sur un labour en billons. En années de déficit pluviométrique, les cultivatrices ont largement développé la pratique du semis direct à la volée mais elle devient contraignante en cas d'hivernage pluvieux : « Avec le retour de la pluie, nous n'arrivons plus à finir le désherbage car il y a trop d'herbe et cela entraîne de mauvais rendements, on revient alors au repiquage qui permet d'éviter le sarclage. » Dans les rizières labourées au *cayendo*, l'enfouissement des adventices dans les billons supprime la nécessité du sarclage. De même, avec le repiquage, un sarclage n'est pas nécessaire. Dans tous les cas, la sécurisation des niveaux d'inondation demeure un mode de lutte contre la prolifération des adventices particulièrement efficace et peu coûteux en main-d'œuvre. Il reste actuellement très dépendant des modes d'organisation adoptés pour la gestion collective de l'eau.

Un cultivateur de Thionck-Essyl exprime la contrainte liée à la faible disponibilité en force de travail comparée aux exigences en travail que suppose l'application de ces thèmes techniques : « Si tu fais le semis direct en ligne, alors il faut biner, si tu ne bines pas, tu ne gagnes rien et si tu fais le semis en ligne direct, tu ne fais pas autre chose. Mais si tu ne fais que cela, tu gagnes plus et les femmes disaient que la moisson n'avance pas tellement il y a tallage et forte récolte. » À Falmere, près de Bignona, une femme explique à sa façon les difficultés d'adoption de ces nouvelles pratiques : « C'est lent pour faire la ligne après le labour qui est déjà long. Avec l'encadrement, les hommes descendaient dans les rizières, mais quand l'encadrement est parti, ils ne descendaient plus dans les rizières. »

La disparition progressive du matériel, liée à l'usure, et la fin du programme d'équipement agricole renforcent la propension des hommes à se consacrer aux cultures pluviales de plateau : « Dans le temps, il y avait suffisamment de matériel dans le village, et les hommes pouvaient faire les rizières et les plateaux. Ce sont les projets qui les avaient attirés dans les rizières et avec le matériel, ils pouvaient rattraper le retard pris sur les champs de plateau. »

Par contre, la recommandation concernant la précocité du semis semble relativement mieux acceptée, car elle rejoint le souci des producteurs de sécuriser leurs mises en culture dans un contexte de réduction de la durée de l'hivernage.

Les engrais

En ce qui concerne la fertilisation chimique, la permanence des recommandations contraste d'une part avec le caractère incertain de leurs fondements techniques pour une région dont les sols présentent des caractéristiques spécifiques (sols sulfatés acides ou potentiellement sulfatés acides) et des niveaux de fertilité relativement élevés (sols argileux dans les vallées et topographie basse favorables à l'accumulation d'éléments fins). D'autre part, la diversité des situations agronomiques des rizières n'est pas suffisamment prise en compte dans les recommandations : diversité des types de sols, de la position topographique, de la circulation de l'eau et de la longueur du cycle du riz. Il est toutefois possible de faire les remarques générales suivantes. En général, la composante azotée étant extrêmement soluble, l'abondante circulation de l'eau nécessaire pour éliminer les toxicités diverses (fer, sel...) entraîne des pertes importantes. Les sols présentant une forte voire très forte acidité, le phosphore est bloqué et le riz « grille ». Quant à la potasse, il est loin d'être évident qu'elle soit utile au développement du riz, ce que le Proges a pris en compte en la supprimant des formulations recommandées (1994).

En dehors des incertitudes techniques et malgré des orientations intéressantes de la recherche en matière de fertilisation (BOIVIN et LOYER, 1989), la faiblesse actuelle du dispositif institutionnel et la suppression des mesures économiques incitatives font que la riziculture casamançaise fonctionne actuellement sans engrais chimique, en ayant recours comme par le passé à la fumure animale. Malgré l'intérêt agronomique de ce type de pratique, les opérateurs de développement restent peu intéressés à mettre en œuvre des moyens permettant d'accroître son utilisation par les producteurs. En outre, la dislocation du paquet technique et sa non-adoption globale rendent l'utilisation de l'engrais chimique particulièrement coûteuse et risquée dans des contextes de réduction des disponibilités en eau et de non-maîtrise hydraulique dans les vallées.

Après les phases de démonstration pendant lesquelles l'engrais était fourni gratuitement aux producteurs, le crédit de campagne a permis de financer son utilisation dans le cadre des paquets techniques. La disparition des systèmes de crédit à taux bonifiés liés aux projets, le renchérissement des intrants suite aux programmes d'ajustement structurel et leur non-disponibilité en milieu rural caractérisent la nouvelle donne en matière d'incitations de politique agricole.

Ces difficultés sont ressenties par les producteurs comme des freins majeurs à une plus grande utilisation des engrais chimiques en dépit des incertitudes techniques mentionnées. À Diaboudior, lorsqu'elles évoquent les projets passés (Ilaco), les rizicultrices regrettent de ne plus pouvoir accéder à ce type d'intrants : « Nous mettions de l'engrais qui était diffusé à crédit et remboursé au moment de la traite de l'arachide. On pouvait même prendre de l'engrais pour les variétés traditionnelles. Nous avons connu les engrais chimiques et nous nous sommes rendues compte que l'engrais était efficace. Après le départ d'Ilaco, nous avons pu continuer un temps car il restait un peu d'engrais stocké et le sac ne coûtait que 1 000 francs. »

Ailleurs, comme à Foussolang, près de la vallée de Bignona, les cultivateurs font part de difficultés liées au contexte économique : « Le prix de l'engrais a augmenté et donc les gens n'ont plus eu accès à l'engrais » et à la liaison technique « variété-engrais » : « Il fallait obligatoirement donner de l'engrais pour que cette variété puisse bien donner. Les gens ne mettaient de l'engrais que sur cette variété. » En ce qui concerne l'expérience du Pidac, qui a coïncidé dans le début des années 1980 avec la suppression du programme agricole, un suivi-évaluation a fourni des indications sur l'adoption du thème technique « engrais » : l'utilisation de l'engrais est sélective (seulement une partie des recommandations est adoptée) et partielle (certaines recommandations sont adoptées, mais à un niveau inférieur aux prescriptions de la recherche, les doses par exemple) (YUNG, 1985).

Interventions externes et populations locales

On peut distinguer une logique de l'offre et une logique de la demande, lesquelles ne se rencontrent pas fréquemment, cette dernière ayant du mal à émerger et restant dépendante des offres externes.

Les modalités d'intervention dans une perspective d'aménagement des vallées jouent un rôle déterminant. Schématiquement, on peut distinguer une logique de l'offre et une logique de la demande, lesquelles ne se rencontrent pas fréquemment, la demande ayant du mal à émerger et restant dépendante des offres externes. Cette situation est révélatrice d'une grande asymétrie entre les intervenants extérieurs et les populations. Les écarts entre les perspectives attendues des interventions et la réalité sont la conséquence directe de la persistance de cette asymétrie dans les relations de pouvoir qui s'établissent entre « ceux qui interviennent et qui savent » et « ceux au profit de qui l'on intervient et qui ne savent pas ».

La difficile rencontre entre l'offre d'aménagement et des demandes incertaines

La première logique d'aménagement est externe, c'est une offre à la recherche de demandes paysannes plus ou moins spontanées, le plus souvent fortement suggérées, voire suscitées, par le biais de réunions de sensibilisation (Ilaco, Pidac, Derbac, Proges, Tara, Enda...). Historiquement, ce type d'intervention a été mis en œuvre par les projets des

Scepticisme de rigueur face aux interventions extérieures.

sociétés parapubliques dont les interventions étaient conçues de manière extérieure aux sociétés. À partir des années de sécheresse les autres « offreurs » que sont les ONG sont apparues. La critique des méthodes d'intervention de ces organismes les a conduits à revoir leur démarche dans le sens d'une plus grande participation des populations à la mise en œuvre du projet.

En analysant de manière rétrospective ces aménagements, des similitudes apparaissent nettement. Ces structures d'intervention nouent des relations de manière privilégiée avec l'échelon villageois, soit en passant par les institutions villageoises compétentes (chef de village, chefs de quartiers, notables, anciens...) soit en créant des institutions *ad hoc* pour les besoins de l'intervention (groupements Pidac ou GIE créés à l'initiative du Derbac...). De ce mode de relation résulte une inégalité flagrante : les villages ou les groupements ainsi contactés ont rarement la possibilité d'établir un dialogue qui permette aux « aménagés » de s'approprier le projet d'aménagement. Les stratégies villageoises

« Si tu as besoin de bottes en caoutchouc et que quelqu'un te propose un chapeau, tu prends le chapeau quand même car tu penses que tu pourras toujours en tirer un bon prix, mais cela ne résout en rien ton besoin de bottes en caoutchouc. »

vis-à-vis de ce type d'intervention sont nécessairement de nature opportuniste. En effet, n'ayant pas les moyens de juger de la pertinence technique de l'intervention, les gens ont quand même tendance à l'accepter, estimant que même techniquement incertaine ou inadaptée, cette intervention procurera toujours quelques ressources au village. L'un des responsables du Cadef présente de manière imagée ce type de raisonnement : « Si tu as besoin de bottes en caoutchouc et que quelqu'un te propose un chapeau, tu prends le chapeau quand même car tu penses que tu pourras toujours en tirer un bon prix, mais cela ne résout en rien ton besoin de bottes en caoutchouc. »

Les intervenants qui opèrent selon ce type de logique s'accommodent mal de l'émergence d'interlocuteurs susceptibles d'engager un dialogue avec eux. Cela semble être le cas du Derbac, qui a pourtant réalisé des aménagements en partenariat avec le Cadef, mais ses responsables tendent à minimiser l'apport de l'association en matière d'animation et de formation : « Oui, nous avons réalisé l'aménagement (Nialokhane) et les gens du Cadef étaient à côté de nous et nous regardaient faire. »

Ce type de comportement n'est pas nouveau de la part de certaines institutions publiques ou parapubliques vis-à-vis du Cadef, qui s'est construit en partie en réaction au mode d'intervention du Pidac. L'un des responsables du Cadef restitue l'attitude des villageois : « Les paysans se sont sentis frustrés, ils refusèrent de s'en accommoder, près d'une décennie durant, ils ont délibérément organisé et mené une sorte de guerre, de guérilla passive contre la structure d'encadrement. Bien souvent, ils ont fait semblant d'accepter les innovations qui leur étaient présentées sous forme de paquets technologiques... mais ne les ont jamais appliquées..., bien souvent, ils ont su réciter par cœur tous les thèmes, tous les itinéraires de changement... et quand ils eurent fini de dire tout sans jamais rien faire, ils conclurent que "maintenant, le livre Pidac est fini !" ».

Au-delà des formes et des projets, il semble bien qu'existent encore des réticences de la part de certains intervenants à considérer les associations de producteurs comme des partenaires à part entière.

De manière surprenante, et en dépit de formes supposées plus participatives de leurs interventions, certaines ONG opèrent avec les producteurs d'une manière qui dans le fond n'est pas très éloignée des modalités habituelles d'intervention des structures parapubliques.

Elles manifestent le même souci populiste de s'adresser aux institutions villageoises ou locales représentatives en évitant les structures paysannes

Il y a des réticences de la part de certains intervenants à considérer les associations de producteurs comme des partenaires à part entière.

de niveau supérieur, ces dernières étant parfois présentées soit comme des institutions non représentatives des populations, soit comme des concurrentes potentielles par rapport aux financements extérieurs. On observe la même inégalité dans l'accès à l'information concernant le coût des investissements par exemple, toutes ces données étant considérées inutiles pour les producteurs (Foussolang, où opère l'ONG Tara ou des situations où intervient Enda).

Une seconde logique d'aménagement apparaît plus endogène, parfois construite dans la durée. Elle prend appui de manière plus ou moins importante sur des associations de producteurs. Le Cadef représente l'exemple d'une association inter-villageoise qui joue un rôle déterminant en matière d'animation dans une perspective d'aménagement, sans qu'il s'agisse là d'un choix *a priori* mais de la construction collective d'une demande sociale que le Cadef a su traduire de manière opérationnelle. De même, dans le cas des aménagements de Kabiline ou de Katipa, l'Entente de Diouloulou joue un rôle mobilisateur interne et externe vis-à-vis des ressources disponibles via l'Inter-Entente. Quant à l'Entente de Tendouck, elle semble avoir eu un rôle plus discret dans le cas des aménagements de Thionck-Essyl. Pour ceux-ci, les institutions coutumières (quartier Daga) ont initié une dynamique de mobilisation.

D'une manière générale, les aménagements réalisés par les pouvoirs publics et les opérateurs privés « avec la participation des paysans » ont en fait été déterminés quasi exclusivement par l'offre d'intervention. La demande des populations correspond forcément à cette offre, car elles n'ont pas vraiment le choix et sont incitées par l'encadrement à exprimer cette demande.

Appuis externes et participation des populations

Pour tous les aménagements, il est fait appel à des appuis externes. Ce recours est parfois considéré comme démobilisateur, voire comme une nouvelle source de dépendance des populations paysannes. Des initiatives populaires endogènes seraient perverties par les financements extérieurs, les populations devenant incapables de mobilisation sans ces apports.

Dans toutes les situations étudiées, la dégradation des conditions de production a été ressentie de manière aiguë. Face à cette péjoration

L'exode massif a considérablement amoindri les capacités des sociétés d'agir sur le milieu pour le modifier comme le permettait le système social antérieur.

drastique, les initiatives se sont multipliées, mais dans un contexte de crise sociale marqué par une forte propension à l'émigration. Celle-ci traduisait à la fois la prépondérance des stratégies individuelles de recherche de solutions à la crise, et dans une certaine mesure aussi la contestation de l'autorité des anciens incapables d'apporter des solutions locales à la dégradation du milieu. Cet exode massif a considérablement amoindri les capacités des sociétés d'agir sur le milieu pour le modifier comme le permettait le système social antérieur. En témoignent les aménagements de rizières gagnées sur les mangroves, qui sont largement dégradés. Pourtant des initiatives se sont multipliées dans les zones gagnées sur la mangrove comme dans celles moins réputées pour leurs aménagements. Ces initiatives fonctionnent comme un appel indirect aux intervenants extérieurs, et elles compensent pour un temps et de manière imparfaite les nombreuses carences techniques des aménagements. Ainsi à Djilonguia-Djinibor, la faillite du barrage Pidac a incité les villageois à ceinturer leurs rizières pour tenter d'améliorer la situation. Dans quasiment tous les aménagements étudiés, on observe de nombreuses initiatives « endogènes » dont les réalisations se sont révélées plus ou moins éphémères, du fait notamment des difficultés rencontrées par les pouvoirs coutumiers à mobiliser la main-d'œuvre ou l'aide extérieure nécessaires.

Malgré ces difficultés, les initiatives « endogènes » représentent un capital de mobilisation tout à fait significatif. La plupart du temps, les interventions extérieures comptent sur un apport de main-d'œuvre de la part des « bénéficiaires » afin de matérialiser leur engagement à « changer les choses » et à pérenniser l'investissement. Selon une hypothèse sous-jacente, un investissement en travail impliquera nécessairement une attention des « bénéficiaires » à la maintenance de l'ouvrage et de la digue. Cet engagement en travail est loin de compter pour quantité négligeable ; il représente en général l'équivalent de l'apport extérieur. Si ce principe de répartition des coûts – commun aux interventions des structures parapubliques et des ONG – semble équitable, la réalisation effective de ce type de contrat laisse apparaître des failles dont pâtissent les producteurs. En effet, en contrepartie des efforts consentis par les populations mobilisées, la réussite technique n'est pas souvent au rendez-vous.

La réalisation de digues entièrement par les populations fait montre d'une confiance aveugle dans les capacités légendaires du paysannat diola pour aménager son milieu. Cependant, ce n'est pas un gage de réussite technique.

La « participation paysanne » ou « populaire » ne trouve pas toujours dans les interventions censées appuyer les initiatives à la base des moyens techniques correspondant au niveau élevé de mobilisation. Il en va différemment d'aménagements réalisés (par exemple par le Proges) avec des moyens importants en études préalables et mises en œuvre des projets de barrage. Il en est de même des associations paysannes comme le Cadef ou les « Entente », même si l'on peut considérer que la qualité technique de leurs aménagements pourrait être améliorée.

La « participation paysanne » ou « populaire » ne trouve pas toujours dans les interventions censées appuyer les initiatives à la base des moyens techniques correspondant au niveau élevé de mobilisation.

Des degrés d'interventions stéréotypés et décalés

L'analyse des interventions qui se sont succédé dans le département de Bignona appelle des commentaires à propos des hypothèses ou pré-conceptions qui les sous-tendent de manière récurrente depuis la période coloniale. Elles concernent surtout les niveaux de prise de décision qui sont mobilisés en matière de conception et de diffusion du progrès technique. Ces pré-conceptions ont des conséquences majeures en matière de développement agricole, et plus particulièrement en ce qui concerne les aménagements des vallées et la « modernisation » de la riziculture.

Exploitation et parcelle, des niveaux privilégiés

Les interlocuteurs des services d'encadrement sont les chefs d'exploitation agricole sur lesquels reposent de ce fait les capacités d'accès au crédit. Le niveau du « chef d'exploitation » est privilégié comme lieu « central » de la prise de décision. Or, les décisions techniques sont prises, en réalité, à la fois par les hommes et par les femmes, quelle que soit la division du travail considérée, par sexe ou par tâche. Cela pose clairement la question de la place des femmes dans le dispositif d'appui aux producteurs : elles sont entièrement responsables de la production de riz dans l'est et le nord du département et elles en sont co-responsables ailleurs ; elles sont également responsables de toute la production maraîchère. Mais leur statut social, qui les écarte de la possession des moyens de production, leur interdit toute possibilité d'accès au système de crédit officiel fondé sur des garanties monétarisées.

La demande des femmes est pourtant forte pour une mécanisation socialement accessible indépendamment des pouvoirs masculins des structures coutumières.

En termes strictement techniques, on ne peut que s'étonner de l'obstination à recommander le labour à plat mécanisé pour la riziculture dans des systèmes de production où les hommes maîtrisent le capital d'exploitation. En fait, la traction animale est utilisée de manière prioritaire sur les plateaux pour la culture de l'arachide. La demande des femmes est pourtant forte pour une mécanisation socialement accessible qui passerait par exemple par des structures collectives de prestation de service payantes, indépendamment des pouvoirs masculins des structures coutumières. Cet exemple ne fait que confirmer l'écart persistant entre les conceptions erronées des intervenants et le fonctionnement effectif des structures de production agricole en Afrique, pourtant depuis longtemps signalé par la recherche (Gastellu, 1980).

La prise de décision s'applique sur une parcelle considérée indépendamment de sa position tant au niveau de l'unité de production agricole que du terroir. Au niveau de l'unité de production, l'ensemble des parcelles forme un « tout » disparate (du point de vue des conditions physiques de production), sur lequel le travail et les facteurs de production sont généralement dispersés et non concentrés comme le voudraient les principes d'intensification.

Au niveau des terroirs, la parcelle est considérée de manière autonome par rapport à l'ensemble de l'unité de paysage dont elle fait partie. Cette conception est manifestement source de malentendus entre les messages de la recherche ou du développement et leurs destinataires supposés dès lors que les niveaux englobants de prises de décision ne sont pas pris en compte. Dans le cas des vallées où l'aménagement modifie l'inondation de manière hétérogène, il est évident que les prises de décision techniques au niveau de la parcelle seront dépendantes des nouvelles conditions d'inondation créées sur l'ensemble de la vallée et des modalités collectives de leur gestion.

De plus, les interventions, notamment le Pidac, ont accentué le découpage de l'espace productif entre les rizières et les cultures pluviales (arachide, mil, maïs). Elles ont amplifié les concurrences dans l'affectation des moyens humains et des moyens de production entre ces deux espaces, au détriment d'une vision globale qui aurait souligné les interdépendances et les complémentarités.

L'exemple des vallées met en évidence l'insuffisance des niveaux d'unité de production et de parcelle dès lors que l'on raisonne avec un facteur de production collectif, globalement non approprié, mais géré de manière individuelle tant que les vallées ne sont pas aménagées.

« L'illusion villageoise »

En même temps persiste un décalage réel entre les structures coutumières et administratives, notamment le village, ce qui a pour effet de biaiser les relations entre les organismes d'intervention et les acteurs effectifs du processus de production. Des déterminants historiques forts pèsent sur la structuration actuelle de l'occupation de l'espace qui ne correspond que de manière très approximative aux subdivisions administratives issues d'une autre logique d'évolution. Il s'en suit une confusion entre autorité administrative et autorités coutumières qui prennent les décisions relatives à la gestion des ressources au niveau des terroirs. Le village, ou plutôt « l'illusion villageoise », pour reprendre le terme de Marc AUGÉ (1973), et son incontournable « groupement villageois », symbole des valeurs « collectives » africaines, représente l'autre modalité dominante des interventions.

Le choix du village comme point d'ancrage des interventions est la source inépuisable de décalages entre ce qui est attendu comme comportement de cette entité collective censée représenter l'intérêt général et les pratiques individuelles et collectives.

Ce choix du village comme point d'ancrage des interventions est la source inépuisable de décalages entre ce qui est attendu comme comportement de cette entité collective censée représenter l'intérêt général au niveau local et des pratiques individuelles et collectives, qui sont bien souvent loin de traduire l'unanimité recherchée.

La vallée est considérée comme un espace physique dont il faut enrayer la dégradation et non comme une entité géographique et socio-politique pertinente pour le développement. Au lieu de considérer les vallées dans leur globalité, depuis l'amont jusqu'à l'aval (MARZOUK-SCHMITZ, 1981) et en interdépendance avec les autres éléments de la toposéquence, le village, entité administrative, a constitué et constitue toujours pour les intervenants publics ou privés l'unité de base opérationnelle avec laquelle il faut négocier l'aménagement d'une vallée. Or, le village ne correspond pas exactement aux institutions coutumières en charge de la gestion des « affaires » concernant la collectivité. Une vallée à aménager peut souvent concerner plusieurs villages, voire des quartiers de plusieurs villages, et requérir une concertation pour laquelle les autorités villageoises ne sont pas nécessairement les plus représentatives.

De plus, le barrage n'étant pas une intervention à caractère « strictement technique » mais représentant un enjeu politique, des stratégies de pouvoir prennent appui sur des divisions d'origines diverses et se font jour au niveau local, en perturbant le déroulement bien ordonné de l'aménagement.

L'absence de formation conçue dans la durée et le confinement des organisations dans un rôle passif, comme simples canaux de distribution des informations et des intrants à l'échelon villageois, rendent compte de la faible autonomie acquise par les groupements.

La multiplication des projets est à l'origine de la multiplicité des groupements constitués pour servir de courroie de transmission aux messages techniques et aux crédits. Pour les producteurs, ces structures sont le moyen, et souvent le seul, d'avoir accès à des équipements et des intrants par des crédits pour lesquels les non-remboursements, voire les détournements, ont été des pratiques courantes, en liaison étroite avec les circuits locaux du pouvoir politique. Le groupement villageois devient alors la matérialisation de « l'illusion villageoise ».

Ces modalités d'intervention sont devenues la norme à mesure que s'est confirmé l'effondrement du mouvement coopératif (CASSWELL, 1984) ; la suppression de la direction de la Coopération, en 1991, en a entériné la disparition, depuis longtemps annoncée. Vis-à-vis des producteurs, les projets de développement ont adopté un comportement uniforme, en considérant les groupements de producteurs uniquement à l'échelon villageois et en leur apportant l'ensemble des services dont ils sont censés avoir besoin : références techniques, vulgarisation, intrants et crédit.

Si un tel encadrement ne paraît pas aussi contraignant que les dispositifs et les pratiques décrits dans le cas de la Côte d'Ivoire (COLIN et LOSCH, 1990), il ne semble pas avoir permis l'acquisition d'une réelle autonomie des producteurs organisés de la sorte. L'absence de formation conçue dans la durée et le confinement des organisations dans un rôle passif, comme simples canaux de distribution des informations et des intrants à l'échelon villageois, rendent compte de la faible autonomie acquise par les groupements dans ces conditions.

Tout comme la recherche agricole a du mal à se dégager du niveau de l'exploitation agricole, les sociétés de développement ne reconnaissent que le niveau villageois pour nouer des relations avec les producteurs, malgré l'existence dès le début des années 1980 de structures paysannes organisées à un échelon géographique plus vaste. Après 1990, le Derbac reproduit le même mode de fonctionnement avec les organisations de producteurs qu'il a suscitées.

Ainsi, on se trouve confronté en Basse Casamance à une situation doublement paradoxale. Le décalage est manifeste entre les capacités de mobilisation du paysannat qui demeurent fortes en dépit de la crise et de la récurrence des échecs en matière de réhabilitation des vallées et de la riziculture. Cette permanence de dynamiques d'aménagement contraste avec les difficultés des pouvoirs coutumiers pour mobiliser la main-d'œuvre pour des résultats souvent incertains. Les échecs répétés

Les échecs répétés pour mobiliser la main d'œuvre traduisent un refus global des propositions de la recherche et du développement.

dans ce domaine traduisent un refus global des propositions de la recherche et du développement, même si la réhabilitation des vallées et de la riziculture ne peut *a priori* que susciter une adhésion massive de la part des producteurs. Loin d'avoir constitué une zone délaissée par la recherche agricole, cette région a bénéficié d'une contribution significative de l'ensemble du système de recherche en matière de connaissance du milieu, de son évolution physique (avec et sans aménagements) et des modifications des multiples usages. La contribution de la recherche a aussi concerné les systèmes de production et les modalités d'exploitation du milieu par les différents systèmes sociaux et au sein de ces systèmes de production la riziculture a reçu une attention toute particulière.

Toutefois, le constat peut être fait d'une absence de couplage des actions d'aménagement avec les interventions de type agronomique. Celles-ci sont restées attachées à un modèle d'intensification classique, hors de portée de la majorité des producteurs, car situé en décalage avec les conditions effectives de mise en valeur des rizières.

Entre les années 1960-1970 d'une part et les années 1980-1990 d'autre part, on assiste à un double basculement en matière d'interventions publiques en Casamance. Dans la première période, les travaux de la recherche donnent lieu à l'accumulation de connaissances significatives sur les moyens de transformer le système de production, sans que l'on s'interroge réellement sur la volonté et sur les capacités des agriculteurs à vouloir mettre en œuvre ces propositions de changement technique. Manifestement, la recherche à cette période n'a pas conscience du décalage potentiel entre ses propositions et les stratégies des producteurs. Dans la période suivante, la recherche agronomique – et notamment la recherche dite « système » – va se préoccuper davantage de comprendre les logiques de fonctionnement des unités familiales de production, mais sans mettre de ressources significatives sur la recherche de solutions techniques plus adaptées au milieu et à ses possibilités. Cette meilleure compréhension du milieu ne va pas se traduire par une meilleure adaptation des propositions techniques.

Les crises ont amplifié des stratégies individuelles d'acteurs en Basse Casamance, comme ailleurs en Afrique de l'Ouest durant cette période. Cependant, en Basse Casamance comme dans d'autres régions du Sénégal, des dynamiques collectives se sont mises en place à la fin des années 1970 et au début des années 1980. Malgré de fortes contraintes à l'émergence de ces actions collectives (pour reprendre le sous-titre du livre de Crozier et Friedberg, 1977), la Basse

Casamance se rattache, par cette dynamique d'organisations, au « mouvement associatif » sénégalais. Ce mouvement s'est construit en réaction aux déficiences des interventions publiques, par la recherche de réponses plus appropriées aux difficultés rencontrées par les populations, mais surtout avec l'ambition plus ou moins explicite de poser à terme les bases d'une refondation des interventions publiques.

Émergence de réponses collectives

Bignona est sans doute l'un des départements du Sénégal où la dynamique d'organisation des producteurs est la plus forte, tant à l'échelle locale que départementale (BERTHOMÉ et MERCOIRET, 1992).

Les groupements infra-villageois, formés le plus souvent au niveau des quartiers ou villages, sont en effet affiliés, dans leur très grande majorité, à l'une des neuf organisations fédératives qui se partagent le territoire et qui se sont fédérées en 1988 au sein de Cord. Ce mouvement associatif paysan s'est cependant constitué par étapes successives.

Historique des organisations paysannes

Les associations pionnières

La plus ancienne association du département, l'Ajac (Association des jeunes agriculteurs de Casamance) a été créée en 1974, mais elle fait partie d'un mouvement plus vaste qui touche toute la Casamance (régions de Ziguinchor et de Kolda) et qui rassemble plus de 600 groupements villageois, soit environ 40 000 membres. L'Ajac est membre fondateur de la Fongs (Fédération des organisations non gouvernementales du Sénégal) qui regroupe la plupart des organisations paysannes

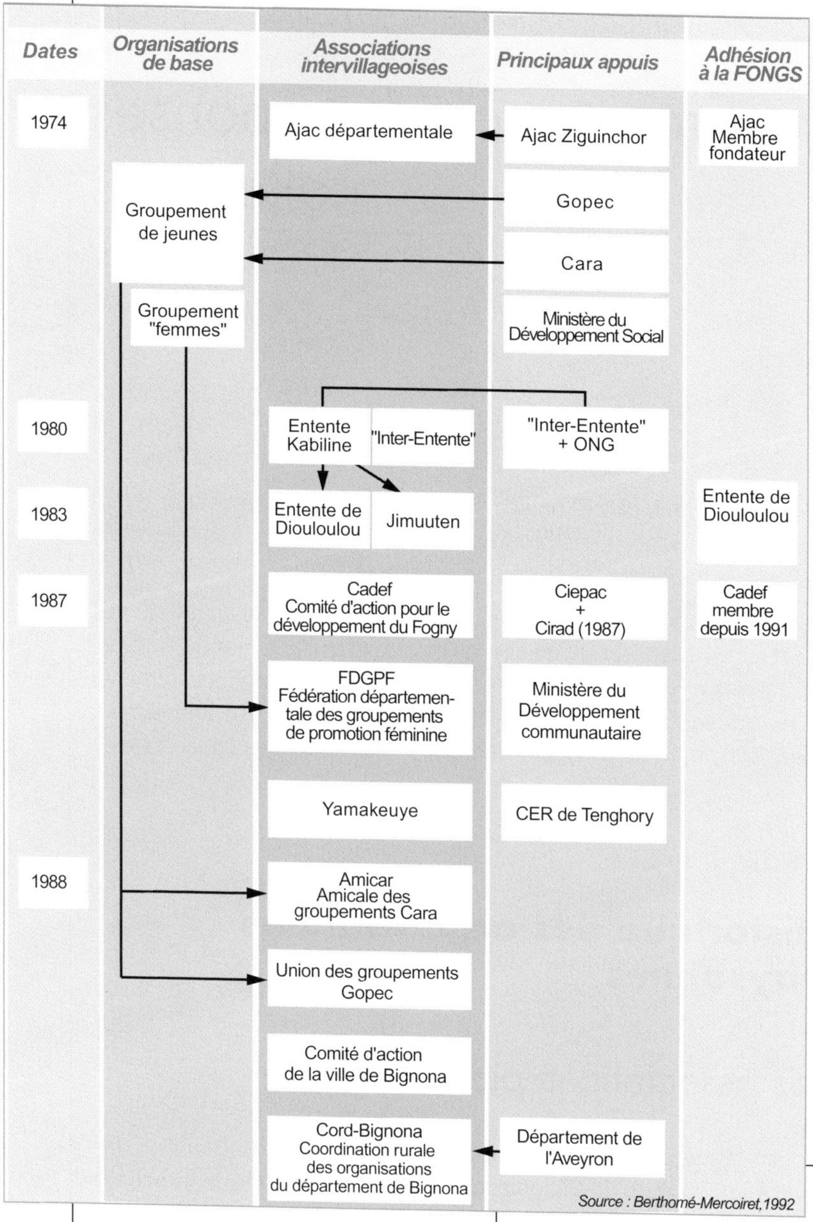

Figure 10 –
Évolution des organisations paysannes dans le département de Bignona (1974-1992).

sénégalaises. Dans le département de Bignona, l'Ajac a constitué une fédération départementale qui regroupe aujourd'hui quatre unions locales (une par arrondissement), 66 groupements et 5 417 membres, en majorité des femmes. L'Ajac est implantée dans tout le département et elle s'est développée au départ sans « concurrence » de la part d'autres structures associatives ; son projet initial était sans doute d'être l'unique organisation représentative de la paysannerie de la région. Mais l'Ajac, qui disposait de peu de moyens au départ, laissera de l'espace pour des initiatives plus localisées.

C'est ainsi qu'émerge en 1982 à partir d'un groupement de jeunes l'Entente de Kabiline, soutenue par le Gopec dans le village de Kabiline : suite à des échanges avec l'Entente de Bamba-Thialène, les animateurs du groupement de Kabiline adoptent une approche du développement local, s'ouvrent aux « anciens » et incitent les jeunes et les femmes des villages voisins à s'organiser et à les rejoindre. L'Entente prend son autonomie dès 1982 et commence à diversifier ses activités et ses partenaires. Elle conservera des liens privilégiés avec Bamba-Thialène dans le cadre de « l'Inter-Entente ». L'Entente de Bamba-Thialène, devenue entre-temps l'Entente de Koumpentoum, est l'une des plus anciennes organisations paysannes du Sénégal. Son premier animateur, Mamadou Cissokho, a été depuis président de la Fongs puis du Roppa (Réseau des organisations paysannes et des producteurs agricoles d'Afrique de l'Ouest) en 2000. En 1984, pour se conformer à la structuration préconisée au sein de la Fongs, l'Entente de Kabiline se scinde en deux unions : l'Entente de Diouloulou, et l'Entente de Tendouck, encore appelée « Jimuuten », chacune d'elles correspondant à un arrondissement. Les groupements de l'arrondissement de Diouloulou constituent 12 sous-comités (ou groupements), regroupant 878 membres dont 575 femmes et les groupements de l'arrondissement de Tendouck forment 8 sous-comités et comptent 500 adhérents environ.

S'inspirant de l'exemple des précédentes associations, naît en 1983 le Cadef (Comité d'action pour le développement du Fogny), qui regroupe, au milieu des années 1990, 3 600 adhérents, dont 2 250 femmes, dans 49 groupements appartenant à 38 villages de l'arrondissement de Sindian.

Ces organisations affirment dès le départ, et pour la première fois dans le département, leur autonomie par rapport aux organismes de développement et à l'administration avec lesquels elles entretiennent cependant des relations plus ou moins denses et chaleureuses. Dans un contexte

Dans un contexte difficile, les organisations paysannes expriment leur volonté de compter d'abord sur elles-mêmes pour résoudre les problèmes auxquels sont confrontés les paysans.

difficile, marqué par la sécheresse et une efficacité toute relative des interventions de développement, les organisations paysannes expriment leur volonté de compter d'abord sur elles-mêmes pour résoudre les problèmes auxquels sont confrontés les paysans. Elles trouvent des partenaires extérieurs pour soutenir leur projet, dans certains services techniques mais surtout auprès des ONG du Sud et du Nord.

La floraison des associations

Le désengagement de l'État conduit bientôt à une floraison de nouvelles organisations fédératives paysannes. La faiblesse du dispositif d'intervention en matière de développement rural entre 1985 et 1989 et l'option officiellement affirmée par le gouvernement dans le cadre de la Nouvelle politique agricole de « transfert des responsabilités » aux producteurs organisés ont favorisé l'émergence de ces organisations fédératives.

Le Yamakeuye est créé en 1987, avec l'appui du chef du centre d'expansion rurale de Tenghory. Les responsables annoncent 52 groupements (dont 40 opérationnels), 4 058 adhérents dont 2 377 femmes dans des villages de l'arrondissement de Tenghory pour l'essentiel, mais avec une tendance au « recrutement » dans les arrondissements de Sindian (et un peu de Tendouck), ce qui a été à l'origine de « tensions » locales avec les autres organisations (Cadef et le Jimuuten).

L'Union des groupements Gopec et l'Amicar (Amicale des anciens du centre Cara d'Affiniam, qui forme et installe des jeunes) sont des structures créées l'une et l'autre par les organismes promoteurs de ces groupements (le Gopec et le Cara dès le début des années 1980, mais elles ne deviennent opérationnelles qu'en 1988 quand elles s'émancipent de leur tutelle). Regroupement d'entreprises de jeunes dispersées sur tout le département, l'Amicar conserve un caractère d'amicale mais les groupements de base ont souvent joué un rôle actif dans la dynamisation de leur milieu (au niveau villageois tout au moins), si bien que leur audience est plus large que le noyau d'origine (1 500 adhérents répartis en 24 groupements). L'Union des groupements Gopec a évolué de la même manière. Bien que seules trois entreprises (sur la trentaine lancées par le Gopec) aient survécu, les groupements se sont maintenus et ont élargi leur base (vingt groupements réunissant 1 000 adhérents environ).

Créée en 1987, la Fédération départementale des groupements de promotion féminine (FGPF) occupe une place à part dans le paysage organisationnel. Elle est l'échelon départemental de la Fédération nationale constituée à l'initiative des pouvoirs publics. Elle fédère des groupements féminins de base créés, pour certains, dès les années 1970 à la faveur d'interventions des services étatiques. Depuis plus de dix ans, cette structuration est étroitement liée à la mise en œuvre de la politique des Nations unies en faveur des femmes (allégement des travaux, soutien aux initiatives économiques). Tous les groupements féminins du département sont membres de la FGPF (328) : 150 groupements réunissant environ 8 750 femmes ne sont affiliés qu'à la FGPF alors que les autres sont aussi affiliés à une autre organisation membre de Cord (Ajac, Cadef par exemple).

Le Comité d'action pour le développement de la ville de Bignona, créé en 1988, a une envergure plus modeste. Il réunit et coordonne 3 groupements féminins et 96 adhérents qui mènent des activités agricoles péri-urbaines et artisanales.

Les dynamiques associatives locales ne sont pas coupées de l'échelon national, puisque trois associations sont membres de la Fongs : l'Ajac et l'Entente de Diouloulou en tant que membres fondateurs, et le Cadef.

Une fédération départementale

Les responsables d'organisations prennent conscience qu'ils peuvent sortir de leurs territoires locaux où ils mènent leurs actions et s'affirmer comme des acteurs à part entière.

Créée en mars 1988, à l'initiative de quelques responsables d'associations intervillageoises, Cord, qui fédère neufs associations de taille et de compétences variables, a pris rapidement de l'importance et s'est consolidée autour de quelques actions structurantes. Cord a identifié deux enjeux auxquels elle tente d'apporter des réponses concrètes. Le premier a trait à « la prise de parole » (Hirschman, 1972) des paysans dans une période où se redéfinit le dispositif d'appui au milieu rural. Le désengagement de l'État se traduit dans le département par l'affaiblissement puis la disparition de la Somivac dont la présence n'a jamais été très prégnante ; les services techniques étatiques souffrent d'un manque total de moyens et certains n'ont plus de programmes clairs. Les responsables d'organisations prennent conscience qu'ils peuvent sortir de leurs territoires locaux où ils mènent leurs actions et s'affirmer comme des acteurs à part entière. Mais malgré les incitations de la politique officielle, cette prise de parole et de responsabilités n'est en rien automatique.

En second lieu, la création de Cord répond au besoin plus largement partagé de chercher des solutions à des problèmes communs, mais qui peuvent être difficilement appréhendés au niveau d'une seule association. Il s'agit par exemple de la question lancinante des débouchés pour les produits maraîchers et fruitiers ou de la recherche de financements durables permettant aux associations de travailler davantage dans le long terme. Les organisations progressent également dans l'analyse des problèmes à résoudre, de leur complexité et découvrent la nécessité d'élargir leur champ d'action à des domaines « abandonnés » par l'État (notamment l'amélioration de grandes cultures et de l'élevage). Base économique principale des familles paysannes, elles n'ont pourtant pas été au centre des préoccupations de la majorité des intervenants privés, dont les actions se sont situées aux marges des systèmes de production.

Une forte dynamique d'organisation

Selon les estimations effectuées sur la base de recensements nominatifs, les neufs organisations membres de Cord totalisent 409 groupements et 25 000 adhérents environ. Elles représentent la très grande majorité de la population active du département de Bignona, évaluée à 158 000 habitants dont 37 % ont entre 15 et 49 ans (fig. 11).

Si elles sont très largement majoritaires dans les groupements de base, souvent mixtes, les femmes demeurent sous-représentées dans les instances de décision.

La grande majorité des adhérents sont des femmes. Plusieurs facteurs peuvent l'expliquer. D'après la structure démographique, dans la tranche d'âge 15-49 ans, les femmes sont plus nombreuses que les hommes (36 650 contre 31 376), sans doute du fait de l'exode rural qui touche plus largement les hommes que les femmes (dans la tranche d'âge des plus de 50 ans, l'écart n'est plus que 1 000). Les organisations ont toutes et de manière dominante — dans leurs premières actions au moins — soutenu le maraîchage, qui continue à être l'activité principale de la majorité des groupements. Enfin, et peut-être surtout, les femmes du département font preuve d'une capacité de mobilisation bien plus importante que les hommes (DARDÉ, 1995). Cependant, si elles sont très largement majoritaires dans les groupements de base, souvent mixtes, les femmes demeurent sous-représentées dans les instances de décision.

Les organisations ont poussé leurs ramifications dans tout le département. Les zones à faible densité de groupements sont celles où la population est également peu nombreuse pour des raisons historiques et de contraintes naturelles (les îles du Karone ou la forêt des Kalounayes). Il s'agit également de zones marginales du fait de leur enclavement où

Figure 11 –
Localisation des groupements membres de Cord-Bignona.

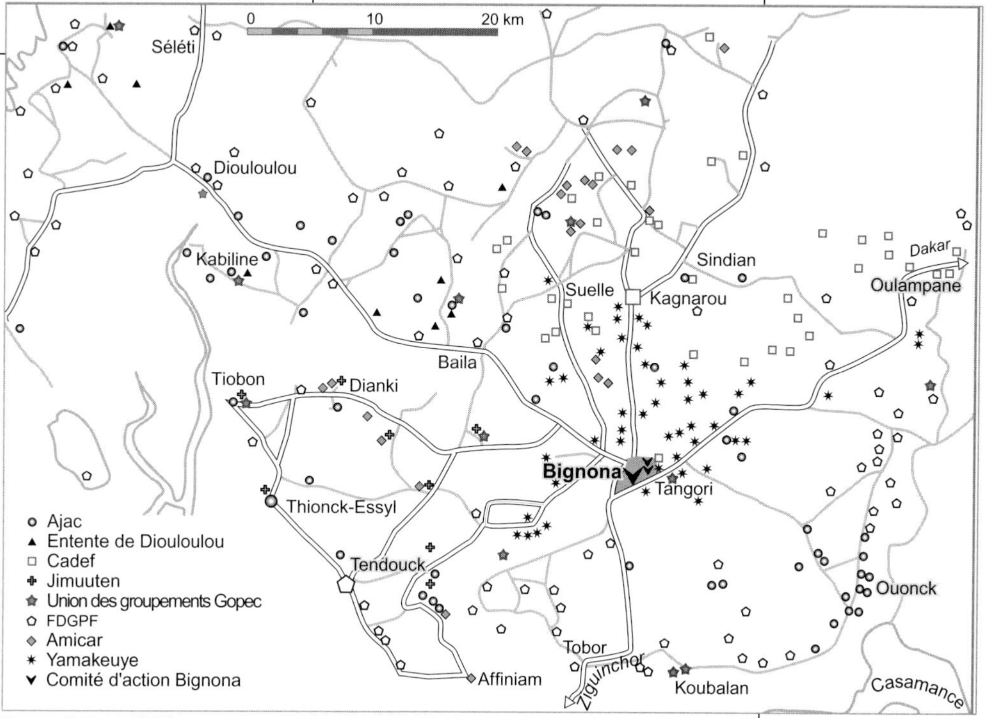

Source : C. Dardé (1995)

l'organisation des populations accuse un certain retard : à la frontière de la Gambie, dans les Narangs à l'ouest et au nord-est du Fogny.

Si chaque association a son aire d'élection – hormis pour la FGPF et l'Ajac qui ont une assise départementale –, il est rare qu'une association dominante ne soit pas concurrencée sur son propre terrain par une autre association ; ainsi le Cadef et le Yamakeuye dans le Fogny, l'Ajac, le Jimuuten et l'Amicar dans le Boulouf, l'Ajac et l'Entente dans le Diouloulou, etc.

Deux dynamiques interviennent au sein des associations qui recherchent une plus grande efficacité dans leurs actions. La première consiste à former des niveaux opérationnels relativement proches des groupements sur une base territoriale. Les organisations qui n'avaient pas au départ d'assise territoriale affirmée se restructurent dans ce sens, (Ajac) mais des coordinations locales entre groupements affiliés à diverses organisations sont aussi envisagées (comité de liaison Karembenor, dans les Kalounayes). Il existe aussi des zones controversées où les villages

Si chaque association a son aire d'élection, il est rare qu'une association dominante ne soit pas concurrencée sur son propre terrain par une autre.

se partagent entre plusieurs associations, et où des groupements, refusant ce zonage, adhèrent à une association éloignée. À la suite d'un conflit interne, ils peuvent parfois adhérer à une association concurrente ou à plusieurs associations.

La seconde, au niveau départemental cette fois, consiste à s'organiser en fédération. Cette initiative des responsables des associations provient d'une prise de conscience des intérêts et besoins communs. Elle constitue une motivation plus forte que les rivalités entre telle ou telle association.

La dynamique associative dans le département de Bignona est riche d'enseignements sur l'émergence d'un mouvement rassemblant les producteurs d'une même région. Au-delà de la dimension « groupement » qui représente l'échelon privilégié par les opérateurs pour nouer des relations avec les producteurs, les responsables des groupements ont ressenti le besoin de dépasser cet échelon au niveau duquel les choix en termes d'actions demeurent limités et peuvent se révéler concurrentiels. En effet, si le développement du maraîchage et de l'arboriculture en contre-saison constitue une réponse pertinente au manque de revenus pour un nombre important de groupements, il est clair qu'une extension de ces activités à l'échelle du département crée des surproductions difficilement gérables au niveau des groupements ou même d'une seule association. De même, les concurrences territoriales entre associations, ou la concurrence des opérateurs vis-à-vis des groupements, contribuent à susciter ou à entretenir des rivalités entre groupements et associations. Ces états de tension sont difficilement gérables au niveau des seuls groupements, voire même au niveau des associations. La dimension fédérative de Cord permet de dépasser ces contradictions ; les objectifs communs apparaissent souvent plus fédérateurs et permettent de dépasser les « tensions locales ».

Des réponses partielles et fragiles aux crises

Si toutes les organisations démontrent une grande capacité de mobilisation de leurs adhérents et ont des responsables bénévoles, seules les associations les plus anciennes et les plus expérimentées, et qui ont su nouer des relations durables avec des partenaires extérieurs leur permettant de mobiliser un minimum de moyens financiers, ont à leur actif des réalisations notables.

Le degré de structuration interne des associations est plus ou moins fort ; les niveaux d'organisation ont été choisis par les paysans eux-mêmes ou reprennent le découpage administratif des tutelles (FGPF) ; quant aux formes d'organisation, elles reprennent souvent – ou elles s'en inspirent – des formes bureaucratiques d'organisation diffusées par l'encadrement. Dans certains cas, des spécificités culturelles locales sont prises en compte de manière explicite dans l'organigramme et les processus de prise de décision. Dans les organisations qui se réfèrent au mouvement associatif et qui sont les plus anciennes, l'organisation interne évolue afin de s'adapter à des besoins nouveaux. Ces évolutions traduisent de la part de ces associations une maturité certaine et des objectifs et stratégies différenciés. Ainsi l'Entente de Diouloulou et Jimuuten privilégient la recherche de la viabilité économique des petites entreprises en séparant au plan organisationnel les activités associatives des activités économiques. La création des secteurs au Cadef, des unions locales à l'Ajac et des sous-comités dans les deux Entente vont dans le sens d'une plus grande décentralisation et d'une certaine autonomisation de la base. Certaines organisations ont fait le choix de se doter d'un appareil interne d'animation (« auto-encadrement ») qui peut jouer, lorsqu'il est compétent et bénéficie d'un soutien en matière de formation, un rôle efficace dans l'appui aux initiatives de base (Ajac, Diouloulou, Cadef, etc.). Cet appareil interne accroît les capacités de l'organisation à la réflexion prospective, à la définition de priorités, à la négociation avec l'extérieur. Il induit cependant des charges et n'est pas exempt d'un risque de « bureaucratisation ».

À cette diversité organisationnelle correspondent des réponses tout à la fois fortement stéréotypées sur lesquelles pèse le poids des systèmes d'intervention – fussent-ils étatiques ou non gouvernementaux – et des initiatives fort hétérogènes au plan de l'efficacité et des compétences techniques.

De manière dominante, les associations et les groupements ont fondé leur légitimité vis-à-vis de leurs adhérents à travers le développement du maraîchage et de l'arboriculture, et ce essentiellement depuis le milieu des années 1970 après les premiers épisodes de sécheresse. Les groupements se sont développés comme support collectif de stratégies fondamentalement individuelles permettant grâce à des productions de contre-saison de pallier les insuffisances des productions d'hivernage régulièrement sinistrées par les sécheresses. Les CER, le Pidac, les projets et de nombreux organismes d'intervention ont soutenu, impulsé et favorisé ces stratégies par des investissements collectifs permettant de structurer le groupement (puits, clôtures, matériel d'exhaure) et la distribution de petit outillage individuel selon des modalités variables (prêt, don, crédit...). La quasi-totalité des groupements actuellement fédérés dans les associations a son origine dans un bloc maraîcher qui a acquis au fil du temps une forte valeur symbolique.

De ce fait, certaines associations ont développé des compétences particulières dans le domaine du maraîchage et de l'arboriculture. C'est notamment le cas de membres de l'association Amicar qui ont des compétences professionnelles spécialisées (techniques culturales, greffage...). Ces capacités techniques sont loin d'être largement répandues, car dans la pratique la majorité des groupements sont souvent créés à partir d'un don de grillage et d'un puits, sans qu'une formation technique complète systématiquement la dotation initiale.

Plusieurs associations se sont consacrées à la promotion de micro-entreprises rurales avec des succès pour le moins contrastés. C'était notamment la philosophie d'intervention des programmes Gopec qui avaient pour cible des jeunes d'origine rurale à qui l'on demandait de former un groupement afin de bénéficier d'un crédit d'équipement pour se lancer dans des activités à fort investissement en capital. Les projets Gopec étaient fondés sur le postulat plus ou moins explicite que les jeunes seraient susceptibles de maîtriser les « techniques modernes » et que c'est sur eux et par un transfert massif de technologie que devraient se faire les transformations du milieu rural. Ces projets se caractérisaient par un niveau d'investissement et de technicité élevés auquel ne correspondait pas toujours une formation appropriée. Les risques économiques combinés à une maîtrise imparfaite de ces techniques expliquent dans une large mesure des résultats inégaux. L'acquis le plus notable, outre un nombre fort limité de succès, réside dans la dynamique de réflexion que les nombreux échecs ont suscitée et qui a débouché sur la création de l'Union des groupements Gopec.

D'autres associations ont incité et favorisé le développement de micro-entreprises qui tendent à devenir autonomes après une période d'assistance et qui, dans certains cas, contribuent à financer l'émergence d'entreprises similaires dans d'autres villages. Après des débuts parfois difficiles et des comptes pas faciles à équilibrer, ces micro-entreprises s'orientent globalement et progressivement vers une meilleure maîtrise de la gestion.

La disponibilité des intrants au plus près des unités de production est un facteur favorable à leur utilisation. À l'inverse, la non-disponibilité de ces produits à proximité décourage leur emploi par les coûts et le temps supplémentaires induits pour se les procurer. Plusieurs organisations paysannes ont ainsi mis en place des structures légères et décentralisées pour l'approvisionnement de leurs adhérents en facteurs de production. Cependant, ces initiatives concernent surtout le maraîchage et très peu les « grandes cultures ».

La commercialisation, ou, plus largement, la recherche d'une meilleure valorisation des productions de contre-saison, demeure une préoccupation majeure pour la majorité des cultivateurs fortement engagés dans le maraîchage et qui sont de ce fait confrontés à des phénomènes de surproduction. En la matière, la tentation demeure grande pour les associations de vouloir se substituer soit aux commerçants, soit aux transporteurs professionnels. Certaines expériences s'étant soldées par des échecs commerciaux cuisants, les responsables des associations se montrent actuellement prudents dans ce secteur d'activités. Ils tentent de l'aborder autrement par la transformation des produits, la planification des périodes de production pour produire lorsque les prix sont favorables et enfin par la constitution d'une inter-profession.

Jeunes et moins jeunes autour d'un aménagement global de terroir rizicole à Thionck Essyl.

La dégradation des rizières affecte quasiment la totalité des vallées du département soumises à la réduction du disponible en eau, à la salinisation et à l'ensablement. La construction de digues ou de barrages dont on peut gérer, au niveau local, l'ouverture et la fermeture de vannes de manière concertée représente une réponse pertinente à la dégradation du milieu naturel. Une association, le Cadef, s'est spécialisée, avec divers appuis depuis 1986, dans la construction et la mise en œuvre de cette innovation qui permet de reconquérir des portions non négligeables de terroir.

Dans un contexte technique différent – réhabilitation des rizières de mangrove dans le nord-ouest du département –, l'Entente de Diouloulou a entrepris en 1992 la construction d'une grande digue de ceinture et d'aménagements secondaires destinés à améliorer la gestion de l'eau du village de Kabiline. L'Entente de Tendouck (Jimuuten) a récemment entrepris des aménagements pour réhabiliter une importante vallée touchée par les remontées salines à Thionck-Essyl. Dans le domaine de la riziculture, une fois les capacités de production du milieu restaurées, il devient envisageable d'améliorer les techniques de production : préparation du sol au tracteur, utilisation raisonnée de variétés améliorées, repiquage à bonne date, fumure adaptée... C'est l'expérimentation en vraie grandeur (24 ha) menée à bien par l'équipe du Cadef sur le site du barrage de Banny. Cette expérience montre le rôle clé de la maîtrise par les populations de la gestion des ressources naturelles. Le contrôle des lames d'eau, les lâchers d'eau pour favoriser le dessalement des terres produisent des effets visibles qui rendent possible par la suite l'amorce d'un processus de réhabilitation de la riziculture. Cependant, l'amélioration des conditions physiques de la production agricole ne constitue pas une préoccupation centrale des associations paysannes, qu'il s'agisse des grandes cultures ou des productions maraîchères.

Indissociables des actions plus techniques, de multiples activités à caractère social sont développées par plusieurs associations sur des thèmes variés. L'Entente de Diouloulou a mené à bien la construction d'une maternité à Kabiline et d'une case de santé, gérées respectivement par une matrone et par un secouriste. D'autres associations mènent des actions sur des thèmes tels que l'alphabétisation intensive, le théâtre, le sport, l'hygiène collective au niveau des villages...

Conclusion : un mouvement associatif dynamique mais peu engagé dans les grandes productions

Très peu d'organisations affrontent directement les problématiques centrales des systèmes de production de la région.

Depuis les années 1960, la Basse Casamance subit une déprise agricole massive, conséquence d'une tendance forte amplifiée par les crises climatiques des trente dernières années. Les réactions à cette déprise agricole conditionnèrent dans un premier temps les comportements individuels et plus particulièrement le recours à la migration temporaire ou permanente. À partir des années 1980, un mouvement inverse s'engagea, dû à la combinaison de plusieurs facteurs mais fortement amplifié par les politiques de désengagement de l'État conduites à partir de 1985 avec la mise en œuvre de la Nouvelle politique agricole. L'État laissa alors ouvert le champ économique et institutionnel qui fut progressivement occupé dans le département de Bignona par un mouvement paysan fédérant des organisations aux parcours variés.

Au-delà de leur incontestable dynamisme, les activités des organisations paysannes laissent apparaître un bilan mitigé en terme de développement agricole. La majorité des associations développe en effet des activités relativement stéréotypées qui concernent surtout les « marges des systèmes de production ».

La recherche de coordinations avec les autres acteurs de l'environnement économique est fragile et pâtit du contexte de récession économique caractérisé dans le secteur agricole par la faiblesse des cultures de rente. Les conditions de crédit désincitatives et l'absence de perspectives rémunératrices dans le secteur agricole rendent compte de la modicité des encours des paysans auprès des organismes officiels de crédit.

Très peu d'organisations affrontent directement les problématiques centrales des systèmes de production de la région : comment les stabiliser et les sécuriser dans un environnement naturel fortement dégradé et avec des producteurs ne disposant pas de ressources monétaires pour investir dans des techniques de production ou de protection du milieu ?

Actions collectives, stratégies des acteurs et innovation

Partie 3

À travers trois aménagements hydro-agricoles, ce sont les modalités de prise de décision dans la société locale et les mécanismes de coordination entre les populations qui sont rénovés par une organisation paysanne, le Cadef. Le développement de l'action collective peut entraîner – sous certaines conditions – un processus d'innovation original dans la gestion des ressources renouvelables. Ce processus est lié au renforcement des capacités de l'organisation paysanne. Dès lors, elle joue un rôle plus actif dans les négociations avec d'autres acteurs et prend en compte des dimensions complémentaires du développement : aménagement du milieu, agronomie et gestion durable des ressources. Cependant, les organisations issues du « mouvement associatif » rencontrent des limites lorsqu'elles ne prêtent pas suffisamment attention aux formes de structuration sociale qui régissent les modes d'appropriation des ressources.

Une organisation paysanne dans un processus d'innovation

La création du Cadef en 1983 cristallise plusieurs stratégies individuelles et une ambition collective qui trouvent, à cette période, des conditions favorables pour s'exprimer sous forme associative. Plusieurs éléments explicatifs conjugués rendent compte de l'émergence de cette organisation dans ces années-là. Les organisations non gouvernementales ont favorisé une prise de conscience du fait que l'action individuelle ne peut, à elle seule, apporter de solution satisfaisante face à l'ampleur des défis auxquels les populations se trouvent confrontées. Le caractère « libéral » – au sens anglo-saxon du terme – du régime politique sénégalais, notamment au tournant des années 1980, rend possible l'essor de nouvelles formes associatives en milieu rural. La crise macro-économique et les premières mesures d'ajustement structurel après 1979 font ressortir les limites des réponses individuelles sous forme de migrations notamment vers Dakar. Enfin, cette dynamique est ancrée dans une mouvance militante étudiante, syndicale, mais aussi politique, d'opposition au pouvoir. En cherchant des réponses à la crise qui affecte la Basse Casamance, ces ruraux vont trouver dans le mouvement associatif paysan une forme d'action collective.

Le Cadef : rencontre de plusieurs stratégies

Les parcours individuels et collectifs des fondateurs sont marqués par une double appartenance : d'une part, des engagements personnels dans des structures politiques ou syndicales et, d'autre part, des liens étroits avec les villages et la région d'origine.

La création du Comité d'action pour le développement du Fogny (Cadef) est présentée par les initiateurs de l'association, émigrés à Dakar, comme une réponse collective à la dégradation des conditions d'existence des populations du Fogny. Les parcours individuels et collectifs des fondateurs sont marqués par une double appartenance : d'une part, des engagements personnels dans des structures politiques ou syndicales et, d'autre part, des liens étroits avec les villages et la région d'origine à travers les associations de ressortissants émigrés à Dakar. Plusieurs ont une expérience militante dans l'opposition à travers le Parti africain de l'Indépendance (PAI), parti d'inspiration marxiste créé en 1957. Ce parti représenta dans les années 1960 une force d'opposition résolue à la politique d'« unification partisane » développée par le président Senghor qui aboutit à l'absorption progressive de nombreux partis dans l'UPS (Union progressiste sénégalaise). Certains des fondateurs du Cadef ayant fait partie des jeunes militants que le PAI envoya à Cuba en 1965 pour se former à la guérilla furent arrêtés et emprisonnés au Sénégal suite à leur expulsion du Mali où ils s'étaient établis à leur retour. D'autres ressortissants du Fogny à Dakar, ayant suivi une scolarité plus ou moins longue et le plus souvent chaotique du fait de leur pratique militante, présentent des parcours individuels marqués par un fort engagement associatif et syndical.

Ces engagements politiques et syndicaux communs se combinent à des expériences professionnelles et à des compétences scolaires diverses. Par ailleurs, les fondateurs du Cadef se réfèrent aussi très fortement à leur origine géographique et culturelle commune, le Fogny. Cependant, pour les ressortissants du Fogny, le PAI, en portant l'essentiel de ses efforts sur le milieu ouvrier, essentiellement dakarois, ne constituait pas le cadre politique pertinent pour aborder les questions posées par le milieu rural. Bien qu'étant en désaccord avec les politiques agricoles conduites par le parti au pouvoir, les leaders du PAI se montraient réticents pour entreprendre des actions militantes directes auprès des paysans.

Cette période, la fin des années 1970, correspond à l'émergence du mouvement associatif paysan qui se structure progressivement au Sénégal autour de plusieurs initiatives locales, celle de l'Amicale des foyers des jeunes du Walo dans la vallée du fleuve Sénégal, la Fédération des paysans organisés de Bakel dans l'est, l'Entente de Bamba-Thialène au centre, et l'Association des Jeunes agriculteurs de Casamance (Ajac) au sud. Ce mouvement associatif paysan se distingue des associations ou des organisations suscitées par les organisations non gouvernementales. Il s'agit d'initiatives locales et « endogènes », qui revêtent souvent la forme d'organisations ou d'associations intervillageoises de développement, mouvement particulièrement marqué au Sénégal et au Burkina Faso (GENTIL et MERCOIRET, 1991). Ces associations, dans lesquelles les jeunes, mais aussi les femmes, jouent un rôle déterminant sont souvent créées en contestation des actions de développement initiées par l'État dont elles critiquent le caractère dirigiste et la faiblesse des résultats sur le long terme. Elles expriment une conception globale du développement présentée de manière plus ou moins formalisée comme la recherche d'une alternative au modèle dominant, car, n'étant pas dépendantes d'une production donnée, elles tendent à se faire les porte-parole des aspirations paysannes, difficilement réductibles à des préoccupations sectorielles (BERTHOMÉ, 1990).

Des fondateurs militants

Le leader du groupe de Dakar, ancien instituteur et professionnel de l'alphabétisation, suit le cycle de formation de l'École nationale d'économie appliquée (Enea) et à ce titre participe à des stages en milieu rural ayant notamment pour thème l'appui aux organisations paysannes. Il participe à un séminaire organisé en 1982 à l'initiative de l'Enea et du Ciepac réunissant l'ensemble des organisations paysannes du Sénégal dont certaines ont créé la Fédération des organisations non gouvernementales du Sénégal (Fongs). Cette réunion regroupe pour la première fois l'ensemble des associations paysannes autonomes – non liées à une intervention de l'État – à cette période : l'Amicale des foyers des jeunes du Walo, la Fédération des paysans organisés de Bakel, l'Entente de Bamba-Thialène, l'Association des jeunes agriculteurs de Casamance (Ajac), les femmes de Koumbidia, les jeunes de Ndioum, l'Entente de Diouloulou.

Ces dynamiques associatives caractérisent des zones périphériques (Fleuve, Sénégal oriental, Casamance) par rapport au cœur du dispositif d'intervention étatique privilégiant la culture de l'arachide et focalisé sur le bassin arachidier.

La situation de crise persistante, exprimée par la délégation envoyée à Dakar et qui traduit le désarroi des pouvoirs coutumiers, rencontre un écho favorable auprès des « exodés ».

C'est sur cette base militante et politique, à partir des rencontres avec les premières associations intervillageoises du Sénégal et en interaction avec certaines structures coutumières du Fogny, que le Cadef est créé à Dakar en juin 1983. Cette création a lieu à Dakar, car il s'agit d'une initiative « d'exodés », leaders politiques, syndicaux, ou simples « ressortissants » de la région du Fogny qui, dans un premier temps, développent des réflexions collectives en dehors de leur milieu d'origine. L'initiative est issue de constats personnels et de contacts avec des organisations non gouvernementales qui commencent à soutenir des initiatives collectives locales dans plusieurs régions du Sénégal et plus largement en Afrique de l'Ouest. Cette initiative « dakaroise » va rencontrer une demande formulée par les représentants des lignages restés au Fogny en Basse Casamance.

Au début des années 1980, les responsables coutumiers du village de Kagnarou envoient une délégation représentative des quartiers du village auprès d'un des leaders du groupe de Dakar, originaire de Dialamantan, quartier fondateur de Kagnarou. La délégation, composée de deux représentants par quartier, exprime le souhait de voir revenir les « exodés dakarois » – et notamment celui originaire de Dialamantan – afin de contribuer à la recherche de solutions à la crise agraire que traverse la région. Du point de vue de la société locale, et plus précisément des familles du quartier Dialamantan, cette opportunité représentait une possibilité de mettre en avant le leader du groupe de Dakar (« de le montrer ») en espérant à moyen terme des « retours de pouvoir » pour le quartier. L'implication des responsables coutumiers semble donc correspondre à une logique de coopération avec le groupe de Dakar, porteur d'un projet global pour la société du Fogny, et notamment pour les catégories sociales les plus touchées par la crise. Mais cette coopération obéit aussi à une stratégie de consolidation des pouvoirs lignagers qui, tout en prenant le risque de faire appel aux cadets, espèrent cependant rester maîtres du jeu et attendent de cette initiative des retombées directes ou indirectes pour le village, voire pour le quartier de Dialamantan. Cette situation de crise persistante, exprimée par la délégation envoyée à Dakar et qui traduit le désarroi des pouvoirs coutumiers, rencontre un écho favorable auprès des « exodés ». Ceux-ci font une analyse critique de la « période du développement » qui a touché la Basse Casamance depuis l'Indépendance.

Le diagnostic de la situation agricole du Fogny établi par le groupe de Dakar se fonde sur une double approche. D'une part, le constat d'échec de deux décennies de « développement » qui ont globalement laissé la Basse Casamance et le Fogny à l'écart des dynamiques du bassin arachidier. Les multiples interventions dans le domaine de la riziculture, mais aussi les actions sectorielles et catégorielles ciblées sur la Casamance et dont les effets sur le milieu demeurent pour le moins controversés rejoignent directement les préoccupations des paysans du Fogny. D'autre part, les manifestations de la crise sociale qui sont ressenties dans leurs dimensions culturelles et politiques comme une perte d'identité et une absence de maîtrise politique sur les changements imposés par l'État ou des ONG proposant des technologies inadaptées. La crise sociale se traduit par des comportements de blocage vis-à-vis du changement technique, motivés par les échecs antérieurs, notamment d'intensification de la riziculture. Les ressorts qui sont alors mobilisés par certains notables coutumiers relèvent du registre de l'animisme (esprits, animaux totems... que le progrès technique viendrait troubler).

Le noyau des fondateurs décide donc, le 25 juin 1983, avec les ressortissants de huit villages (cinq dans l'arrondissement de Sindian et trois dans l'arrondissement de Tenghory), de créer une association intervillageoise de développement ayant pour cadre d'action le département de Bignona. Cette décision va impliquer la négociation de plusieurs compromis de nature politique. Le premier concerne l'appartenance politique des leaders du groupe de Dakar qui, pour pouvoir travailler en milieu rural, vont devoir adhérer au Parti socialiste au pouvoir, condition *sine qua non* posée au plus haut niveau de l'État. Ce compromis indispensable pour entreprendre toute action au niveau local est alors négocié et clarifié auprès du PAI, ce qui permettra au groupe de mobiliser les réseaux locaux de ce parti. Ce réseau partisan, ainsi que ceux fondés sur la parenté et les alliances matrimoniales, sera mobilisé pour légitimer la création du Cadef au niveau local.

Dans les premiers temps, le Cadef développe une stratégie militante qui va mobiliser les femmes et les jeunes à partir de la réactivation des réseaux d'alliance entre quartiers et villages et de l'adhésion des responsables coutumiers. Des rencontres régulières débouchent sur la création de groupements qui s'établissent autour de blocs maraîchers et fruitiers, chargés d'une forte valeur symbolique et sociale. En effet, ces cultures supposent l'affectation par les aînés de ressources foncières aux femmes et aux jeunes et impliquent une action collective de l'ensemble des familles du quartier. Les blocs maraîchers constituent un point de rencontre et d'échanges où peuvent s'exprimer les jeunes et les femmes ; ils permettent aux responsables du Cadef de se constituer une base sociale, de faire partager leur diagnostic de la crise et leur projet pour l'avenir de l'agriculture du Fogny et d'engager les premières actions en direction du maraîchage et de l'arboriculture.

Les blocs maraîchers constituent un point de rencontre et d'échanges où peuvent s'exprimer les jeunes et les femmes ; ils permettent aux responsables du Cadef de se constituer une base sociale, de faire partager leur diagnostic de la crise et leur projet pour l'avenir de l'agriculture du Fogny.

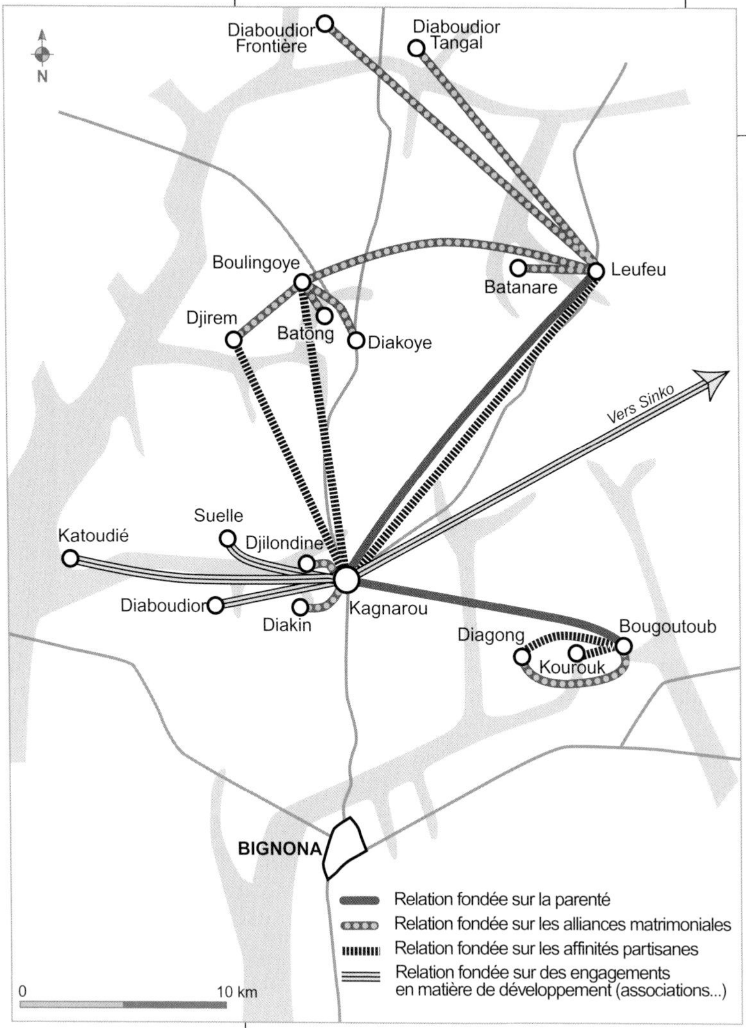

Figure 12 – Réseaux politiques et sociaux à l'origine du Cadef.

Outre l'animation de la réflexion collective, le Cadef contribue à apporter des réponses techniques ponctuelles aux problèmes posés par le développement des blocs maraîchers, il favorise l'insertion de jeunes (cadets, jeunes femmes) aux groupements de base à travers le développement des fonctions d'animateur, il promeut des activités sur les champs collectifs au niveau des groupements comme moyen d'« accumulation primitive » pour le groupe et facilite la formation de délégués de groupements par les structures d'encadrement locales (services de l'État, centres de formation). Dans le secteur de Suelle, un accord est recherché avec l'Entente de Diouloulou à propos du rattachement de plusieurs groupements de cette association intervillageoise situés directement dans l'aire géographique d'influence potentielle du Cadef. C'est ainsi que deux groupements jusqu'alors affiliés à l'Entente de Diouloulou vont rejoindre le Cadef, Suelle et Katoudié.

Le Cadef ne développe donc pas un projet en rupture avec son environnement économique et institutionnel mais recherche, au contraire, une meilleure articulation avec celui-ci au profit des intérêts des producteurs. Durant cette première phase fondatrice, le Cadef ne dispose d'aucun appui financier extérieur, les actions réalisées étant financées par les cotisations des adhérents.

Les formations à l'animation contribuent à réhabiliter et revaloriser socialement le cadet et la femme dans une société dominée par le pouvoir des aînés.

Le Cadef s'appuie sur les jeunes (garçons et filles) entre 25 et 30 ans, revenus d'exode pour participer à l'implantation du Comité dans les huit premiers villages, puis les groupements progressivement vont choisir une centaine d'autres jeunes qui seront formés pour devenir des animateurs de groupements, scolarisés et alphabétisés en langue diola. Ces formations à l'animation contribuent à réhabiliter et revaloriser socialement le cadet et la femme dans une société dominée par le pouvoir des aînés.

Une stratégie d'alliances

Le Cadef adopte dès l'origine une stratégie d'alliance avec les garants des pouvoirs coutumiers en utilisant les réseaux de la parenté et des alliances matrimoniales ainsi que des réseaux construits dans le cadre de l'engagement politique (fig. 12).

Le choix des personnes envoyées comme émissaires du groupe de Dakar auprès des leaders coutumiers repose explicitement sur des liens familiaux. Le premier messager envoyé appartient à la même famille et au même *eluup* que le leader du groupe de Dakar, c'est-à-dire la famille fondatrice du quartier Dialamantan. Celle-ci détient le pouvoir coutumier selon la règle du droit de hache (premier arrivant), mais dispose également d'une autorité supplémentaire conférée par l'ancienne chefferie de canton.

L'introduction par cette origine familiale a permis au Cadef de toucher un personnage clé de la société locale que les anciens et notables de Dialamantan, et au-delà ceux du village de Kagnarou, considèrent et consultent pour toute décision. Il s'agit d'un leader local respecté pour

La création d'une association intervillageoise de développement est « le fruit d'un travail spécifique de conscientisation dans un milieu qui décide alors de changer et de compter sur ses propres forces ».

de multiples raisons. Son parcours à l'extérieur du Sénégal l'a conduit à faire partie du groupe de militants du PAI envoyés à Cuba. Surtout, il a gagné en outre la confiance de l'ensemble du village par ses prises de position en défense des intérêts villageois dans un conflit récurrent avec le marabout de Sindian dont il a contribué à démystifier l'influence politico-économique aux yeux de la population. Enfin, son parcours en dehors de la Casamance et ses qualités personnelles lui confèrent une autorité reconnue par les anciens et la population dans son ensemble. C'est par son intermédiaire que le Cadef va toucher les leaders coutumiers du Fogny et les convaincre de soutenir l'initiative de l'association.

Dans cette période du début des années 1980, marquée par la résurgence du MFDC, le parti indépendantiste, qui reprend en 1982 des actions violentes à l'encontre de l'État sénégalais, le Cadef s'engage dans ce qui apparaît comme un pari plus que risqué du fait à la fois du poids des conservatismes et de la tentation de rupture que représentent les thèses et les actions du mouvement indépendantiste.

La mobilisation des leaders coutumiers les plus influents dans l'arrondissement de Sindian va permettre l'expression des stratégies des catégories sociales dominées les plus touchées par la crise : les femmes et les jeunes restés au pays, pour lesquels le Cadef représente un réel espoir. Mais cette mobilisation ne va pas de soi et, comme le souligne J. Berthomé (1990), la création d'une association intervillageoise de développement représente le résultat d'une construction socio-politique fragile qui « est le fruit d'un travail spécifique de conscientisation dans un milieu qui décide alors de changer et de compter sur ses propres forces. C'est une démarche volontariste de quelques militants. (...) Ils vont animer une réflexion collective qui durera des mois, parfois des années, pour faire découvrir le processus de régression dans lequel s'est engagée la société locale ».

C'est donc dans le cadre d'une double alliance paradoxale et ambiguë – avec les leaders coutumiers, d'une part, et avec des catégories sociales souhaitant un changement, d'autre part – que naît le Cadef : « Parce que le Fogny ne peut pas se transformer, s'engager dans un véritable processus de changement, sans ses bras les plus valides, sans ses esprits les plus aptes, les mieux indiqués pour porter le changement, les plus perméables aux innovations... parce que ces catégories sociales, qui n'avaient rien à attendre de l'ancien ordre des choses et qui n'avaient rien à perdre dans les nécessaires transformations socio-économiques qui s'annoncent sont celles-là mêmes qui peuvent et doivent faire le Cadef » (B. Goudiaby, non publié).

De jeunes animateurs du Cadef décident de prendre les choses en main...

Ainsi, au début, le Cadef compte une forte majorité de femmes et de jeunes. Cependant, l'alliance entre ces catégories et les anciens à travers le Cadef n'est pas dénuée d'ambiguïtés. Les effets de la crise sont tels sur la société de Basse Casamance que les anciens, « surpris et frappés par la rapidité et l'intensité des faits, s'en remettent (provisoirement ?) aux jeunes et aux femmes organisées au sein des associations paysannes, à qui ils assignent la tâche d'aller interroger l'extérieur afin d'élaborer des solutions adaptées à la nouvelle situation » (B. Goudiaby, non publié).

Mais les anciens devront accepter un compromis avec les femmes et les jeunes. Ils entretiennent à leur égard « une attitude d'espérance et de méfiance. L'espérance qu'elles élaboreront des solutions à la situation de crise. La méfiance que leur action pourrait être à la base d'une remise en cause définitive de l'ancien ordre des choses – ambiguïté qui va alimenter plus d'un conflit de génération au sein du Cadef » (B. Goudiaby, non publié).

L'alliance des fondateurs du Cadef avec les responsables et leaders coutumiers apparaît clairement comme une condition et un moyen d'agir et d'engager un « véritable processus de participation populaire au développement pour la promotion sociale, économique et politique de ces catégories sociales fragilisées par la crise » (B. Goudiaby, non publié).

Si les premières actions menées par le Cadef sur la base d'un fort militantisme rencontrent l'adhésion des producteurs et convainquent de nouveaux villages qui adhèrent à l'association, il apparaît très vite que ces actions ne concernent pas des activités économiques importantes, par exemple l'agriculture pluviale et l'élevage. Or, les hommes sont très impliqués dans ces activités. La majorité des premières activités entreprises demeure relativement stéréotypée. Comme on l'a vu, elles concernent les « marges des systèmes de production » et laissent sans réponse des questions relatives à l'amélioration de la base économique des unités de production.

Limités dans leur action par la faiblesse de leurs moyens, et afin de renforcer leur légitimité par des réalisations répondant aux besoins des groupements, les responsables et animateurs du Cadef vont s'appuyer sur des alliances nouées à l'extérieur de la société locale. Une première alliance externe est établie par l'intermédiaire du leader du Cadef qui mobilise ses anciens professeurs de l'Enea, fondateurs d'une ONG d'appui au développement local, le Ciepac. Cette alliance repose sur un fort engagement, à la fois professionnel et militant, des responsables du Ciepac qui vont contribuer à développer les capacités d'animation et de réflexion du Cadef.

À partir de 1984, le Cadef engage avec le Ciepac un processus de réflexion et de formation, qui constitue une condition et un préalable à la formulation d'un « programme de développement approprié ». La demande initiale des responsables du Cadef est discutée par le Ciepac. Celui-ci amène les responsables du Cadef à prendre conscience de la nécessité de mieux connaître la situation des populations concernées afin de construire par la concertation et à partir d'un diagnostic élaboré conjointement avec les populations un programme de développement qui s'efforce de répondre aux besoins ainsi identifiés. Cette stratégie collective de développement se traduit par l'élaboration en 1985 d'un plan de développement structuré autour de trois axes : les productions vivrières, la santé, et la commercialisation des produits maraîchers et fruitiers.

Contrairement aux orientations dominantes des ONG et des associations intervenant dans le département durant la même période, les activités jugées prioritaires par les adhérents du Cadef concernent la base économique des systèmes de production (cultures pluviales, riziculture et élevage), même si les activités de diversification restent l'une des trois préoccupations exprimées.

Ce programme, mis en œuvre pendant les années 1985-1986, se traduit par plusieurs actions qui renforcent la crédibilité du Cadef vis-à-vis de ses adhérents : l'aménagement des vallées (construction de plusieurs barrages), le renforcement des blocs maraîchers, la création d'un atelier de forge, des actions de formation technique en gestion pour les animateurs et les présidentes et présidents de groupements, des reboisements, la tenue de sessions d'alphabétisation, l'ouverture de parcelles collectives...

Grâce à cette alliance initiale, le Cadef diversifie ses partenariats et obtient plusieurs soutiens financiers d'ONG. Cependant, même si les premières réalisations sont encourageantes, le Cadef estime alors qu'il ne pourra atteindre les objectifs fixés que s'il se trouve en mesure de s'attaquer aux problèmes du changement technique sur les « grandes cultures » en recherchant des solutions à la dégradation des conditions physiques de production. Le projet de recherche-développement élaboré à cette période est particulièrement explicite à cet égard : « Les actions menées dans le cadre du Cadef ont rencontré l'adhésion des populations dont la capacité de mobilisation s'est accrue. Cependant, les premières actions n'ont pu aborder les questions posées par l'agriculture pluviale et l'élevage du fait de la complexité des problèmes à résoudre et de l'absence de réponses directement applicables. Or, ce sont précisément ces secteurs qui constituent la base économique des exploitations agricoles et Cadef ne pourra atteindre les objectifs qu'il s'est fixés que si des changements profonds sont entrepris au sein des systèmes de production et dans la gestion de l'espace » (Cadef, Isra, Ciepac, Enea, Cirad-DSA, 1990).

Contrairement aux orientations dominantes des ONG et des associations, les activités jugées prioritaires par les adhérents du Cadef concernent la base économique des systèmes de production (cultures pluviales, riziculture et élevage).

C'est sur ce point précis que le Cadef apparaît comme un acteur innovant. En effet, jusqu'alors les actions de recherche sur les milieux avaient été plutôt du domaine de compétence de l'Orstom, alors que celles sur les productions agricoles relevaient des compétences de l'institution de recherche agronomique.

Les premières actions du Cadef prennent en compte de manière explicite les intérêts des femmes et des jeunes à travers les blocs maraîchers. Par la suite, lorsque le Cadef s'intéresse aux problèmes cruciaux d'aménagement des vallées et de réhabilitation de la riziculture, le travail des femmes sera valorisé et reconnu, car les hommes se mobiliseront massivement pour construire les premières digues. Leur statut social se trouve revalorisé par la reconquête de leur capacité à alimenter le grenier familial.

Durant cette phase, le Cadef apporte des réponses contrastées à la marginalisation des catégories sociales par la promotion des jeunes, garçons et filles, revenus d'« exode » ou non. Ils vont être alphabétisés et formés aux techniques d'animation pour constituer ce que le Cadef appelle l'auto-encadrement. Cette fonction nouvelle contribue à réhabiliter la place des jeunes dans une société dominée par les aînés.

Les femmes sont promues au niveau de toutes les instances par le biais de bureaux parallèles, mais très vite des difficultés surviennent. Les femmes ne seront pas en mesure de remplir leur fonction au sein de l'association du fait de leurs occupations domestiques et de leur position dominée dans la société locale régie par les hommes. Au sein des instances de direction, les femmes sont absentes. Les animatrices de groupement, alphabétisées en langue diola, assistent rarement aux sessions de formation et de réflexion collectives ; elles sont souvent absentes des réunions d'information et des instances de décision.

Liens avec la recherche-développement

À partir de 1987-1988, l'engagement du Cadef avec la recherche agricole (l'Isra et le Cirad-DSA) marque le souci d'aborder selon une approche innovante les problèmes du changement technique sur les cultures majeures. Cette réflexion et les opportunités concrètes de la mettre en œuvre se trouvent confortées par les préoccupations convergentes de ceux qui vont devenir de nouveaux partenaires de l'organisation : l'Isra, qui développe un programme « Organisations paysannes et transfert de technologie » et le Cirad-DSA à travers le laboratoire « Communication et organisation des producteurs » qui s'intéresse au rôle des organisations paysannes dans la mise au point et la diffusion des innovations techniques. L'Enea est le cinquième partenaire de ce projet, du fait de son intérêt pour les démarches de formation à la base et le développement local.

Cette dynamique se concrétise par l'engagement de la Caisse centrale de coopération économique dans le financement sur cinq ans d'un projet de recherche-développement. Cependant, ce projet ne revêt pas la même signification pour tous les acteurs impliqués. Ces différences de points de vue et d'intérêts sont prises en compte dès le départ. Les objectifs et les méthodes de travail sont négociés avec les responsables de l'association. La négociation aboutit à la signature d'un protocole d'accord qui « prévoit en particulier que toutes les actions entreprises dans la zone devront recueillir l'approbation du Cadef et qu'en cas de désaccord, c'est le point de vue du Cadef qui prévaudra » (Cadef, Isra, Ciepac, Enea, Cirad-DSA, 1990). Cette mesure acceptée par les intervenants assure à l'organisation paysanne la maîtrise du programme.

D'une manière globale, le projet de recherche-développement « vise à renforcer la dynamique locale de développement existante en lui donnant un appui pour aborder la question posée par l'évolution maîtrisée des systèmes de production et du système agraire ». Le projet se structure autour d'objectifs destinés à améliorer les capacités d'action collective des producteurs organisés. Sur le plan technique, c'est un projet de type « productiviste » puisqu'il se donne pour objectif « l'adaptation des systèmes de production à l'évolution des conditions écologiques afin de parvenir à (i) une augmentation de la productivité de la terre et (ii) à la mise en œuvre d'une stratégie de maintien et de préservation des ressources ». C'est un projet de type « participatif », puisque outre la clause initiale du protocole qui assure au Cadef une maîtrise du processus, il se donne aussi pour objectif de renforcer la maîtrise « par les producteurs de leur environnement économique dans le contexte de désengagement de l'État du monde rural » en créant « les conditions nécessaires pour que le Cadef soit à même de maîtriser les changements entrepris : appui à l'organisation, à la formation, à la négociation avec les partenaires extérieurs » (Cadef, Isra, Ciepac, Enea, Cirad-DSA, 1990). La démarche participative se caractérise par une attention particulière accordée au volet formation avec l'ambition de construire les compétences techniques et organisationnelles de l'association.

La période recherche-développement du projet est marquée par des activités de diagnostic (zonage et enquêtes à plusieurs niveaux, depuis la parcelle jusqu'au terroir), par la réalisation d'essais agronomiques et d'actions préparant l'extension des résultats techniques. Ce sont les animateurs issus de la société locale, relativement jeunes et pour la plupart en situation de cadets sociaux, qui vont bénéficier des formations.

La confiscation du pouvoir par des jeunes

La phase de recherche participative intense est l'opportunité pour le Cadef de se doter d'une équipe d'une vingtaine d'animateurs qui se forment à travers la réalisation des activités de recherche-développement : enquêtes sur les villages, sur les systèmes de production, sur les barrages, et participation aux essais réalisés par l'Isra. Ils acquièrent ainsi une réelle formation et constituent une équipe technique motivée, possédant une bonne capacité d'analyse et d'animation à la base, ainsi que de multiples compétences techniques.

Ce groupe de jeunes va développer le Cadef, en renforçant les quatre animateurs qui étaient les fondateurs revenus d'exode. En très peu de temps – quelques années – ces jeunes recrutés dans les groupements acquièrent une autorité et une reconnaissance sociales auprès des anciens auxquelles ils n'auraient pu prétendre dans le cadre d'un parcours social habituel. Plus tard, les plus capables seront recrutés et cooptés au niveau central par le comité de gestion comme animateurs, chargés des volets techniques et gestionnaires des petites entreprises de services à l'agriculture mises en place dans le cadre du projet. Le programme de recherche-développement s'appuiera beaucoup sur eux pour la réalisation de ses objectifs ; ils bénéficieront d'indemnités modestes destinées à compenser le temps soustrait au travail sur leurs propres parcelles.

Le programme de recherche-développement se situe dans la continuité des phases antérieures, avec notamment la poursuite de l'aménagement de la vallée de Bougoutoub auquel il convient d'ajouter des actions dans l'expérimentation sur les grandes cultures, la production de semences et la lutte phytosanitaire. L'aménagement de la vallée prévu à partir d'un seul barrage servira en fait de base à un processus d'innovation progressivement mis au point par le Cadef et ses partenaires. Les actions d'aménagement et d'amélioration de la riziculture deviendront l'activité principale du Cadef, dix barrages étant construits par le Cadef ou en collaboration avec le Derbac en une dizaine d'années.

Les alliances entre jeunes et pouvoirs coutumiers ne vont pas résister à la volonté de certains jeunes d'utiliser le Cadef au service de leurs intérêts.

Cependant, les alliances entre jeunes et pouvoirs coutumiers ne vont pas résister à la volonté de certains jeunes d'utiliser le Cadef au service de leurs intérêts. C'est pour eux un moyen de se réinsérer dans la société locale en acquérant une position que ne leur permettrait pas le cycle social normal dans le cadre des structures coutumières. Le dispositif de gestion mis en place (centralisation du pouvoir et des décisions) permet aux jeunes fondateurs du Cadef d'agir de plus en plus indépendamment des anciens et en excluant également les femmes des prises de décision ou de la concertation. Cette situation de rupture potentielle se maintiendra un certain temps, tout en permettant au Cadef de réaliser l'essentiel de ses activités dans le cadre du projet recherche-développement.

Les jeunes, avec le soutien des femmes, finissent par prendre le contrôle de l'organisation en accaparant les centres de décision et de pouvoir, du fait de leur niveau d'alphabétisation et de formation. Les aînés et les anciens, détenteurs des pouvoirs coutumiers, se trouvent mis à l'écart, de même que les femmes. La centralisation de la gestion aboutit à des arbitrages contestables qui relèvent de stratégies d'alliances anciennes ou nouvelles, indépendamment de la qualité du travail accompli par les groupements concernés. Les concurrences avec d'autres associations incitent le groupe dirigeant du Cadef à adopter des comportements paternalistes à l'endroit de certains groupements, affaiblissant ainsi sa crédibilité et minant de l'intérieur sa capacité de mobilisation.

Les concurrences avec d'autres associations incitent le groupe dirigeant du Cadef à adopter des comportements paternalistes affaiblissant ainsi sa crédibilité et minant de l'intérieur sa capacité de mobilisation.

Si les fondateurs ont conçu le Cadef comme l'instrument de leur émancipation et de leur réinsertion dans une société en crise d'identité et en quête d'alternative de développement, son organisation traduit leurs ambitions et leurs stratégies. Le système de prise de décision centralisée échappe rapidement au contrôle du président et de la présidente du comité de gestion, qui sont analphabètes. Les postes clés de l'association (secrétaire général et trésorier) passent sous le contrôle de deux jeunes leaders reconnus par les adhérents et devenus compétents grâce aux formations.

Ces jeunes leaders fondateurs s'appuient sur les femmes (très difficilement disponibles et analphabètes) pour s'emparer de l'institution et contrôler les centres de décision et de pouvoir. Les aînés seront nommés à des postes politiques honorifiques (présidents) qu'ils ne seront jamais en mesure d'assumer pas plus qu'ils ne seront en mesure d'assurer un contrôle du fonctionnement de l'organisation et de la gestion des fonds. Les anciens, les « sages », seront également neutralisés au sein des comités de sages censés sanctionner toutes les activités de l'organisation, mais qui n'auront pour toute fonction effective que d'arbitrer des conflits internes de préséance entre fondateurs. Tant pour les hommes âgés que pour les femmes, la non-maîtrise du français contribue à accroître les phénomènes d'exclusion.

Très vite, les femmes vont se retrouver marginalisées, du fait notamment des difficultés qui font obstacle à leur participation effective au processus engagé par le Cadef. Au sein des instances de direction, les femmes scolarisées restent l'exception. Le rôle et le statut des femmes dans une société dominée par le pouvoir masculin sont comparables à leur faible représentation dans les instances du Cadef et à leur marginalisation dans les activités de gestion et de direction de l'association. Les femmes restent, pour une vaste majorité d'entre elles, soumises à l'autorité de leur mari qui ne les autorise que rarement à s'absenter. Inversement, les jeunes gens et les hommes n'ont rien fait pour adapter l'organisation aux spécificités de la condition féminine. De ce fait, à tous les échelons de l'organisation, elles occupent de façon symbolique des positions formelles où elles n'ont ni le temps, ni les moyens de défendre leurs intérêts afin de partager de façon équitable avec les hommes l'accès au savoir et au pouvoir.

À part les trois ou quatre animateurs fondateurs revenus au pays pour fonder le Cadef, tous les autres animateurs sont issus des quartiers villageois. Les efforts de formation effectués par le Cadef pour se doter d'une équipe d'animateurs vont progressivement entraîner l'émergence d'un corps d'animateurs défendant leurs intérêts propres et développant un esprit et des attitudes de type bureaucratique vis-à-vis des autres animateurs et des adhérents des groupements.

Ce groupe va renoncer à l'esprit de bénévolat et de volontariat qui était le fondement de son engagement pour s'octroyer un pouvoir absolu et, avec les fondateurs, confisquer tous les centres de gestion et de décision de l'organisation. Cela n'exclut pas l'existence de rivalités et de conflits pour le contrôle du pouvoir et des moyens au niveau central de l'organisation. Les instances régulières seront de moins en moins convoquées, le système de cooptation par ce groupe restreint deviendra la nouvelle règle, renforçant l'exclusion des instances politiques de la base (présidents et présidentes de groupement) ; enfin, les décisions seront de plus en plus prises dans le secret d'un petit groupe restreint

Ainsi, il se produit au début des années 1990 un blocage du processus de développement participatif, par l'exclusion progressive des catégories sociales sur lesquelles s'étaient appuyés les fondateurs.

Les jeunes fondateurs ont fini par confisquer le fonctionnement de l'organisation. Pendant longtemps, ils stabilisent cette situation en tâchant d'utiliser à leur profit et de conserver « l'alliance formelle » des femmes. Ces dernières se retrouvent « maintenues » dans les blocs maraîchers et les unités de production où les activités domestiques et productives requièrent toute leur énergie.

Progressivement donc, le Cadef – l'équipe des fondateurs et des animateurs assumant des fonctions au niveau central – se coupe des groupements où les femmes sont majoritairement organisées et « accompagnées » par quelques aînés. Les anciens délaissent également peu à peu une organisation qui ne sait ni se donner les moyens de leur accorder une place effective dans les prises de décision, ni développer des activités spécifiques susceptibles de les mobiliser.

Tout au long de cette évolution, les phénomènes d'exclusion et de marginalisation sont amplifiés et accentués par des rivalités au sein du groupe de leaders et d'animateurs, alors même que ce groupe commence à subir des critiques qui traduisent les protestations des groupements et des catégories exclues.

Les femmes vont se sentir exclues des processus de décision.

Réactions des femmes

Au-delà du constat d'une crise qui menaçait, le Cadef a montré sa capacité à prendre en compte et à gérer la frustration d'une catégorie sociale dominée au niveau de la société.

Les femmes se mobilisent les premières et se mettent en marche en direction du siège du Cadef pour manifester leur désaccord profond avec l'évolution de l'organisation et la confiscation du pouvoir par les hommes. Elles obtiennent la convocation d'un atelier de réflexion sur la situation interne de l'organisation et sur la place des femmes au sein de celle-ci. Cet atelier restera connu comme le séminaire de 1992.

Les débats de ce séminaire débouchent sur des résolutions dans les domaines du fonctionnement du Cadef et de la prise en compte des revendications des femmes. Il s'agit de leur permettre concrètement de participer au fonctionnement de « leur » association.

Ces mesures aboutissent à la mise en place d'un comité de gestion rénové, élu à bulletins secrets, comprenant 50 % de femmes instruites qui co-administrent les postes de gestion. Les revendications des femmes paraissent avoir été entendues, puisque de nombreuses résolutions visent à permettre la participation des femmes à la direction du Cadef à tous les niveaux. Dans le même sens, la décision de décentraliser les activités du Cadef vers les groupements procède du souci de voir les femmes s'impliquer davantage dans la conduite des affaires, notamment à la base où elles sont très nettement majoritaires au niveau des groupements.

En même temps est prévu un congrès refondateur du Cadef qui se tient à la fin de 1995 afin de se prononcer sur les réformes rendues indispensables par la crise globale du dispositif : fonction des animateurs, redéfinition de leur mode de rémunération et de leurs rapports avec la base, meilleure prise en compte des activités économiques des femmes dans les appuis apportés par le Cadef... Ces mesures vont dans le sens d'une nouvelle reconnaissance des femmes en tant qu'acteur collectif au sein de l'association. Reste que pour ne pas demeurer au stade des vœux pieux qui permettent de calmer momentanément le mécontentement d'une catégorie lésée, ces mesures vont demander une participation des hommes à leur mise en œuvre.

Au-delà du constat d'une crise qui menaçait, le Cadef a montré sa capacité à prendre en compte et à gérer la frustration d'une catégorie sociale qui est déjà dominée au niveau de la société. Cette prise en compte ne semble pas purement formelle, du fait notamment de la force revendicative avec laquelle les femmes l'expriment, force qui est sous-tendue par leur rôle économique croissant dans la société du Fogny.

Un processus d'innovation original

La démarche d'aménagement de vallées mise en œuvre par le Cadef avec l'appui du Ciepac, puis de la recherche agricole (Isra, Cirad) associe de manière progressive la dimension agronomique à la dynamique d'appropriation et de maîtrise des aménagements. La première étape de ce processus d'innovation a consisté à restaurer les capacités productives des vallées dégradées par la salinisation et à sécuriser l'approvisionnement hydrique du riz par la mise en œuvre de petits aménagements complémentaires.

Les premiers aménagements

Le Cadef réalise ses premiers aménagements en 1986 et 1987 avec l'appui du Ciepac. Prévu au départ pour sécuriser l'eau sur l'ensemble d'une vallée, le barrage de Margoune s'avère rapidement insuffisant par rapport aux attentes des populations. Il remplit néanmoins une fonction essentielle de barrage anti-sel et permet de lessiver les sels accumulés en amont, rendant à nouveau possible la pratique de la riziculture dans une zone auparavant sinistrée.

Sa mise en service met en évidence les difficultés de sa gestion collective entre ceux qui, exploitant des terres proches du barrage, se trouvent rapidement en situation d'inondation et ceux dont les parcelles sont situées plus en amont du barrage. Ces derniers militent pour une fermeture précoce du barrage afin de favoriser une inondation rapide de l'ensemble de la vallée.

Les premières années permettent aux rizicultrices de constater les effets du barrage : les premières pluies solubilisent les sels, les évacuent et, au bout de deux ans, des superficies impropres à la riziculture peuvent à nouveau porter du riz ; l'eau reste plus longtemps dans la vallée, permettant au riz de boucler son cycle.

À cette dynamique progressive d'aménagement d'une vallée est associée une amélioration des techniques rizicoles élaborée elle aussi progressivement. L'originalité de la démarche du Cadef et de ses partenaires consiste à coupler les améliorations techniques de la culture du riz avec la progression de la maîtrise de l'eau.

L'expérience d'amélioration de la riziculture remet en cause les schémas antérieurs d'amélioration de la production en situation d'inondation.

Elle repose sur une maîtrise progressive de différentes étapes et illustre l'étroite imbrication des choix techniques individuels et collectifs avec les conditions organisationnelles qui les rendent possibles. Ces étapes ou séquences sont restituées dans l'ordre qui a présidé à leur adoption ou appropriation par les producteurs.

L'estimation des superficies aménagées reste approximative ; elle permet cependant d'avoir une idée des capacités d'intervention d'une organisation paysanne comme le Cadef. Environ 800 hectares ont pu être aménagés depuis la construction du premier barrage par le Cadef en 1986, ce qui représente, en 1994, environ une centaine d'hectares par an. C'est certainement peu dans l'absolu, mais cette surface reste très supérieure aux interventions antérieures, qui n'ont laissé aucune superficie aménagée fonctionnelle.

Ce rythme est loin d'être négligeable si l'on considère que ces aménagements ont été réalisés en même temps que se développaient les capacités de l'organisation. Ils soutiennent la comparaison au plan technique avec les aménagements réalisés par les structures parapubliques d'intervention, et ce de manière encore plus nette si l'on se place dans la durée. Ces aménagements ont été effectués dans la période des ajustements structurels, ce qui a rendu difficile l'appui d'opérateurs fiables pour effectuer études et gros œuvre. Enfin, durant cette période, la situation dans la zone du Cadef est marquée par de fortes tensions entre l'armée et les mouvements indépendantistes.

Premiers résultats agricoles

La production de riz est en voie de sécurisation et d'intensification. Pendant l'hivernage 1993, à pluviométrie très faible et concentrée sur deux mois et demi (660 mm), les rendements tendent malgré tout à se stabiliser. La faible pluviométrie laisse espérer des marges de progrès en année favorable. Dans une situation non aménagée (vallée de Suelle) mais où la culture est possible, les résultats ne dépassent pas 800 kg/ha. Dans les vallées aménagées de Diaboudior, de Sounaye ou de Banny, les rendements varient entre 1,2 t/ha pour des riz de nappe et 2,4 t/ha pour des riz profondément noyés.

Ce qui est important, au-delà des données, ce sont les rendements obtenus lors d'une année particulièrement défavorable en terme de pluviométrie, puisque dans la zone du Cadef, les pluies ont varié entre

600 et 800 mm, ce qui, sans aménagement, ne permet pas la culture du riz. Certaines rizicultrices dépassent pourtant 3,5 t/ha dans les vallées aménagées avec les techniques aujourd'hui disponibles.

Les résultats quantitatifs peuvent être utilement complétés par une appréciation plus qualitative résultant de l'observation des mises en culture à la fin de l'hivernage 1994-1995 dans la vallée de Bougoutoub (barrages de Margoune, Banny et Sounaye). En novembre 1994, alors que les pluies ont été singulièrement abondantes cette année-là, toutes les parcelles les plus proches des digues en amont de celles-ci se trouvent entièrement cultivées avec des variétés à paille haute et dans un état de maturation qui autorise la récolte dans certaines parties de ces parcelles. Or il s'agit, avec les têtes de vallées, des zones les plus critiques en alimentation en eau, compte tenu des nouvelles conditions d'inondation imposées par les barrages. Cela signifie que ces parcelles proches des barrages ont été mises en culture très précocement avec des variétés adaptées aux nouvelles conditions d'inondation. D'autre part, à cette période, l'ensemble des parcelles de ces vallées est entièrement cultivé en riz et les conditions d'inondation permettent d'atteindre la pleine maturité.

Les marges de progrès alors accessibles dans le court terme concernent des thèmes techniques pouvant être modifiés à un très faible coût, comme la densité de semis, la maîtrise du calendrier cultural, l'élargissement de la gamme des variétés disponibles et la maîtrise de l'enherbement par le jeu combiné des densités de semis et de la gestion de l'eau. D'autres techniques supposent une dépense ou un investissement supplémentaire, qu'il s'agisse du développement de la fumure animale ou de l'utilisation des déchets non solubles des phosphates de Taïba en tant qu'amendement particulièrement bien adapté aux sols sulfatés acides (Boivin et Loyer, 1989).

Des enchaînements d'innovations techniques

La première étape a consisté à sécuriser l'approvisionnement hydrique du riz par la mise en œuvre de petits aménagements destinés à protéger les vallées des remontées salines, à stocker l'eau et à la gérer. Cependant, avec les résultats obtenus en matière de rétention d'eau, des quartiers qui s'étaient mobilisés pour construire le premier barrage de Margoune ne

Les comités de gestion doivent être capables de gérer les intérêts contradictoires que ne manquent pas de susciter les différences de calendrier cultural entre exploitations en fonction du niveau d'inondation de leurs parcelles respectives.

voyaient guère d'amélioration dans leurs conditions de production. Compte tenu de la longueur de la vallée, les effets positifs du barrage ne se faisaient pas sentir sur leur zone de culture.

Les responsables du Cadef décident alors de poursuivre l'expérience par la construction de deux autres barrages en amont pour avoir une fonction de retenue. Ces deux barrages – barrage de Banny en 1988 et barrage de Sounaye en 1990 – ont en fait joué un double rôle. D'une part, ils ont permis une meilleure répartition de la lame d'eau sur l'ensemble de la vallée et, d'autre part, ils ont joué un rôle non négligeable de protection du barrage anti-sel par une limitation du volume et de la pression des lames d'eau mises en mouvement lors des fortes pluies.

Un comité de gestion est formé par le Cadef pour prendre en charge le fonctionnement et l'entretien de chaque barrage. Pendant les deux premières années, la gestion de l'eau au niveau du barrage anti-sel a pour objectif essentiel de lessiver les sols salés. Par la suite, lorsque les femmes se rendent compte des nouvelles conditions d'inondation, le comité développe des fonctions de conseil technique tout en contrôlant le niveau de la lame d'eau d'après le déroulement de l'hivernage et la croissance des plants de riz.

Les comités de gestion qui comprennent des personnes désignées par les producteurs concernés par la vallée reçoivent une formation technique et d'animation afin de leur permettre de résoudre les problèmes qui se posent et d'expliquer les modalités du changement technique. Cette structure décentralisée doit donc être capable de gérer les intérêts contradictoires que ne manquent pas de susciter les différences de calendrier cultural entre exploitations en fonction du niveau d'inondation de leurs parcelles respectives.

Outre la gestion des lames d'eau (ouverture et fermeture des barrages), les comités de gestion ont la responsabilité du suivi et de l'entretien des digues et des ouvrages ; ils assurent également un travail de formation et d'animation auprès des producteurs en matière de gestion des ouvrages et de changement des pratiques.

En même temps que la sécurisation hydrique est assurée, les rizicultrices se rendent rapidement compte de la nécessité d'adapter les variétés disponibles aux nouvelles conditions d'inondation de la vallée. La période récente et ses accès de sécheresse ont considérablement contribué à réduire la diversité variétale qui faisait la force de la riziculture casamançaise (PORTÈRES, 1950 ; PÉLISSIER, 1966). Cette réduction s'est faite au détriment des variétés de cycle long et à paille longue dont beaucoup ont disparu et au profit des variétés précoces diffusées par les sociétés d'encadrement. Il est vrai qu'en l'absence d'aménagement pertinent, ces variétés de cycle court se sont avérées extrêmement utiles aux producteurs et leur ont permis, dans une certaine mesure, de faire face aux conditions sèches qui affectaient les vallées. En témoigne leur large diffusion sur l'ensemble du département de Bignona.

Par rapport à cette situation d'appauvrissement en matière de diversité variétale, un des apports du projet et plus particulièrement de la recherche agronomique a été la mise à disposition des productrices de nouvelles variétés sélectionnées pour la Casamance par la station de Djibélor et mieux adaptées aux conditions de forte inondation (Diamé *et al.*, 1988). Ces variétés ont été adoptées largement par l'ensemble des femmes et, lorsque l'approvisionnement hydrique du riz est sécurisé, les besoins en variétés à pailles et précocités contrastées deviennent prioritaires.

L'adaptation variétale aux différentes zones inondées se fait en recourant à toute une série d'associations variétales :

– pour les parcelles profondément noyées, proches des barrages ou à proximité du lit du drain principal de la vallée, on utilise les variétés Kapongol Tora, Rok 5 et Souley Mano ;

– pour les parcelles moyennement noyées, on utilise les variétés Bassit, DJ 684 D, BW 248 ;

– pour les parcelles faiblement noyées, on utilise les variétés ITA 123, DJ 12-519, IR 8, Tox 728 et Ablaye Mano (variété diffusée par le Pidac) ;

– pour les parcelles de nappe, on utilise les variétés BG 90-2, DJ 12-519 et Ablaye Mano.

Gestion collective de l'eau, calendrier cultural et diversité variétale sont intimement liés. Avec les nouvelles conditions d'inondation, les parcelles les plus proches du barrage doivent être mises en culture très précocement avec des variétés à paille et cycle longs pour éviter la submersion du riz et son pourrissement. Progressivement, les zones de plus en plus éloignées du barrage peuvent être ensuite mises en culture avec des variétés de cycle et de paille de plus en plus courts. Ces ajustements sont délicats justement du fait de la diversité des situations d'inondation et de la multiplicité des intérêts en jeu dans une vallée où les exploitants sont très nombreux.

Il est apparu rapidement que la question de l'utilisation précoce des variétés de cycle long à proximité des barrages ne pouvait pas être résolue de manière simple. En effet, les femmes se plaignaient de la divagation des bovins sur les semis précoces. La divagation du bétail se prolongeant trop longtemps en début d'hivernage interdit aux rizicultrices toute modification de leurs pratiques, notamment en terme de précocité d'intervention dans les zones profondément noyées. La question a été posée au cours des sessions d'évaluation des campagnes agricoles par le Cadef et des solutions ont été recherchées. Elles ont revêtu différentes formes selon les situations : sensibilisation des autorités villageoises et des populations pour la recherche d'un consensus au niveau des villages et quartiers concernés par la divagation, recours au comité de gestion comme outil pour lutter contre la divagation des animaux...

Si l'on poursuit la séquence du processus d'innovation technique, les points de l'itinéraire qui font l'objet d'une forte demande de la part des femmes concernent la préparation du sol et la fertilisation. Ces thèmes techniques, de même que la protection phytosanitaire contre les ravageurs, ont été abordés par le Cadef mais la diffusion d'innovations dans ces domaines suppose – hormis la fertilisation organique – un environnement économique beaucoup plus incitatif.

L'utilisation de la seule énergie humaine dans les rizières a été soulignée comme un blocage au développement des systèmes de production avec des accentuations spécifiques selon les situations (GRENIER et CHENEAU-LOQUAY, 1988). La zone du Cadef est certes mieux équipée que le reste de la Basse Casamance, mais la revendication des femmes rapportée par GRENIER et CHENEAU-LOQUAY (1988) qui désirent que « les hommes descendent dans les rizières avec les bœufs » reste non satisfaite. Dans les conditions économiques et climatiques qui prévalent, il est peu probable que ces comportements changent, dans la mesure où, pour les hommes, l'arachide demeure la priorité en l'absence d'alternative économiquement attractive.

Le Cadef ayant commencé ses expérimentations dans la partie du Fogny où une division du travail intervient par culture, les femmes de cette zone ont montré une forte motivation pour expérimenter le labour motorisé, dès que le Cadef a disposé d'un tracteur donné par les organisations professionnelles de l'Aveyron en France. Les résultats ont été encourageants, malgré de nombreuses difficultés dues à la vétusté du matériel et à des problèmes d'organisation du travail et des responsabilités au sein du Cadef à propos de la mise en œuvre de ce labour.

Cependant, des enseignements ressortent de cette expérience. Le travail du sol effectué par les femmes dans cette partie du Fogny est susceptible d'être motorisé, même si des améliorations doivent être recherchées dans l'efficacité technique et économique, et ce de manière encore plus impérative depuis la dévaluation du franc CFA. Les femmes sont prêtes à payer pour des prestations de service qui leur permettraient d'éviter un travail long et pénible ou coûteux s'il est réalisé par les « sociétés de travail » (*ekafaye*). De plus, celles-ci ne permettent pas forcément une mise en culture précoce du fait des disponibilités limitées en force de travail à cette période de l'année. Les femmes disposent de revenus en augmentation, grâce à une large gamme d'activités réalisées au sein des groupements après les récentes périodes de sécheresse (DARDÉ, 1995). L'expérience menée par le Cadef et confirmée par des entretiens récents montre le souhait des rizicultrices de voir se développer ce type de prestation, qu'elles se disent prêtes à payer à son prix.

Les femmes du comité de gestion de Diaboudior le disent clairement : « Si le tracteur était là, il irait dans les vallées et on aurait plus de temps pour les cultures de plateau. Les femmes sont disposées à payer pour le tracteur. Le tracteur, c'est meilleur pour le gain de temps alors que le bœuf est lent et pas assez rentable. Nous préférons payer cher et avoir un labour rapide. Il faudrait que les deux (traction animale et tracteur) soient disponibles pour que chacun puisse avoir accès selon ses moyens. »

Une fois l'eau sécurisée et la diversité variétale accrue, les femmes espèrent voir accroître les productions par la fumure organique. Les faibles disponibilités qualitative et quantitative actuelles en fumure limitent les possibilités d'intensification de la production de riz. Cependant, cette préoccupation pour la fertilisation organique n'émerge qu'une fois qu'elles sont assurées de pouvoir effectivement récolter le riz, c'est-à-dire quand l'effet positif du barrage sur la sécurisation de l'alimentation hydrique est démontré.

L'usage de la fumure organique demeure cependant limité, du fait notamment de sa faible disponibilité car les modes de gestion du bétail ne favorisent pas la concentration des déjections (SONKO, 1986). De plus, l'utilisation de la fumure organique avait été progressivement abandonnée par les femmes à cause de la trop forte dégradation des conditions de production.

Le contrôle des ravageurs et des maladies ne devient une préoccupation que lorsque les thèmes précédents sont bien maîtrisés. C'est assez logique, compte tenu du coût de ce type d'innovation pour une production non commercialisée. La prise en charge de cette intervention ne peut se concevoir que s'il y a réellement nécessité de défendre une récolte significative contre une menace de destruction. Cette innovation technique ne peut cependant être envisagée de manière individuelle et nécessite donc que le comité de gestion puisse gérer sa mise en œuvre à l'échelle d'une vallée.

Les comités de gestion des barrages

L'articulation des composantes « aménagement » et « amélioration de la riziculture » s'opère au niveau des comités de gestion des barrages mis en place pour gérer l'aménagement et arbitrer les conflits liés à la régulation du niveau de la lame d'eau. Les membres des comités de gestion sont les mieux placés pour faire passer les messages techniques correspondant aux nouvelles conditions d'inondation qu'ils sont chargés de gérer. Ces conditions organisationnelles seront analysées de manière détaillée plus loin, mais il est possible d'avancer des observations générales.

Les comités de gestion sont des structures décentralisées fonctionnant sans charge récurrente et assurant la gestion sociale et technique des aménagements. Pour ce faire, le Cadef a mis en place ces comités composés de femmes, d'hommes en position de cadets sociaux et de certains responsables coutumiers. Par exemple, le comité de gestion du barrage de Diaboudior a été constitué de la manière suivante : « Les populations du secteur Cadef ont fait une réunion pour élire le comité de gestion sur proposition du bureau du secteur. Ils ont été proposés par le bureau pour gérer le bien commun de nous tous. Il n'y a eu aucun changement par rapport à la liste proposée par le bureau. Ils ont reçu une formation pour la gestion du barrage au siège du secteur par des responsables du Cadef. L'efficacité du barrage est liée à la formation pour faire fonctionner le barrage au profit des populations. »

Le Cadef assure une formation technique de base qui fournit progressivement une compétence à partir d'une analyse critique du déroulement des saisons culturales. Les femmes de Diaboudior précisent qu'elles ont une place dans le comité de gestion : « Quand il a été question du barrage avec le Cadef, ce n'était pas seulement les hommes mais aussi les femmes. De même pour la construction, hommes et femmes ont participé, donc il est normal que des femmes participent au comité de gestion, même si les hommes y sont majoritaires. Au départ, le Cadef a été clair : les hommes et les femmes seront représentés au comité de gestion. » Et l'une des représentantes des femmes au comité de gestion du barrage de Diaboudior insiste sur son rôle : « Je fais partie de la Commission Riziculture, donc pour la constitution du comité de gestion, on a pensé à moi car je suis la mieux placée pour être une conseillère auprès des femmes. C'est normal qu'une femme soit intégrée au comité de gestion, car cela fait partie de la recherche de solutions ; la concertation est nécessaire entre hommes et femmes car les deux travaillent dans la vallée. »

Les fonctions du comité sont globales, non limitées *a priori,* mais focalisées au départ sur la maîtrise technique et sociale de l'aménagement : gestion concertée de l'eau avec les populations bénéficiant du barrage, vigilance et organisation de l'entretien des digues et des ouvrages, appui à la diffusion des thèmes techniques individuels, contribution à la maîtrise de la divagation des animaux en début de cycle... Pendant la première année, les activités sont relativement réduites : les gens observent les effets du barrage et apprécient de manière qualitative les modifications introduites dans la dynamique de l'eau. Par la suite, les deux à trois années suivant l'année de la mise en service du barrage sont celles de l'apprentissage de la gestion collective de l'eau et du calage des pratiques individuelles sur les nouvelles conditions d'inondation et sur leur gestion collective.

Les membres du comité de gestion de Diaboudior apprécient leur collaboration avec le Cadef : « Avec Ilaco, il y a eu trop de problèmes : barrage cassé, pas de suivi, conflits. Nous n'avons pas été formés, nous ne savions pas comment gérer. De plus le barrage du Cadef comporte une digue qui permet de retenir beaucoup d'eau alors que celui de l'Ilaco ne comportait qu'un ouvrage (...). Sur les variétés le Cadef a amené d'autres choses que l'Ilaco : DJ 12 pour le riz de nappe, ROK 5 pour les parcelles profondément noyées, DJ 684 D pour les zones profondément à moyennement noyées. Les essais ont été réalisés avec des volontaires, elles ont remboursé la semence et gardent la récolte pour elles. Toutes les femmes ont maintenant ces variétés car les volontaires ont "troqué" avec les autres. Tant qu'il y a de l'eau, elles peuvent les conserver mais elles souhaitent d'autres variétés. Les variétés locales ont presque toutes disparu. Avant on jouait sur 10 à 12 variétés, et maintenant on voudrait pouvoir diversifier à nouveau. On souhaite des variétés qui tallent bien, qui résistent aux maladies et qui sont précoces, car comme les campagnes varient il faut pouvoir s'adapter. »

De l'aménagement des bas-fonds à celui des versants

Les comités de gestion élargissent leurs préoccupations dès lors que les questions liées à l'eau paraissent progressivement contrôlées.

Les comités les plus anciens ont une tendance à élargir leurs attributions au-delà de la gestion collective de l'eau liée au seul barrage : souci de prolonger l'aménagement global de la vallée vers l'amont de manière à faciliter la régulation au niveau du barrage par des aménagements secondaires, volonté d'impulser des opérations d'aménagement des versants afin de protéger les vallées de l'ensablement, promotion d'activités de diversification comme l'apiculture...

Aménager le bas-fond permet de le réhabiliter et de pratiquer à nouveau la riziculture à court terme, tout en ayant engagé un processus à long terme de récupération de sols dégradés, considérés par beaucoup comme perdus de façon irréversible. Cependant, aborder cette question ne constitue qu'une réponse partielle à un processus plus global, puisqu'il met en jeu l'ensemble des bassins versants qui alimentent ces bas-fonds. Les défrichements sur les plateaux et les versants entretiennent en effet des dynamiques d'érosion en nappe à l'origine de l'ensablement des rizières. La réhabilitation durable des bas-fonds par les digues et les barrages dépend donc d'une maîtrise globale des flux d'eau et de sable sur les plateaux et sur les versants.

La démarche globale d'analyse du milieu et des processus de dégradation des ressources engagée par le Cadef a permis de prendre en compte de manière systémique l'ensemble de ces processus. Le Cadef a donc tenté de mettre en œuvre des techniques pour limiter l'érosion sur les versants (reboisement notamment).

Ces expériences relativement limitées ont connu des fortunes diverses avec des échecs liés au mode d'organisation et à la faiblesse des références disponibles de la part de la recherche sur cette zone. Malgré tout, cette préoccupation demeure une priorité des producteurs du Cadef et elle devient encore plus forte lorsque la vallée a été aménagée (Bougoutoub, Kourouck...). Cette préoccupation est alors prise en compte et canalisée par le comité de gestion du barrage.

Focalisés au début sur la gestion des conflits liés à la maîtrise de l'eau, les comités de gestion élargissent leurs préoccupations dès lors que les questions liées à l'eau paraissent progressivement contrôlées. Dans un premier temps, la maîtrise de l'eau est intimement liée à la diffusion de propositions techniques innovantes ; puis ce sont les aspects relatifs à la maîtrise de l'érosion sur les versants et les plateaux qui acquièrent de l'importance ; enfin, le lancement de micro-projets concernant des activités de diversification constitue une autre étape de l'évolution de certains comités de gestion parmi les plus anciens du Cadef dans la zone de Bougoutoub.

Une autre dynamique d'aménagement global du terroir est à mettre au crédit des villageois du quartier de Baga à Thionck-Essyl, qui se sont mobilisés sous l'autorité respectée de leur chef de quartier. L'aménagement se compose d'une succession de petits barrages de retenue en amont d'un barrage anti-sel. Ce dernier a été négocié avec Enda après une première expérience non concluante avec un barrage anti-sel sous-dimensionné, installé par le Pidac, et qui n'avait pas permis de dessaler la vallée. À partir de cet échec, les gens de ce quartier ont cherché d'autres appuis pour le barrage anti-sel puis auprès de l'Inter-Entente pour une série de quatre petits barrages de retenue d'épandage de crues. Parallèlement à ces initiatives, les sous-quartiers se sont organisés pour creuser des fossés de ceinture entourant la vallée à la rupture de pente afin d'y piéger les eaux de ruissellement et le sable arraché sur des plateaux. En plus de combiner des actions de réhabilitation de la riziculture dans la vallée et des mesures contre le ruissellement et l'érosion sur les plateaux, cette expérience est particulièrement intéressante car elle prend en compte de manière explicite la gestion du bétail. Des points d'abreuvement sont en effet disposés au long des exutoires des fossés de ceinture de la vallée qui jouent un double rôle de lieu d'abreuvement et de dispositif de lutte contre la divagation des bovins.

Ces expériences demeurent cependant limitées, fragiles et souffrent d'un manque d'appui technique.

Actions collectives, stratégies et pouvoirs locaux

Les situations étudiées dans ce chapitre (Bougoutoub, Diagong et Suelle) sont contrastées au plan social, de même que les résultats obtenus par le Cadef en matière d'aménagement. Le cas des aménagements de la vallée de Bougoutoub peut être considéré comme un succès, dans la mesure où la dynamique d'aménagement engagée pendant plus d'une dizaine d'années aboutit à une appropriation effective des aménagements (fig. 13). Les deux autres cas – vallée de Diagong et vallée de Suelle-Diaboudior – ne peuvent être présentés comme des succès, même s'ils ont contribué à améliorer sensiblement la situation de la culture du riz dans les deux vallées pendant plusieurs années.

Le positionnement du Cadef sur l'échiquier des pouvoirs locaux permettra d'éclairer l'insertion de l'organisation et de ses activités dans la société locale. Il renseignera plus particulièrement sur la capacité du Cadef et des institutions nouvelles mises en place (comités de gestion, comité de coordination et leurs règles) à disposer ou non d'une légitimité pour intervenir dans la gestion de ressources renouvelables.

Il n'est cependant pas possible de rendre compte des résultats de la dynamique d'aménagement par la seule analyse de l'insertion du Cadef au sein de la société locale. D'autres facteurs, qui relèvent de l'action du Cadef, de ses capacités d'intervention au plan technique et en matière d'organisation, enfin des relations nouées avec d'autres acteurs institutionnels, doivent être pris en compte :

– le type d'intégration du Cadef dans les villages avec les structures lignagères et plus largement avec la configuration du pouvoir à l'échelon local et, notamment, le rôle du Cadef dans les négociations intervillageoises ;

– les formes de coordination entre le Cadef et les intervenants extérieurs et, particulièrement, le type d'action technique du Cadef au niveau de chaque aménagement.

Nous analyserons et comparerons comment ces facteurs ont joué un rôle dans la dynamique d'aménagement et influé sur les résultats obtenus.

Les exemples qui suivent ont été choisis pour des raisons liées à l'histoire des activités du Cadef dans son aire d'intervention. Le Cadef a demandé à la recherche de changer d'échelle, en travaillant de manière expérimentale à l'échelle d'une vallée et non plus de parcelles. Ce changement s'est avéré pertinent. La première vallée choisie par le Cadef a été celle de Bougoutoub. Dès lors, ce site a été sélectionné pour une analyse approfondie. À partir de là, et en fonction des possibilités d'intervention du projet de recherche-développement par rapport à des zones où la rébellion casamançaise était plus active (zone de Suelle notamment), d'autres aménagements ont été effectués. Parmi ceux-ci, Diagong et Suelle ont été retenus afin de « contraster » les enseignements tirés de Bougoutoub et d'élaborer, à partir de ces différences, un modèle explicatif partiel de la réalité observée.

L'étude de chaque situation comporte une analyse historique du peuplement, le positionnement du Cadef dans le jeu des pouvoirs locaux, les formes d'organisation mises en place par le Cadef et leur articulation avec les pouvoirs lignagers. Au terme de chaque étude, un diagnostic de l'action collective est établi.

Bougoutoub

Bougoutoub est un village situé à l'est du Fogny, à proximité du Soungroungrou, affluent important de la Casamance. C'est une zone sous l'influence de l'islam où les femmes jouent un rôle important dans la mise en valeur des rizières.

Origine historique de l'unité villageoise

Dans ce lieu originellement peuplé par les Baïnouk probablement vers le début ou le milieu du XIXe siècle, la population actuelle est venue de

Kagnarou et se rattache au lignage Goudiaby. Ce lignage initialement originaire de Djimande s'est ensuite implanté à Baïla, puis à Kagnarou d'où une des branches est partie coloniser les terres de ce qui se nomme aujourd'hui Bougoutoug, le quartier fondateur étant celui de Katadié. Des récits de l'installation du lignage Goudiaby apparaissent relativement édulcorés et ne cadrent pas tout à fait avec la réputation de lignage dominateur et conquérant qui caractérisait la dynamique territoriale de cette famille : « C'est un village fondé par les Baïnouk. Il y a eu un moment où un guerrier de Goudiabykounda est venu ici trouver le Baïnouk. Le Baïnouk lui a demandé de rester avec eux. Il a accepté parce qu'il a vu des rizières, il a vu que les terres sont bonnes, finalement, il a accepté d'habiter ici. À un moment, lui aussi il a dit au Baïnouk, je ne peux pas rester seul, je voudrais faire appel à mon frère, nous allons venir habiter. C'est comme ça qu'il est retourné faire venir son frère. Ils sont venus habiter ici. Mais comme les Baïnouk ne veulent pas le social, ils ne veulent pas être ensemble nombreux. Ils ont dit voilà comme vous êtes venus toi et ton frère, nous on va vous laisser ici, nous on déménage, nous allons habiter ailleurs, donc occupez-vous de ces terres là, prenez le village, on vous l'offre. C'est à ce moment qu'ils se sont promenés à la limite entière pour lui montrer l'appartenance de la terre qu'avait le Baïnouk. C'est comme ça que le village de Bougoutoub est resté et s'est implanté » (Ablaye Goudiaby).

L'installation des Goudiaby sur le terroir de Bougoutoub s'est très certainement déroulée de manière moins pacifique, comme l'attestent les études historiques de l'expansion du peuplement diola ainsi que les modalités de délimitation des terroirs entre Bougoutoub et les villages qui se partagent la même vallée. L'importance des terres appropriées par Katadié témoigne également de la volonté d'asseoir de manière forte son implantation sur ce terroir. « Les guerres : les gens d'ici n'ont pas beaucoup fait la guerre. La guerre à Sounaye c'était pour chasser les gens de Sounaye, ils étaient les plus petits et nous les avons chassés. Avec Djipakoun, Django, Diagoper, Tankorong, Gongoulou, nous nous sommes limités dans les terres de vallée par des guerres » (Ablaye Goudiaby).

Le quartier initial Katadié s'est développé autour du noyau familial nommé Sinko qui est à l'origine de plusieurs des familles composant actuellement Katadié ainsi que du quartier Kahanga. Ce noyau central, tout en constituant une position forte au niveau de Katadié, a entrepris d'occuper stratégiquement l'espace de manière à garantir sa sécurité vis-à-vis des ambitions foncières de ses voisins ou d'éventuels migrants en recherche de territoires pour s'installer. C'est ainsi que : « Tous les quartiers où tu entends Goudiaby, c'est-à-dire Sounaye, Kahenga, Bahanga, et Tambelock, sont d'origine de Katadié. Ils ont quitté ici pour aller rester vers la frontière, pour le gardiennage de la frontière. »

Ainsi, la plupart des quartiers de Bougoutoub – à l'exception de Banny – correspondent à l'expansion stratégique du même lignage cherchant à sécuriser ses positions foncières. Ces comportements défensifs vont se combiner avec des stratégies d'alliances fortes avec plusieurs familles migrantes qui seront installées sur le terroir initial de Katadié.

Des stratégies d'alliance fortes

Plusieurs familles ont été accueillies par le lignage Goudiaby et des liens relativement solides paraissent avoir lié les tuteurs et les immigrants. Le quartier Banny est créé par la famille Diatta. Par la suite les Diatta vont prendre les familles Manga puis Niassy sous leur tutelle, avec l'accord des Goudiaby de Katadié qui accueilleront même initialement à Katadié les fondateurs de ces segments de lignages.

Toutes ces familles sont admises dans le bois sacré des Goudiaby et pratiquent désormais l'initiation avec eux. Une fraction du lignage Manga, résidant à Katadié est associée plus étroitement à la pratique du rituel, ce qui constitue un témoignage de confiance et d'alliance. L'alliance des Goudiaby avec la famille Niassy se renforce au plan matrimonial, une femme du lignage Goudiaby épousant un Niassy hébergé à Katadié qui se voit doté d'une attribution foncière conséquente de la part des Goudiaby. Au plan foncier, les terres ont donc été réparties par Katadié qui a concédé des portions de terroirs aux lignages venus postérieurement et, par ordre d'importance, aux familles Niassy, Diatta et Manga : « Les gens de Nyassikounda sont venus tout récemment, les derniers mais pourquoi on leur a donné beaucoup, parce que le jeune est venu de Koulaye, il est venu habiter, il a été élevé ici quand il a grandi, ils ont pris leur fille pour lui donner en mariage. C'est à ce moment qu'on lui a donné beaucoup de terres pour vivre avec son mari (...) Donc le quartier de Nyassikounda a plus de terres que le quartier Diattakounda, qui a plus de terres que Mangakounda. »

Toutes les alliances matrimoniales avec les lignages accueillis ne se sont pas traduites par ce type de dotation foncière qui modifie la répartition du foncier fondée sur l'ordre d'arrivée dans le terroir. Des échanges de femmes entre les Goudiaby et ces lignages mais aussi de nombreuses alliances matrimoniales entre l'ensemble des lignages de Bougoutoub et les villages voisins sont venus renforcer et stabiliser les positions dominantes des Goudiaby et de leurs alliés sur ce terroir. Les Goudiaby sont assurés de la prééminence foncière.

En effet, les alliances ne signifient pas pour les Goudiaby l'affaiblissement de leur autorité sur les lignages venus plus récemment. Les hiérarchies entre les familles, même tempérées par des alliances relativement fortes et anciennes, n'excluent pas une prééminence certaine des familles descendant directement des fondateurs de Katadié : « Le vieux qui était venu de Mangoulène, et qui s'est installé à Banny, était venu solliciter nos arrière-pères ici pour dire : "Moi, je veux habiter avec vous". Ils lui ont dit : "Oui tu peux habiter avec nous". Ils lui ont cédé une partie des terres, il a habité. Mais un moment il l'on laissé là-bas et sont venus habiter ici. Il a demandé : "Moi, je veux m'aligner avec vous. Je veux aussi m'approcher de la vallée parce que là-bas l'eau est profonde et je n'arrive pas à en avoir facilement pour boire. Je veux aussi m'approcher de la vallée." Ils ont accepté : "Pas de problème tu peux venir habiter." Ils lui ont encore donné des terres et il a habité. Mais quand il a eu beaucoup de gosses, il est mort, et le plus âgé s'est levé, il dit : "Là les terres m'appartiennent !" Ils lui ont répondu : "Attention ! Depuis ton père, vous êtes venus d'ailleurs ! Attention ! Arrête-toi. Nous on a offert à ton père pour qu'il puisse habiter et vous nourrir, mais si tu dis aujourd'hui que cela t'appartient, nous allons arracher toutes les terres et te renvoyer d'ici." Il a mis fin à ces histoires là. C'est comme ça que cela a eu lieu. Lui il a arrêté et averti ses enfants : "Attention ne touchez pas la chose d'autrui." » (Ablaye Goudiaby).

Les conditions historiques montrent que ce village, composé de six quartiers, correspond à une entité relativement homogène du fait de la prééminence du lignage fondateur. Celui-ci a conservé un ascendant certain sur les lignages arrivés postérieurement, mais aussi, de manière plus souple, il a organisé des alliances matrimoniales. Avec les lignages des villages limitrophes, les anciennes rivalités – qui semblent avoir tourné à l'avantage des Goudiaby et de leurs alliés – apparaissent nettement atténuées tout en persistant sous des formes plus ou moins directes.

Le positionnement du Cadef dans le jeu des pouvoirs villageois

Le chef du village de Bougoutoub va agir non pas en tant que responsable politico-administratif, mais en s'appuyant directement sur l'organisation coutumière locale.

Bougoutoub s'est engagé dans la dynamique associative du Cadef alors qu'un groupement s'était déjà formé au quartier de Katadié en réponse à la dégradation des conditions de production, comme c'était le cas dans la plupart des villages au début des années 1980. Le contact a été établi par le chef du village de Bougoutoub – en même temps responsable coutumier et religieux (iman) – qui s'est rapproché de l'envoyé du groupe de Dakar et de son principal relais de Kagnarou afin d'obtenir des précisions sur le projet dont le Cadef se voulait le porteur. Le chef est convaincu de la pertinence du projet initial proposé par les représentants du Cadef — projet que l'on pourrait qualifier « d'auto-promotion » paysanne. Le chef du village de Bougoutoub va ensuite agir non pas en tant que responsable politico-administratif, mais en s'appuyant directement sur l'organisation coutumière locale. La concertation est engagée en suivant strictement la hiérarchie des niveaux d'organisation de la société. Les anciens et les chefs de famille de Katadié sont d'abord consultés, puis les hommes, et enfin les hommes et les femmes ensemble. La concertation est ensuite élargie aux autres quartiers de Bougoutoub en passant par les anciens et les chefs de famille.

Le Cadef : renforcer les capacités de l'organisation pour mieux agir.

Plusieurs groupements sont créés, en raison notamment de la proximité des quartiers : Katadié, Sounaye-Kahenga, Banny-Bahanga et Tambelok. Dans la dynamique d'adhésion des groupements au Cadef durant cette phase de militantisme actif au niveau des villages, la zone de Bougoutoub est la dernière à rejoindre l'association, après les zones de Kagnarou, de Suelle et de Boulingoye. Contrairement à ce que l'on pourrait penser, les liens lignagers forts avec Kagnarou, d'où est issu le lignage Goudiaby fondateur de Bougoutoub, ne paraissent pas avoir été mobilisés de manière privilégiée. Ces liens nous paraissent moins déterminants que le projet proposé par le Cadef et la mobilisation des différents quartiers.

L'engagement des autorités coutumières de Bougoutoub dans le Cadef s'est traduit de manière concrète – outre leur accord et leur soutien – par l'attribution de terres nécessaires à l'établissement des blocs maraîchers de chaque groupement et par leur participation à la mise en valeur initiale.

Institutions de gestion des barrages et organisation lignagère

Au-delà du débat sur les persistances ou les survivances des formes coutumières d'organisation de la société, le village de Bougoutoub illustre la relation qui peut exister entre des structures coutumières vivaces et une dynamique d'organisation reposant sur des bases distinctes de celles des alliances familiales.

En effet, Bougoutoub présente un système d'organisation coutumière particulièrement dynamique et structuré autour des sociétés fondées sur les classes d'âge. C'est ce que démontrent les « sociétés de travail » qui regroupent les femmes avec l'objectif de réaliser des travaux lourds dans le cadre de l'entraide ou de gagner de l'argent par la vente de prestations de travail effectuées pour des tiers étrangers à la « société ».

Au quartier Katadié, les femmes se regroupent d'une part dans une société de travail commune à toutes les femmes du quartier (*ekafay*) et également dans trois sociétés de taille plus réduite qui correspondent à trois groupes de femmes selon leur génération ou classe d'âge (*etionkot*). Ensuite, au niveau de chaque quartier, et en fonction de leur taille démographique, une association de quartier rassemble toutes les femmes indépendamment de leur classe d'âge, et éventuellement une seconde société – si le nombre de femmes le permet – regroupe les femmes les plus jeunes (par exemple aux quartiers de Bahanga et Banny). Chaque société désigne une présidente et son adjointe qui sont responsables de la mobilisation des membres et de la gestion des fonds collectés.

D'autre part, les femmes les plus âgées dans chaque quartier sont consultées pour tout ce qui concerne les femmes en raison de leur expérience et de leur autorité. En particulier les aînées de chaque quartier donnent leur avis pour désigner la femme qui sera responsable de l'initiation des filles du quartier qui se réalise indépendamment de l'initiation des hommes, obéit à des règles différentes et se déroule de manière tout à fait autonome vis-à-vis des pouvoirs masculins.

À Bougoutoub, toutes les opérations culturales de la riziculture sont sous la responsabilité et à la charge des femmes. C'est pourquoi, elles s'impliquent activement et en nombre dans les différents comités mis en place par le Cadef. Les femmes de Bougoutoub ne font pas partie du comité de gestion du barrage de Margoune, car les parcelles situées directement en amont de ce barrage appartiennent aux familles de Margoune. Par contre, elles ont un droit de regard sur le fonctionnement de ce barrage en relation avec les deux barrages situés en amont à travers leur participation au comité de coordination de la vallée.

Les représentantes des femmes à ce comité de coordination ont un statut reconnu dans la structuration coutumière du village : responsabilité dans les sociétés de travail, dans le quartier ou la classe d'âge, appartenance à la classe d'âge supérieure et au petit groupe des femmes « sages » de chaque quartier. Cela correspond fréquemment aussi à une responsabilité dans les groupements Cadef. Ces femmes membres du comité de coordination sont également impliquées dans le fonctionnement des comités de gestion de chaque barrage. Inversement, les femmes plus jeunes participent aux comités de gestion, mais ne font pas partie du comité de coordination.

On peut interpréter cette répartition des tâches comme une articulation organique entre les instances directement opérationnelles (comités de gestion des barrages) et l'instance de régulation (comité de coordination) dont font partie les femmes qui jouissent d'une reconnaissance sociale forte dans la société.

L'analyse des responsabilités exercées au niveau du groupement Cadef de Bougoutoub Katadié fait ressortir une implication des pouvoirs lignagers. Dans sa composition, le bureau comprend des personnalités importantes à des titres divers dans la société locale : les lignages dominants au plan coutumier sont représentés à des postes de responsables élus ainsi qu'à des postes d'influence comme ceux de conseiller du groupement, des femmes reconnues et respectées pour leurs fonctions au sein des organisations coutumières occupent des fonctions électives (vice-présidence), et de contrôle (commissaire aux comptes), des notables (responsables politiques hommes et femmes, élus au conseil rural...) sont également représentés. Le bureau du groupement est mixte, ce qui témoigne d'une grande capacité de prise de parole des femmes que l'on retrouve à des postes de responsabilité et de contrôle. De même, un partage des tâches intervient entre les responsables coutumiers, politiques, administratifs et les notables (hommes et femmes) et les cadets ; les premiers se trouvent plutôt en retrait pour les responsabilités opérationnelles qui tendent à être confiées à des cadets, plus fréquemment alphabétisés.

Les négociations intervillageoises

Elles ont été prises en charge par les autorités coutumières et politico-administratives de Bougoutoub, qui se recoupent partiellement mais de manière significative. Les nombreux villages riverains de la vallée de Bougoutoub ont été contactés en dehors de toute intermédiation du Cadef par les chefs de village, notables et imams.

Les nombreux villages riverains de la vallée de Bougoutoub ont été contactés en dehors de toute intermédiation du Cadef par les chefs de village, notables et imams.

Cette première série de rencontres entre les autorités de Bougoutoub et les autorités des villages voisins a été consacrée à la présentation et à la discussion du principe de l'aménagement de la vallée par la construction d'un barrage anti-sel. Les villages ont donc été contactés sans que le Cadef en tant qu'organisation intervienne directement dans la négociation : le premier village contacté fut Diango, puis Margoune, Djipakoun, Gongoulou, Tankorong et Medieg. Tous ces villages ont des rapports historiques avec Bougoutoub : délimitation des terroirs respectifs par la force lors de l'installation des lignages fondateurs, relations matrimoniales par le biais des échanges de femmes par la suite, conflits pour des questions foncières ou autres...

Plusieurs étapes ont été nécessaires. Le principe du barrage a d'abord été accepté, puis la question de son emplacement précis a dû être négociée, d'abord avec le village de Diango, puis avec celui de Margoune (chef de village, notables et président de La Jeunesse) qui

Figure 13 –
Situation des barrages dans la vallée de Bougoutoub.

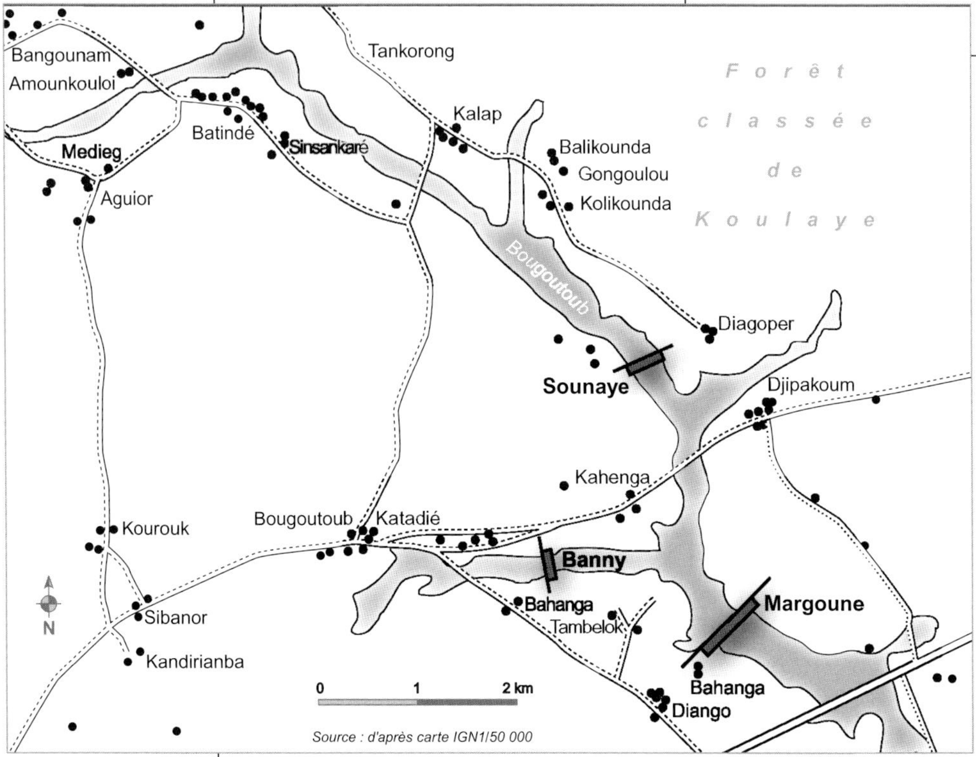

a accepté de libérer des terres pour l'emplacement de la digue. Le choix a alors été validé au plan technique par un technicien mobilisé par le Cadef, une fois l'accord obtenu au niveau coutumier et politico-administratif. La construction de la digue et de l'ouvrage de régulation a alors été entreprise avec une forte mobilisation des populations, sous la supervision de techniciens.

Deux points techniques méritent d'être précisés qui ne sont pas sans rapport avec la longévité de cet aménagement : l'argile n'a pas été récupérée au niveau de la digue, et le financement dégagé par le Cadef et le Ciepac a permis de recouvrir la digue d'une couche épaisse de latérite. D'autre part, l'intérêt des habitants de Margoune pour cet aménagement dépassait le seul cadre de la riziculture, aussi importante que soit cette activité. La digue a également été conçue pour permettre la circulation des personnes et des attelages, ce qui motivait fortement les gens de Margoune privés d'accès direct aux champs de plateau situés de l'autre côté de la vallée et accessibles en hivernage au prix d'un grand détour.

La mobilisation autour de ce chantier a été massive et a duré quatre mois avant l'hivernage de 1986. Le comité de gestion a été constitué dès la fin du chantier. Les retenues d'eau de la première année ont été utilisées pour lessiver les sols, mais le volume des pluies a cependant permis de retenir de l'eau à partir du milieu de l'hivernage. Lors de la deuxième année, un litige a opposé des familles de Diango à d'autres familles de Margoune qui réclamaient toutes des terres situées en aval du barrage et redevenues cultivables après élimination du sel. Le Conseil rural a été saisi et a décidé du gel des terres en attendant qu'une solution soit trouvée. Voyant que le conflit pouvait menacer la pérennité de l'aménagement, les animateurs du Cadef et le comité de gestion sont alors intervenus à travers les instances coutumières afin qu'une solution de compromis soit trouvée. Une fois ce litige réglé à la manière de Salomon – « les terres seront exploitées par moitié par les deux familles » –, le Conseil rural a été contacté à nouveau pour lever l'interdiction de culture. En même temps étaient négociées les modalités de gestion des hauteurs des lames d'eau en relation avec la recherche de nouvelles variétés à paille et cycles longs adaptées aux conditions d'inondation profonde.

Organisations villageoises autour des aménagements

La vallée de Bougoutoub a représenté un intérêt particulier pour l'intervention du Cadef. Les populations du village se sont vigoureusement mobilisées dès le début du plan de développement local puis du projet de recherche-développement : le premier barrage anti-sel construit par le Cadef était supposé résoudre les problèmes d'alimentation en eau pour la riziculture sur l'ensemble de la vallée. La vallée de Banny, adjacente à la vallée principale, fut ensuite choisie comme vallée dite d'intensification en bénéficiant d'un appui technique.

Les comités de gestion sont des structures décentralisées destinées à assurer sur le long terme la gestion sociale et technique des aménagements. Les premiers comités de gestion ont été expérimentés et mis en place dans cette vallée. Le Cadef a assuré une formation technique de base à partir des enseignements des expériences itératives du PDR (projet de recherche-développement). Dans ce cadre, la responsabilité du volet « barrages » au Cadef est assumée par l'animateur du groupement Cadef de Bougoutoub, issu d'une branche du lignage fondateur, élu au Conseil rural. C'est lui qui est chargé de l'animation et de la conduite des opérations qui aboutiront à la construction des barrages et des aménagements secondaires sur l'ensemble de la vallée.

Les fonctions des comités de gestion sont globales et ont pour objectif à court terme la valorisation de l'aménagement au cours de la saison de culture afin de permettre une mise en culture la plus large possible sur l'ensemble de la vallée : gestion concertée de l'eau avec les populations bénéficiant du barrage, vigilance et organisation de l'entretien des digues et des ouvrages, appui à la diffusion des thèmes techniques individuels, contribution à la maîtrise de la divagation des animaux en début de cycle...

Dans cette vallée, une organisation a été mise en place à deux niveaux : les comités de gestion qui opèrent au niveau de chaque barrage – il y en a trois dans la vallée de Bougoutoub, un par barrage – et le comité de coordination des barrages de toute la vallée de Bougoutoub. La répartition des tâches entre ces deux structures correspond à des compositions sociales différentes, si l'on considère les pouvoirs représentés au niveau de chaque structure.

Un comité de coordination composé de notables coutumiers

Le comité de coordination présente une majorité de membres se rattachant plus ou moins directement au lignage fondateur : ceux qui s'y rattachent directement relèvent du quartier Katadié et plus spécifiquement des familles fondatrices, les autres sont originaires des quartiers périphériques créés par le lignage fondateur. Ce constat est surtout à mettre en relation avec l'homogénéité qui caractérise la composition et l'histoire du peuplement de Bougoutoub. Les alliés proches du lignage fondateur participent au comité de coordination où ils sont représentés par le chef de la famille installée sous la tutelle des fondateurs de Katadié, qui occupe également les fonctions politico-administratives de chef de quartier. Plus de la moitié des hommes dans ce comité de coordination (six sur onze) assument directement ou indirectement une responsabilité dans les rites initiatiques concernant les hommes et deux d'entre eux détiennent des fonctions importantes dans le déroulement du rituel, ce qui leur confère une autorité supplémentaire.

Le fait qu'une responsabilité soit détenue par un membre de la famille, souvent un aîné, signifie que cette responsabilité peut échoir à un cadet, si celui qui détient les pouvoirs vient à décéder entre deux cérémonies d'initiation, ce qui n'est pas rare compte tenu de l'intervalle de temps (vingt à trente ans) qui sépare deux cérémonies et qui tend à augmenter sensiblement du fait de la crise. Près de la moitié des membres du comité de coordination sont des aînés, une minorité seulement (trois sur onze) est chef de famille ou chef de *fank* et exerce donc un contrôle direct sur les moyens de production et les individus relevant de la famille ; les autres, soit la majorité, sont simplement chefs de ménage.

Les responsabilités politico-administratives sont représentées au sein du comité de coordination qui comprend le chef du village, deux chefs de quartier, deux conseillers ruraux et trois responsables politiques, soit huit notables occupant des fonctions sur les onze hommes du comité.

Des comités de gestion à composition diversifiée

Les comités de gestion comprennent une forte proportion de personnalités considérées dans la société locale comme des intermédiaires entre les jeunes et les anciens.

La comparaison de la composition des comités de gestion avec celle du comité de coordination met en évidence des points communs, mais également des différences. Les familles qui se rattachent directement au lignage fondateur sont représentées de manière majoritaire dans les trois comités de gestion des barrages tout comme dans le comité de coordination. La différence entre ces comités de gestion réside dans la plus ou moins grande implication des responsables de cérémonies d'initiation. Représentés dans le comité de gestion du barrage de Banny (trois personnes jouent directement un rôle dans l'initiation), ils sont encore présents (deux personnes) dans celui du barrage de Sounaye, mais pas dans celui de Margoune.

Les responsabilités politiques et administratives sont présentes dans les trois comités, mais moins que dans le comité de coordination : pas de responsable administratif parmi les membres des comités de gestion des barrages de Sounaye et de Margoune, un seul chef de quartier – périphérique – parmi ceux de Banny, mais qui dispose d'une autorité qui relève également – voire surtout – de ses fonctions dans les domaines coutumier (initiation) et familial (chef de *fank*).

Les différences tiennent aussi à la répartition des fonctions et des classes d'âge entre les deux types de comités. Les comités de gestion comprennent une plus forte proportion de personnalités considérées dans la société locale comme des intermédiaires entre les jeunes et les anciens. Elles jouent un grand rôle dans la dynamique villageoise, au niveau de « La Jeunesse », du foyer des jeunes ou comme intermédiaires dans les concertations impliquant les anciens et les « sages ». La composition des comités de gestion des barrages tient aussi compte de paramètres liés aux fonctions de ces comités : des jeunes considérés comme dynamiques et ayant fait preuve de leur dévouement dans l'intérêt général du village sont prioritairement choisis pour en faire partie ; la proximité du barrage du lieu de résidence est également un critère important qui conditionne la rapidité d'intervention en cas de forte pluie. D'une manière générale, les comités de gestion comptent des représentants des principales classes d'âge ou générations : génération « âgée » (mais pas les anciens ou « sages »), génération intermédiaire et « jeunes », ces derniers étant nécessairement initiés et mariés. Dans le comité de coordination, même si la génération des « jeunes » est représentée, sa proportion est moins importante que dans les comités de gestion.

Organisations locales de gestion et de légitimation

La composition et les fonctions des deux organisations diffèrent et se complètent. Les comités de gestion permettent l'application de règles collectives qui rendent indispensable l'adaptation des pratiques culturales au niveau des parcelles. Ces comités règlent les hauteurs d'eau en concertation avec les femmes, ils gèrent les mises en culture des parcelles de riz, ils diffusent avec les animateurs Cadef (groupement et territoire) les informations techniques nécessaires à l'adaptation de l'itinéraire technique (variétés en fonction du niveau d'inondation, dates de mise en culture, prévention de la divagation du bétail...). Les autorités, quelle que soit la nature de leur pouvoir et de leur légitimité, sont représentées dans ces comités, mais elles n'y jouent pas un rôle moteur, contrairement à leur implication dans le comité de coordination.

Le comité de coordination a une fonction que l'on pourrait qualifier d'institutionnelle et de régulation, en amont de la gestion au quotidien des barrages. L'ensemble des autorités et des légitimités y sont représentées (segments du lignage fondateur, aînés, responsables de l'initiation, responsables politico-administratifs et femmes ayant une position sociale reconnue...). De ce fait, il jouit d'une autorité incontestée. Il intervient comme instance de régulation des litiges, comme autorité chargée d'identifier les modes de négociation les plus appropriés en cas de conflit ou de discussion avec les villages riverains de la vallée....

Les deux types de structures n'interviennent pas au même niveau. Les comités de gestion ont la responsabilité du fonctionnement des barrages et des régulations techniques censées permettre un usage optimum de la ressource en propriété commune (l'eau des barrages) alors que le comité de coordination intervient comme garant de la légitimité sociale des comités de gestion et de leurs interventions vis-à-vis des villageois et des autres villages riverains.

Une dynamique globale d'aménagement

Si le barrage de Margoune a permis de résoudre trois des principaux problèmes (salinisation, retenue d'eau et toxicité ferrique), il a surtout profité aux populations de Margoune. Seule une minorité des habitants de Bougoutoub bénéficient des améliorations liées à l'aménagement : une partie du quartier de Kahenga et très peu de familles du quartier de Banny. Cette insuffisance a motivé les populations de Bougoutoub qui se sont alors engagées dans la construction de deux nouveaux aménagements en amont du premier – les barrages de Banny et de Sounaye – réalisés en 1991 et 1992. Le Cadef va alors jouer un rôle important afin de réaliser un aménagement d'ensemble de la vallée.

Dans cette vallée, la dynamique d'aménagement est particulièrement forte : aux trois principaux barrages s'ajoutent des retenues dites secondaires qui tirent partie d'ouvrages existants mais sensiblement modifiés pour la circonstance. En amont du barrage de Banny, la piste carrossable de Tambelock a été renforcée en 1992 (210 mètres de long, 8 mètres de large et 60 cm de hauteur) et dotée d'une murette sous le pont qui permet de retenir la lame d'eau, évitant ainsi une pression trop forte et trop rapide de celle-ci sur le barrage. Les cultivateurs qui exploitent cette portion de vallée ont pris l'initiative d'élever en 1993 une diguette de 50 cm, sensiblement parallèle à la piste de Tambelock. Cette digue secondaire est destinée à freiner la circulation de la lame d'eau en amont de la piste de Tambelock. En aval, le barrage de Banny a été également complété en 1993 par une diguette de 50 cm de haut érigée à l'initiative des villageois. Ces actions ont été soutenues par le Cadef qui a mobilisé des moyens matériels (tracteurs, engins de travaux publics).

Plus en aval encore, avant d'arriver à Margoune, le pont de la route de Margoune à Kahenga a été complété en 1992 par une murette qui permet d'améliorer le contrôle de l'eau et de circuler en véhicule. Cette opération a été réalisée sur les reliquats des matériaux utilisés pour le barrage.

Ainsi, sur l'ensemble de la vallée se succèdent une série d'aménagements qui permettent une régulation relativement fine des conditions d'inondation. En complétant le premier barrage par des aménagements successifs, les lames d'eau sont mieux contrôlées, la masse d'eau et les pressions entre les différentes constructions mieux réparties.

Une expérimentation agronomique à l'échelle d'une vallée

La demande des populations dans la vallée de Bougoutoub s'est portée assez rapidement sur des expérimentations en grandeur réelle prenant en compte les nouvelles conditions d'inondation créées par le barrage.

L'avancement des aménagements et la mobilisation importante de la population ont conduit les responsables du Cadef à modifier la conduite des expérimentations sur la riziculture et à les concentrer sur la zone de Bougoutoub.

Alors que durant les premières années, le projet recherche-développement avait conduit des essais en milieu paysan de manière assez classique, la demande des populations dans la vallée de Bougoutoub s'est portée assez rapidement sur des expérimentations en grandeur réelle prenant en compte les nouvelles conditions d'inondation créées par le barrage. L'ensemble des populations de la vallée s'est mobilisé autour de l'expérimentation.

Dès lors, il a été décidé que la vallée de Banny concentrerait l'essentiel des expérimentations sur l'intensification de la riziculture. Cela a impliqué de la part de l'encadrement du Cadef une plus grande attention et un effort de formation accru à l'attention des animateurs et responsables Cadef de ce secteur.

Conclusion : un succès du Cadef

Le cas de la vallée de Bougoutoub permet de parler de succès du Cadef. Le milieu physique a été réhabilité. Sa mise en valeur coordonnée à l'échelle d'une vallée par plusieurs ouvrages de gestion de l'eau a permis de retrouver des niveaux de production inconnus dans la région depuis des décennies. La convergence de vues entre les responsables coutumiers et les leaders du Cadef, la cohérence entre le pouvoir coutumier et les structures de gestion des ressources naturelles mises en place par l'organisation paysanne font en sorte que l'organisation est capable d'intervenir dans le sens d'une gestion durable des ressources renouvelables. Le renforcement des compétences techniques, tant au niveau de l'organisation qu'au niveau local à travers l'action des animateurs de groupement (en hydrologie, aménagement, agronomie et gestion décentralisée des aménagements et de la ressource hydrique), rend possible la recomposition d'un modèle technique adapté aux nouvelles conditions hydriques.

Diagong

L'aménagement réalisé dans une vallée proche du village de Diagong pendant la même période que le barrage de Margoune représente un autre cas de figure (fig. 14).

Dans cette vallée, partagée par plusieurs villages et quartiers en amont et en aval de l'emplacement choisi, le Cadef a construit une digue et un ouvrage de retenue en 1987. Les réalisations s'inscrivaient dans le cadre du plan de développement local et en phase initiale du projet de recherche-développement, avant l'intervention de la Caisse centrale de coopération économique comme principal bailleur de fonds.

L'origine du village

Comme souvent en Basse Casamance, il est difficile d'indiquer une chronologie absolue et datée de l'histoire de la création du village de Diagong ; la chronologie relative est par contre connue par les populations du fait de son importance pour déterminer les droits fonciers de chaque famille. Le village de Diagong se compose de six quartiers – Koussobaly, Eramba, Kassikili, Djimande, Kafès et Ghoniam – d'inégale importance et au sein desquels le quartier Koussobaly joue un rôle particulier en tant que quartier fondateur.

Selon plusieurs relations concordantes, le village a été fondé par le quartier Koussobaly à l'origine duquel se trouve la famille Dieme. Une partie de cette famille s'est ensuite segmentée et a fondé le quartier Eramba.

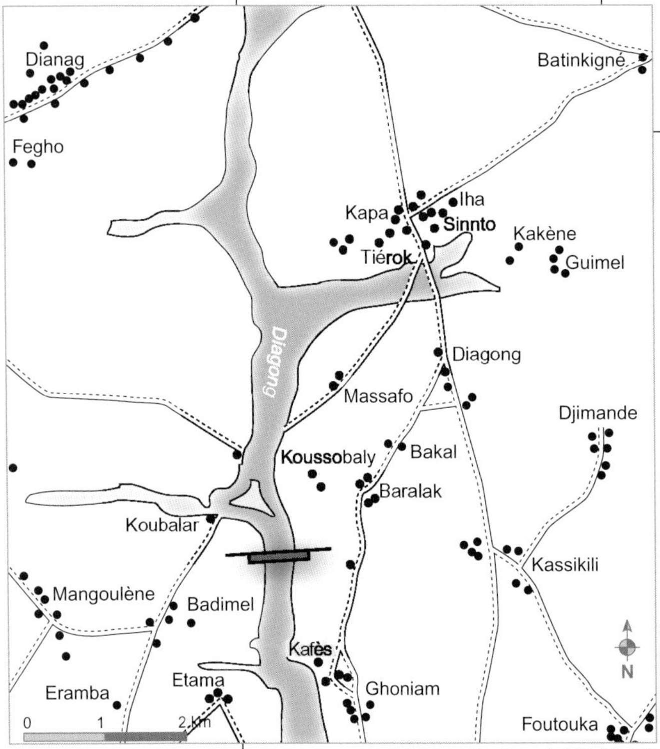

Figure 14 – Situation du barrage dans la vallée de Diagong.

Source : d'après carte IGN 1/50 000

D'Eramba sont ensuite sortis successivement plusieurs segments de lignages qui ont à leur tour donné naissance aux autres quartiers qui composent le village de Diagong : Kassikili, Djimande, Kafès et Ghoniam. La seconde famille à s'installer sur ces terres fut celle des Sane, dont certains segments de lignage ont ensuite rejoint les Dieme dans les quartiers de Djimande et de Ghoniam. En dernier lieu, une famille Diedhiou, originaire de Ounionck, est venue s'installer également à Koussobaly, mais sous la tutelle des Sane de qui ils tiennent leurs terres. Cette famille, arrivée il y a au moins quatre générations (soit plus de 100 ans), est restée à Koussobaly même. Si l'origine des derniers arrivants – la famille Diedhiou – est connue, il semble au contraire que l'origine des Dieme et des Sane ne soit pas restée dans les mémoires.

Koussobaly est donc le quartier fondateur et il dispose à ce titre de davantage de terres que les autres quartiers de Diagong. Si une partie des terres occupées initialement par le quartier Koussobaly paraissent avoir été inoccupées, ailleurs des Baïnouk auraient été chassés par la force pour permettre l'installation de certains segments de lignage – Kafès et Ghoniam – sur des rizières relativement peu étendues dans cette zone, par rapport aux terres de plateau.

Tous les quartiers, à l'exception de Koussobaly, travaillent dans la même vallée située au nord dont les eaux rejoignent en hivernage la vallée principale qui prend naissance vers Sindian. Les familles qui composent Koussobaly possèdent leurs parcelles de rizières dans cette vallée principale qu'ils partagent en amont avec les quartiers Baponlondiock et Fegho du village de Kagnarou et en aval avec le quartier Badimel qui fait partie du village de Mangoulène.

La création du quartier Koussobaly

Actuellement, les segments de lignage qui se réfèrent directement aux fondateurs du quartier sont Ayibanguene, Koussobaly et Djilacounda qui détiennent les pouvoirs fondamentaux de l'initiation.

D'autres familles sont clairement considérées comme des alliées des fondateurs ; ces alliances se marquent par les fonctions plus ou moins importantes qui leur sont confiées dans les cérémonies initiatiques. De ce fait, ces familles disposent d'une autorité certaine auprès des autres familles accueillies sur les terres de Koussobaly. Les familles Sane (Baralak) et Dieme (Bakal et Badioncoton) jouissent de ce statut particulier. Les familles Diedhiou (Sanguibalaye) et Dieme (Kandjiriamba) sont ainsi sous la tutelle directe des Sane, eux-mêmes sous la tutelle des Dieme fondateurs.

Le cas de la famille Dieme (Sifane) est particulier. Il s'agit d'un segment de la famille Dieme (Koussobaly) fondatrice du quartier qui avait été à l'origine de la fondation d'Eramba, le second quartier fondé chronologiquement après Koussobaly. Un représentant de ce segment de lignage est revenu à Koussobaly après avoir adopté (il y a de cela deux ou trois générations) un enfant à Niankit dont la descendance constitue actuellement trois des quatre ménages de cette famille. Les descendants de cette adoption ont pris le patronyme Dieme et font les cérémonies initiatiques à Koussobaly. Ils sont cependant considérés comme « étant venus en étrangers », au même titre que les autres composantes du quartier qui ne relèvent pas des familles fondatrices.

Répartition des pouvoirs entre les familles et les structures du Cadef

L'analyse de la répartition des pouvoirs entre les familles met en évidence un clivage très net entre, d'une part, les familles représentant les autorités coutumières qui régissent le foncier et les ressources renouvelables et disposent des pouvoirs principaux dans les cérémonies de l'initiation et, d'autre part, les autres familles sous la tutelle directe ou indirecte des descendants des premiers occupants.

Les familles fondatrices ne détiennent pas de responsabilité dans les sphères politico-administratives mais elles concentrent les pouvoirs magico-religieux et culturels liés à l'initiation ainsi que le pouvoir foncier lié également à leur antériorité d'installation.

Ce pouvoir foncier sur les rizières est d'autant plus important que les superficies en rizières sont assez limitées. Les pouvoirs liés à l'initiation sont détenus par les familles se rattachant au lignage fondateur qui a cependant recherché des alliances avec les migrants anciens auxquels les Dieme ont permis de s'installer – les Sane – et, de manière moins affirmée mais effective, avec une autre famille Dieme venue plus récemment. Cette recherche d'alliances avec des lignages venus postérieurement ne dépend pas uniquement de l'ordre d'arrivée dans le terroir.

En dépit d'une présence parfois très ancienne dans le terroir et donc d'une cohabitation de plusieurs générations avec les lignages fondateurs, les autres familles sont considérées comme « étrangères » par rapport aux fondateurs du village. Ce statut s'étend également aux familles alliées.

Si les familles considérées comme « étrangères » se trouvent en situation de dépendance vis-à-vis des lignages fondateurs pour les questions foncières et sous leur autorité pour ce qui relève de l'initiation, elles occupent en revanche des positions de responsabilité dans le domaine politique et administratif ainsi que dans le domaine associatif. Ainsi, les représentants élus au bureau du groupement Cadef ne sont pas issus des familles se rattachant au lignage fondateur, qui n'occupe d'ailleurs aucune fonction publique ou privée particulière. Les familles alliées et les familles « étrangères » se retrouvent ainsi les plus nombreuses dans les postes de responsabilité du groupement Cadef ainsi qu'au niveau du comité de gestion du barrage. Tout semble se passer comme si les familles fondatrices déléguaient aux familles accueillies ce type de fonction et de pouvoir, dans la mesure où elles adhèrent également au Cadef, mais ne s'y investissent pas.

Des expressions illustrent bien cette dichotomie dans la répartition des pouvoirs au niveau du quartier Koussobaly : « Ceux du comité de gestion du barrage ont duré à Diagong, on leur a donné le pouvoir pour le barrage, mais il n'est pas possible de leur donner le pouvoir pour l'initiation. »

« Les gens du Comité de gestion n'ont pas de fonction “politique” dans la société traditionnelle. »

« Les gens délèguent parfois aux postes de responsabilité des gens qui sont disponibles mais qui n'ont pas la parole dans la société. » (Enquêtes de l'auteur, Diagong).

« Les gens délèguent parfois aux postes de responsabilité des gens qui sont disponibles mais qui n'ont pas la parole dans la société. »

Cette disjonction entre « pouvoirs coutumiers » et « pouvoirs modernes » nous paraît avoir joué un rôle dans les difficultés rencontrées pour la mise en œuvre de l'aménagement et pour en garantir la pérennité. Elle ne saurait en revanche rendre compte entièrement de l'échec de l'opération. D'autres éléments sont à rechercher dans les conditions et les modalités d'intervention du Cadef dans cette vallée.

Pour des raisons tenant à la clarté de l'exposé, les facteurs qui sont intervenus dans l'évolution de l'aménagement réalisé par le Cadef dans cette vallée sont présentés successivement. Dans la réalité, ces facteurs jouent de manière interdépendante et leurs effets se trouvent en interaction permanente.

Le groupement Cadef et la dynamique micro-locale d'organisation

Au moment de la création du Cadef et des premières visites sur le terrain du principal émissaire du groupe dakarois, tous les quartiers du village ont été sollicités. À cette période qui correspondait à l'action du Pidac, certains quartiers s'étaient organisés, à l'instigation du projet, dans le cadre des activités maraîchères. Koussobaly, Eramba et Kassikili étaient dans ce cas, mais seul le groupement de Koussobaly a rejoint le Cadef. Les raisons pour lesquelles les groupements Pidac n'ont pas tous rejoint le Cadef ne sont pas claires, la question des dettes contractées par les adhérents envers le projet ne paraît pas complètement satisfaisante comme explication. Dans les années 1983-1987, au niveau du village de Diagong, les quartiers se répartissent donc entre le Cadef (un quartier, Koussobaly), et le Pidac (deux quartiers : Eramba et Kassikili) pour ceux qui s'organisent en groupements, les autres quartiers restant pour l'instant à l'écart de cette dynamique. Par la suite, après la création du Yamakeuye, une autre organisation paysanne suscitée par le responsable local du Centre d'expansion rurale de l'arrondissement voisin de Tenghory en 1987, certains quartiers vont rejoindre cette nouvelle association, particulièrement active dans cet arrondissement : Kassikili, Kafès et Ghoniam.

Rappelons que la vallée où se situe le barrage est partagée par Koussobaly avec les quartiers Baponlondiock et Fegho du village de Kagnarou et en aval avec le quartier Badimel qui fait partie du village de Mangoulène. Si les deux quartiers de Kagnarou ont en commun avec Koussobaly le fait d'adhérer à la même association et d'être concernés par la même vallée, les populations de Mangoulène n'étaient pas adhérentes du Cadef en dépit de leur souhait. À cette période, le Cadef se présentait comme une association intervenant essentiellement dans l'arrondissement de Sindian, alors que Mangoulène relève de l'arrondissement de Tenghory. Le Cadef avait également fait le choix d'une politique d'adhésion sélective vis-à-vis des groupements désireux de le rejoindre. Cette réticence a entraîné par la suite, à partir de 1987, la création de groupements adhérents au Yamakeuye dans ce grand village. Le groupement Cadef de Koussobaly s'est donc retrouvé relativement isolé dans la dynamique d'organisation micro-locale.

À Diagong, l'émissaire du Cadef a contacté les sages et notables des familles Sane et Dieme (Dianague et Sifane) qui ne font pas partie des familles fondatrices. C'est par leur intermédiaire et avec le soutien des ressortissants de Diagong à Dakar que le Cadef a pris contact avec l'ensemble de la population. Des réseaux complémentaires fondés sur des alliances matrimoniales et politiques entre Bougoutoub et Koussobaly ont également permis au Cadef de s'établir à Koussobaly, mais des clivages antérieurs à l'action du Cadef n'ont pas permis une extension des activités du Cadef au-delà de ce quartier. Les activités directement liées à la construction du barrage se sont organisées autour d'un membre de la famille Sane alors président du groupement Cadef.

Le bilan : déficits techniques et sociaux

Par rapport aux aménagements dans la vallée de Bougoutoub, le Cadef s'est trouvé à Diagong dans des conditions sociales et opérationnelles moins favorables. Le premier facteur est directement lié à la capacité de mobilisation et d'action du Cadef sur le terrain. L'animateur alors chargé des barrages au Cadef est décédé entre la construction du barrage de Margoune à Bougoutoub (1986) et le début de l'édification de Diagong lors de la saison sèche suivante. L'animateur a certes été remplacé au niveau du Cadef territorial pour les activités d'aménagement, mais la fonction d'animateur au niveau du quartier de Koussobaly n'a pu être assurée en dehors d'appuis plus ou moins réguliers d'autres animateurs des villages voisins.

Le manque en matière d'animation au niveau local s'est traduit par des capacités de mobilisation collective limitées mais également par une concertation des plus réduites avec les villages voisins.

Ce manque en matière d'animation au niveau local s'est traduit par des capacités de mobilisation collective limitées mais également par une concertation des plus réduites avec les villages voisins et en particulier avec le village de Mangoulène, dont les terres sont essentiellement situées en aval du barrage. Dans cette même période, le Cadef avait repoussé les propositions d'adhésions de groupements de Mangoulène. La concertation avec tous les villages riverains de la vallée n'a donc pas eu lieu comme à Bougoutoub. D'autre part, les adhérents du groupement Cadef de Koussobaly ne se trouvaient pas complètement mobilisés par l'aménagement de cette vallée, car certains ont leurs parcelles dans une autre vallée adjacente rejoignant Kakèn et ne voulaient donc pas participer à la construction du barrage. Le Cadef a alors fait le choix de compenser le manque de mobilisation des populations par un recours accru à la location de gros matériel de terrassement, qui a permis de réaliser le barrage en deux à trois semaines. Mais, de ce fait, l'aménagement se trouvait plus difficilement appropriable par les populations en raison de la faiblesse de leur implication dans la construction.

Au plan technique, et plus particulièrement en ce qui concerne la redéfinition de l'itinéraire technique en relation avec les nouvelles conditions d'inondation, il est certain qu'il y a eu moins d'efforts que dans la vallée de Bougoutoub, moins de suivi rapproché, ce qui n'a pas permis une valorisation optimale de l'aménagement par une riziculture nettement améliorée. Par ailleurs, l'action intensive du Cadef sur la vallée de Banny dite « vallée d'intensification » a été mal ressentie par les populations de Diagong. Elles ont développé des réactions de défiance à l'égard du Cadef territorial, perçu comme favorisant le secteur de

C'est à travers le déficit en matière de gestion des conflits avec les populations situées en aval du barrage que se sont exprimées les insuffisances d'intervention du Cadef.

Bougoutoub. De plus, l'absence d'un animateur permanent au quartier a limité la diffusion du message technique issu des expérimentations menées dans la vallée de Bougoutoub.

Cependant, c'est certainement à travers le déficit en matière de gestion des conflits avec les populations situées en aval du barrage (Mangoulène) que se sont exprimées et cristallisées les insuffisances d'intervention du Cadef. L'absence de négociation initiale approfondie et les réticences du Cadef à l'égard de la demande d'adhésion des groupements de Mangoulène ont contribué à rendre difficiles les arbitrages entre les deux villages à propos des périodes de fermeture et d'ouverture du barrage. La mise en place d'un comité de gestion comprenant des représentants d'un des quartiers de Mangoulène – Badimel – n'a pas amélioré la concertation entre les deux villages.

Le groupement Cadef de Diagong-Koussobaly s'est alors retrouvé dans un environnement peu favorable, entouré de groupements adhérents à l'association Yamakeuye tant au niveau des autres quartiers de Diagong que du village de Mangoulène, dont les groupements avaient rejoint cette association après le refus du Cadef de les intégrer. Il est clair également que le décalage entre les représentants du Cadef à Diagong-Koussobaly et les autorités coutumières au niveau de ce quartier ont contribué à affaiblir le poids de l'action du Cadef. En effet, il aurait été nécessaire de négocier avec les autorités compétentes dans un contexte de rivalités naissantes entre associations.

Un responsable de Cadef résume la situation : « Le barrage est devenu un enjeu de querelle avec les villages voisins de l'arrondissement de Tenghory, et notamment avec Mangoulène, adhérent à l'association Yamakeuye. Entre Mangoulène et Diagong-Koussobaly, le conflit a été matérialisé par le caïman, animal totem de Mangoulène qui a besoin de se déplacer et de traverser le barrage : les gens de Mangoulène ont tout fait pour que le barrage soit cassé, mais pas physiquement. Le barrage a donc été mal géré et détruit ; il n'a eu que peu d'impact sur la production de riz. »

Devant cette situation, le Cadef n'a pu ni su gérer la situation nouvelle créée par le barrage avec les responsables coutumiers effectifs des deux villages riverains de la vallée. Le barrage a subi de multiples dommages mineurs liés à des interventions directes ou indirectes des populations de Mangoulène qui ont pu être réparés par le comité de gestion. À la suite d'une très forte pluie au cours de l'hivernage 1994, l'ouvrage a été détruit de même qu'une partie importante de la digue.

Conclusion : un échec du Cadef dans les relations intervillageoises

Dans le cas de Diagong, le Cadef se trouve en décalage par rapport au jeu des pouvoirs locaux. Ceux qui disposent du pouvoir coutumier restent en dehors des dynamiques d'organisation portées dans ce village par des lignages arrivés ultérieurement. La capacité d'action de l'organisation en est de fait limitée. Son autorité ne peut s'appuyer sur les autorités lignagères. Enfin, elle est affaiblie par des rivalités entre organisations paysannes.

Le barrage de Suelle-Diaboudior

Suelle et Diaboudior sont deux villages voisins qui ont comme spécificité de se partager l'accès à une large vallée dans la partie nord-ouest du Fogny. Il s'agit d'une zone ayant moins subi l'influence de l'islam que Bougoutoub, ce qui se traduit notamment par l'absence des femmes dans la mise en valeur des vallées ; la riziculture relève essentiellement de la responsabilité des hommes.

Suelle est l'un des « grands villages » du Fogny, tant par sa position géographique que par son histoire.

Une unité villageoise difficilement identifiable

Suelle a été fondé par plusieurs vagues successives de peuplement venues de différentes origines géographiques (fig. 15).

Sept quartiers composent le village : Bodian, Djecko, Kaok, Diakoye, Mlomp, Konatouba, Bamadje. Ces quartiers sont hétérogènes en termes de peuplement. Le plus souvent, les familles fondatrices ou qui se revendiquent comme telles ont accueilli et installé sous leur tutelle des familles migrantes pour renforcer par des alliances leur propre position dans un environnement troublé.

Figure 15 –
Situation du barrage
de Suelle-Diaboudior.

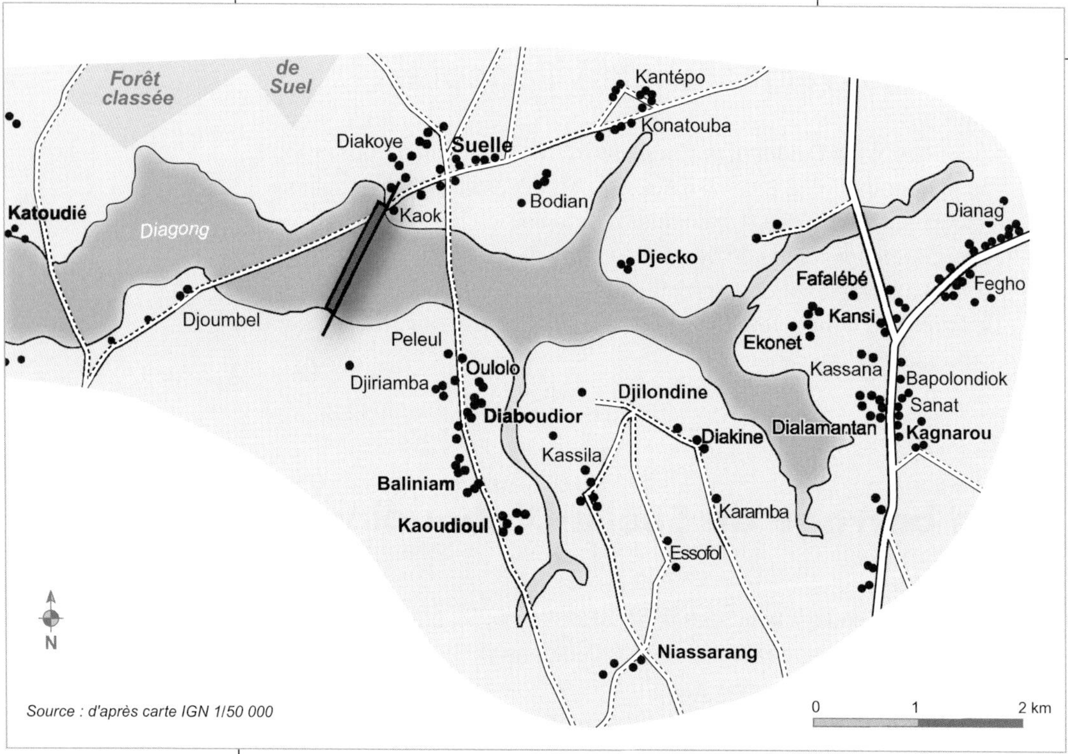

Le territoire qui correspond au village de Suelle est très étendu et l'éloignement des quartiers n'a fait que renforcer l'insécurité et l'éclosion de conflits récurrents entre lignages. Selon certains témoignages, ces conflits étaient en relation avec la traite des esclaves. Si les informations ne sont pas faciles à obtenir sur des questions aussi sensibles, ce facteur n'a certainement pas été sans influencer les dynamiques centrifuges.

La traite des esclaves est parfois évoquée pour expliquer la dispersion des bois sacrés où se réalisent les cérémonies d'initiation ; selon certaines relations, la « décentralisation » de ces pratiques au niveau de bois sacrés individualisés par quartiers aurait été motivée par des considérations sécuritaires dans une période où les razzias entre quartiers n'étaient pas improbables. À l'intérieur même des quartiers, on peut penser que les relations entre les familles ne se sont stabilisées que lentement. Dans l'un des quartiers de Suelle, les vieux d'un lignage évoquent le caractère conflictuel des relations avec les autres lignages dans un passé pas très lointain : « Notre famille a été la première famille fondatrice, toujours autonome. Au départ avec les autres [familles du quartier], nous ne parlions pas le même langage ; si les gens se rencontrent en brousse, ils se font la guerre. Avec la Jeunesse et le mouvement associatif on a commencé à tisser des relations, mais avant ce n'était pas comme ça. » (Enquête de l'auteur, Suelle).

Ce témoignage illustre l'importance, dans la mémoire collective, des périodes troublées. Elles le furent jusqu'à récemment, même au niveau de quartiers que l'on considère habituellement comme des entités relativement homogènes.

Au moment de l'Indépendance et après celle-ci, les partis politiques ont joué un grand rôle dans la polarisation de la vie villageoise à Suelle. Les antagonismes politiques se sont d'abord structurés autour de l'opposition entre le parti majoritaire au pouvoir et la section sénégalaise du Parti du rassemblement africain (PRA). Ce dernier, dans la région, avait gardé cette appellation le distinguant du PS, parti majoritaire qui avait repris et modifié l'appellation officielle du PRA-Sénégal – UPS – lors de son éclatement au début des années 1960. Cette division politique a entraîné des conséquences importantes sur la répartition des pouvoirs entre les quartiers et au sein des quartiers eux-mêmes.

La première conséquence est la séparation prononcée des quartiers entre les deux courants politiques : d'un côté, les quartiers soutenant le parti au pouvoir dans les années 1990 (Kaok et Diakoye), qui représentent aussi certains des lignages importants, et, de l'autre, les quartiers se reconnaissant surtout dans l'opposition. Ce clivage se trouvait renforcé par les comportements clientélistes des représentants locaux de l'ancien parti majoritaire. Ceux-ci privilégiaient les quartiers soutenant le PS dans la distribution de matériel de culture attelée dans le cadre du Programme agricole. Au sein de ces quartiers, il semble que la répartition du matériel ait été effectuée au profit des lignages dominants (Diouf, 1991).

Au fil du temps, ces clivages politiques – que l'on pourrait qualifier d'initiaux – se sont transformés tout en conservant une polarisation certaine dont on peut suivre la filiation ; ces comportements politiques locaux ont ainsi suivi l'évolution politique générale du pays. Aussi les quartiers soutenant l'ancienne majorité présidentielle du parti socialiste se sont-ils par la suite divisés en fonction de tendances internes représentées par des leaders locaux de ce parti auquel les représentants villageois du PS se sont identifiés. Ainsi Kaok et Diakoye se trouvèrent partagés entre ces deux tendances, l'une d'entre elles ayant en outre rallié les quartiers autrefois dans l'opposition (ex-PRA). Aux élections de 1996, les alliances se sont modifiées de manière sensible, l'un des courants du PS perdant le soutien des quartiers « ex-PRA », qui ont adhéré massivement à l'un des partis de l'opposition au gouvernement de l'époque.

Clivages politiques et organisations paysannes

Le mouvement associatif en Basse Casamance ne s'est pas développé indépendamment des évolutions politiques nationales et locales. L'émergence du Cadef doit beaucoup aux activités politiques de militants et leaders du PAI (Parti africain de l'Indépendance). Ceux-ci cherchaient, à travers le Cadef, à construire dans le domaine du développement une alternative à l'absence de perspectives offertes par le combat politique pour renforcer la prise de parole de la paysannerie.

Sur le terrain, l'action du Cadef n'a par ailleurs été possible que par une alliance explicite avec le Parti socialiste. Le Cadef à Suelle s'est donc trouvé d'emblée positionné dans un environnement politique qui n'allait pas être sans conséquences sur ses marges de manœuvre. Par ailleurs, à Suelle comme dans d'autres villages de la zone, le Cadef s'est trouvé sur le terrain d'organisations du mouvement associatif plus anciennes, comme l'Entente de Kabiline ou l'Ajac.

Un accord a pu être trouvé avec l'Entente de Kabiline, dont deux des trois groupements ont rejoint le Cadef sur la base d'un regroupement géographique qui obéissait à l'époque au souci des responsables du Cadef de coller au découpage administratif. Un accord comparable n'a pas été conclu avec l'Ajac. Une répartition des territoires entre associations permettait à chacune de concentrer ses interventions sur des zones correspondant peu ou prou à des entités administratives.

L'implantation du Cadef à Suelle s'est donc trouvée en concurrence avec l'Ajac et cette concurrence a prolongé, dans le mouvement associatif, des clivages politiques internes au PS, d'une part, et entre le PS et l'ancienne opposition, d'autre part. Ainsi le Cadef s'est appuyé sur deux groupements à Suelle. Le groupement de Kaok-Diakoye regroupait des habitants de ces quartiers qui n'avaient pas adhéré à l'Ajac et qui se distinguaient par des appartenances aux différentes tendances PS.

Le groupement de Konatouba et des autres quartiers correspondait à l'ancienne opposition au parti majoritaire et se trouvait moins soumis à la concurrence de l'Ajac, du fait notamment d'un ancrage plus fort et ancien dans l'opposition. Les adhésions au Cadef y furent plus fortes et plus homogènes dans les quartiers concernés (Bodian, Mlomp, Djecko, Konatouba, Bamadje).

Récemment (1994-1997), un autre facteur de clivage, interne au mouvement associatif et sans contenu politique évident, est lié à une nouvelle association qui s'est implantée essentiellement au quartier Konatouba, avec l'objectif d'attirer des adhérents pour renforcer sa base sociale. Cette intervention provoque une dispersion certaine des forces du Cadef et de nouveaux clivages entre familles, la création d'un nouveau groupement représentant un enjeu de pouvoir au niveau local que certains lignages s'empressent d'investir.

Dans les quartiers ainsi partagés entre des adhésions à différentes associations, le comportement des lignages vis-à-vis des associations n'est pas exempt d'arrière-pensées opportunistes ou clientélistes dans la mesure où, dans un même *fank,* les ménages adhèrent en général à deux des trois associations. Il n'est pas rare que les femmes participent alternativement aux activités des deux blocs maraîchers : « C'est la même famille qui gagne », comme le souligne l'un des chefs de famille.

Si, par le passé, la maîtrise du pouvoir par un lignage passait par le contrôle des hommes, du foncier et par la capacité à augmenter ses positions au besoin en recourant à la force, aujourd'hui, la démographie dynamique d'un lignage est un facteur positif en terme de pouvoir local. Ce facteur est d'autant plus déterminant de nos jours que tous les lignages sont affectés par les stratégies migratoires. On peut même dire que les ménages présents sur les terroirs représentent bien souvent la fraction minoritaire des familles, l'autre fraction ayant choisi l'exode pour des raisons économiques et parfois politiques. Ce fait est particulièrement marqué dans un village comme Suelle : certains lignages ne sont présents que de manière symbolique, la majorité des ménages se trouvant ou s'étant réfugiée en Gambie, à Dakar ou à Ziguinchor. Ainsi, un lignage représenté par un nombre élevé de ménages sur place peut se prévaloir d'un certain poids politique indépendamment de sa position vis-à-vis du foncier et des coutumes locales (tabl. 1).

Aujourd'hui, la démographie dynamique d'un lignage est un facteur positif en terme de pouvoir local.

Des quartiers – Djecko, Mlomp et Bodian et jusqu'en 1994-1995 Konatouba – adhèrent massivement au Cadef de manière homogène ; les autres quartiers (Bamadje mais surtout Kaok et Diakoye) se répartissent entre Cadef et Ajac selon des clivages politiques.

Quartier	Ménages présents	Cadef	Ajac	Yamakeuye	Gopec
Djecko	12	12	-	-	
Konatouba	31	17	-	12	
Diakoye	21	16	5	-	
Kaok	37	16	21	-	
Bodian	18	18	-	-	
Mlomp	13	13	-	-	
Bamadje	x	-	-	-	x

Tableau 1 – Poids démographiques des quartiers de Suelle et répartition des ménages dans les associations (1997).

Les quartiers les plus importants au plan démographique sont aussi ceux qui présentent les clivages internes les plus marqués, quelles que soient l'ancienneté et l'origine plus ou moins opportuniste de ceux-ci. Ainsi, mis à part Bamadje qui peut être considéré comme un quartier périphérique, les trois quartiers démographiquement et politiquement importants du village de Suelle – Diakoye, Kaok et Konatouba – sont caractérisés par des clivages qui ne tiennent pas uniquement à un comportement opportuniste ou strictement clientéliste entre les associations et leurs adhérents.

Répartition des pouvoirs dans trois quartiers : Konatouba, Kaok et Diakoye

Le quartier Diakoye : un bon ancrage socio-politique du Cadef

Diakoye représente un quartier central du village. Cette position s'explique notamment par la dynamique du lignage Angourou, qui n'est certes pas à l'origine du quartier, mais dont la dynamique passée et le poids numérique actuel attestent de l'importance politique. De plus, la responsabilité administrative et politique de l'ensemble du village est assurée par ce même lignage.

Pourtant, la famille fondatrice n'est plus représentée que par deux ménages dont les responsabilités au sein du quartier apparaissent marginales, l'essentiel des forces vives de cette famille se trouvant actuellement en Gambie. Ces deux segments de lignage rassemblent plus de la moitié des ménages présents sur le terroir. Dès lors, deux sous-ensembles dominent la dynamique de ce lignage et, partant, de l'ensemble du quartier.

Le noyau central est composé de deux familles (Eghana et Moudierel) qui disposent d'une ressource foncière abondante et d'une bonne représentation (huit ménages sur les vingt et un que compte le quartier en 1997). Ces deux familles détiennent en outre le pouvoir relatif à l'initiation. Les notables administratifs et politiques du quartier s'y recrutent et même le chef du village de Suelle, ce qui élargit leur champ de responsabilité et d'autorité à l'ensemble du village. Leur poids démographique se trouve renforcé par un lignage proche composé actuellement de trois unités de production *(fank)*. À l'opposé, les responsables des associations de travail coutumières restent tout à fait marginalisés du fait notamment de la faiblesse de leurs lignages respectifs et de leur implication limitée dans les activités et les responsabilités publiques.

Les responsables des associations de travail coutumières restent tout à fait marginalisés du fait notamment de la faiblesse de leurs lignages respectifs et de leur implication limitée dans les activités et les responsabilités publiques.

Les deux groupes principaux de familles – proches car relevant du même grand lignage – détiennent l'essentiel des pouvoirs politiques et administratifs mais aussi sacrés. Si la présence et les activités de l'Ajac étaient antérieures à l'arrivée du Cadef, il est incontestable que ce dernier dispose actuellement d'une forte supériorité numérique en termes de ménages adhérents, mais aussi de pouvoir, car les notables politiques, administratifs et coutumiers soutiennent son action. Ces deux groupes de familles fournissent ainsi les responsables élus aux bureaux des hommes et des femmes du groupement Cadef de Diakoye-Kaok. La situation du Cadef reste cependant complexe du fait de profonds clivages politiciens qui traversent certaines familles, ce qui se traduit immédiatement en clivage associatif.

Le quartier Kaok : une présence non dominante du Cadef

Démographiquement, Kaok est le quartier le plus important du village de Suelle (37 ménages présents en 1997). En terme de dynamique du peuplement, le lignage fondateur (Koulouma, famille Bodian) reste numériquement important à l'échelle du quartier avec environ un quart des ménages présents. Il a accueilli deux familles qui ont pu disposer de ressources foncières conséquentes – les Sagna et les Dieme – puis d'autres familles Bodian (Badiogoyora, puis Ebambe qui est à l'origine de Foutelenkene) et enfin les Diedhiou de Baralak. Ces familles se trouvent donc sous la tutelle des Bodian de Koulouma dont ils ont obtenu plus ou moins de terres en fonction de leur rang d'arrivée. Le pouvoir relatif à l'initiation n'a pas été conservé par la famille fondatrice qui a fait alliance avec la famille Bodian de Ebambe en lui confiant les attributs de l'initiation.

Les clivages politiques sont l'une des caractéristiques essentielles de ce quartier. Les divisions politiques à l'intérieur d'un même *fank* y sont plus fréquentes qu'à Diakoye par exemple, et elles se traduisent par une répartition des adhésions entre les associations Cadef et Ajac. Il est cependant fort difficile de faire la part entre divergences effectivement politiques et comportements tactiques de certains lignages qui escomptent des bénéfices d'une participation croisée aux deux associations.

Si numériquement la situation du Cadef ne se présente pas de manière trop défavorable – 16 ménages adhèrent au Cadef contre 21 à l'Ajac – les notables politiques, administratifs et coutumiers apportent cependant de manière majoritaire leur soutien à l'Ajac. Le Cadef ne peut se prévaloir que d'une légitimité relative dans ce quartier où deux chefs de famille sur trois adhèrent à l'Ajac.

Le quartier Konatouba : un Cadef bien ancré mais concurrencé

Historiquement, le quartier Konatouba est un point d'ancrage relativement fort et massif du Cadef dans le contexte complexe de Suelle. Cette homogénéité est certainement à mettre en relation avec un comportement politique homogène initialement ancré dans l'ancienne opposition, notamment à travers le soutien au PRA-Sénégal puis à l'une des tendances du PS à partir du moment où le Cadef est intervenu directement dans l'arrondissement. Cependant des évolutions récentes du Cadef et les dynamiques d'autres associations ont modifié sensiblement l'homogénéité du soutien au Cadef. Ce soutien est remis en cause par le développement des activités de l'association Yamakeuye, qui a suscité la création d'un groupement concurrent. Cela encourage des comportements opportunistes de la part des ménages jusque-là adhérents au Cadef. Certains ménages et chefs de familles sont d'autant plus sensibles aux propositions du Yamakeuye que cette zone se sent un peu à l'écart de la dynamique d'innovations poursuivie dans la vallée de Bougoutoub. De plus, les activités du Cadef à Suelle se sont considérablement réduites avec la fin du PRD en 1994. Or, l'aménagement de la vallée est loin d'être achevé.

Dans le quartier Konatouba, le Cadef peut se prévaloir du soutien des différents pouvoirs qui structurent le champ politique local. Certaines familles adhérentes au Cadef sont à la fois fortes au plan démographique et disposent de réserves foncières dépassant leurs capacités de mise en valeur actuelles. En outre, plus de la moitié des aînés adhèrent au Cadef et, en général, le comportement des chefs de ménages dépendants s'aligne sur celui du chef de famille. La famille détentrice des pouvoirs liés à l'initiation participe aussi de la dynamique d'organisation du Cadef. Les responsables des associations de travail coutumières (*ekafay*), qu'il s'agisse des hommes et des femmes, apparaissent comme des soutiens effectifs du Cadef. Tout comme dans le cas des chefs de famille, cet engagement des responsables des associations coutumières se trouve maintenant sensiblement affaibli du fait du soutien que certains d'entre eux apportent au développement des activités du groupement Yamakeuye.

Le Cadef dans l'arène des pouvoirs locaux

La position du Cadef par rapport aux pouvoirs locaux peut être analysée par le biais de deux organisations locales, les groupements et le comité de gestion du barrage. Ces deux organisations s'imbriquent dans le cas de certains quartiers. De plus, un groupement ne concerne pas un seul quartier. Les correspondances entre organisations coutumière et associative sont donc complexes.

Les groupements de Konatouba et de Kaok-Diakoye : une faible expression des pouvoirs locaux

Plusieurs raisons peuvent rendre compte de la situation des groupements du Cadef à Suelle. Contrairement à l'organisation Cadef de Bougoutoub, celle de Konatouba paraît relativement isolée et peu soutenue par les instances et notables coutumiers des quartiers qui se reconnaissent dans ce groupement. Bodian qui était autrefois un quartier dominant – tous les quartiers composant Suelle se réunissaient pour les cérémonies de l'initiation dans le bois sacré des Bodian – a vu sa position remise en cause, ce qui entérine sa relative faiblesse démographique et l'importance de ses ménages émigrés. Un seul représentant du quartier, ne relevant d'ailleurs pas du lignage fondateur, est membre du bureau du groupement. Les représentants de Konatouba qui sont les plus nombreux ne paraissent pas les mieux placés dans le jeu des pouvoirs locaux : certains représentants sont issus de lignages arrivés tardivement dans le terroir, dépendant donc très fortement au plan foncier des lignages arrivés antérieurement ; d'autres, quel que soit leur lignage, sont considérés comme des « jeunes » ou ne jouissent pas d'une autorité particulière au sein de la société locale. Les représentants des autres quartiers de Suelle – outre le fait que ces quartiers sont eux-mêmes relativement marginalisés dans la dynamique villageoise – ne sont pas les représentants d'une forme particulière du pouvoir local.

Concernant ce groupement, deux phénomènes se combinent pour rendre compte d'un poids et d'une représentativité politique modestes à l'échelle du village de Suelle. D'une part, le groupement concerne quatre quartiers sur sept, ce qui *a priori* et compte tenu de l'histoire conflictuelle du village, constitue un handicap pour organiser une action collective à cette échelle. Ces quartiers sont devenus relativement périphériques en raison de dynamiques démographiques régressives. D'autre part, les délégués de ces quartiers au bureau du groupement ne sont représentatifs ni des formes coutumières d'autorité – la plupart sont des cadets et un seul possède une responsabilité dans les cérémonies de l'initiation – ni des pouvoirs politiques. Cette faiblesse est accentuée dans la période récente marquée par le ralentissement des activités du Cadef dans le secteur et par le développement d'un groupement relevant d'une association concurrente.

La situation du groupement de Kaok-Diakoye est sensiblement différente, mais elle aboutit, du point de vue de la structuration et du fonctionnement des organisations, à une relative inefficacité. Contrairement au groupement de Konatouba, la base de recrutement en nombre de quartiers est moins large, mais les deux quartiers représentés sont marqués par des clivages politiques importants qui ont trouvé dans les associations intervillageoises un autre terrain privilégié d'expression.

Le comité de gestion du barrage : complexité des représentations foncières

Le comité de gestion du barrage réunit des représentants des villages de Suelle et de Diaboudior qui possèdent chacun des terres juste en amont du barrage et qui sont donc concernés au premier chef par la gestion collective de l'eau. À Suelle, les terres des quartiers Kaok, Diakoye et Mlomp sont recouvertes par la retenue du barrage.

Parmi les représentants, ceux de Diaboudior et du quartier de Mlomp (Suelle) relèvent des familles fondatrices (ou qui du moins le revendiquent fortement). Tous ceux de Diaboudior détiennent personnellement une autorité en matière d'initiation ou en sont potentiellement dépositaires du fait d'une responsabilité familiale.

Les responsabilités foncières sont mieux représentées dans le comité de gestion du barrage que dans le bureau du groupement de Diakoye-Kaok. Mais cette représentation est inégale et complexe. Seules les familles détentrices du foncier à Kaok sont représentées au comité de gestion. Au contraire, les représentants de Diakoye ne relèvent pas des familles reconnues au plan foncier. Le représentant de Mlomp issu de la famille fondatrice est également reconnu au niveau des organisations coutumières (*ekafay*) et assume des responsabilités politiques dans son quartier.

Les femmes sont minoritaires dans ce comité de gestion, ce qui traduit une division du travail par tâche et non par sexe, contrairement à la zone de Bougoutoub. Ainsi, la composition des groupements et des comités de gestion amène à nuancer la thèse de LINARES (1992) qui souligne l'évolution régressive de la condition des femmes lorsque l'on passe d'une zone dite diola à une autre dite diola mandinguisée, où l'influence de l'islam serait plus importante et conduirait à un statut des femmes plus défavorable. Nos observations montrent au contraire une plus forte participation des femmes aux décisions collectives dans les zones anciennement islamisées (Bougoutoub) que dans celles où la division du travail s'opère selon les tâches (Fogny).

Dans le cas du barrage de Suelle-Diaboudior, la situation sociale est complexe et traduit un émiettement des pouvoirs lié à l'histoire du peuplement et aux clivages politiques et sociaux plus récents. De ce fait, tant la légitimité des groupements que celle du comité de gestion peut s'en trouver fragilisée. Cependant, la représentativité et le positionnement du Cadef dans le jeu des pouvoirs locaux doivent être complétés par une analyse des conditions de son intervention.

Les conditions de l'intervention du Cadef

Le barrage, conçu à la fois comme un barrage anti-sel et un barrage de retenue, est très nettement insuffisant par rapport à la dimension de la vallée. Il ne se concevait que dans la perspective d'une poursuite rapide de l'aménagement en amont de la vallée, ce qui aurait permis une

Faire face à de fortes contraintes techniques avec des moyens limités...

réelle régulation de la lame d'eau. Les engagements du Cadef sur les autres barrages, combinés à une situation locale difficile dans le village de Suelle du fait de l'influence du mouvement indépendantiste, n'ont pas permis d'engager une dynamique d'aménagement de la vallée. De ce fait, et indépendamment de l'autorité plus ou moins affirmée du comité de gestion, il était quasiment impossible à ce comité de contrôler le niveau de la lame d'eau.

La situation socio-politique très tendue dans cette zone à partir de 1991-1992 a rendu l'action du Cadef très précaire au plan technique, notamment sur les questions agronomiques permettant d'adapter l'itinéraire technique aux nouvelles conditions d'inondation. Ainsi, à la difficulté de réguler l'eau sur une vallée extrêmement vaste à partir d'un seul barrage est venue s'ajouter la faiblesse technique de l'intervention du Cadef.

À la difficulté de réguler l'eau sur une vallée extrêmement vaste à partir d'un seul barrage est venue s'ajouter la faiblesse technique de l'intervention du Cadef.

Les clivages politiques et leur traduction dans les associations intervillageoises ont rendu problématique l'action collective impulsée par le Cadef en dépit de la forte contrainte que représente la dégradation des conditions physiques de la production rizicole. Le premier emplacement prévu pour établir le barrage a dû être abandonné car le détenteur des terres a refusé de les céder alors que sa femme et une partie de sa famille adhèrent au Cadef.

La population de Suelle a participé avec beaucoup de difficultés à la construction du barrage, en estimant qu'il s'agissait d'une intervention du Cadef et en attendant donc que le Cadef fasse le travail. Les adhérents de l'Ajac à Diakoye et à Kaok ont joué la division en présentant le barrage comme une action réservée aux adhérents du Cadef à laquelle ils ne devaient pas s'associer. Selon un responsable du Cadef, le secteur Cadef de Diaboudior et de Suelle n'a pas suffisamment tenu compte des leaders et des responsables coutumiers associés à la démarche d'aménagement : « Le Cadef ne s'est pas appuyé sur les gens qui ont la parole dans la société dans cette zone, sur les personnes importantes dans cette zone. » Ce sont donc les adhérents, les responsables et les animateurs du Cadef qui ont fait l'essentiel du travail. Les personnes mobilisées par cet aménagement n'étaient qu'une minorité de la population de Suelle et les animateurs ont dû terminer le barrage en deux jours avant l'hivernage. Il est clair que, dans ces conditions, il est pour le moins difficile de parler d'appropriation collective de l'aménagement.

« Le Cadef ne s'est pas appuyé sur les gens qui ont la parole dans la société dans cette zone, sur les personnes importantes dans cette zone. »

Trois situations différentes d'aménagement autour des barrages

Les aménagements choisis pour analyser l'action du Cadef l'ont été de manière à obtenir des données suffisamment contrastées en terme de sociologie locale. Il s'agit d'en faire une lecture transversale et d'avancer des hypothèses sur le rôle de l'organisation paysanne en matière de négociation sur la gestion des ressources renouvelables. La position du Cadef par rapport aux pouvoirs coutumiers dans le cadre villageois et intervillageois, ses capacités à intervenir dans les domaines techniques ou sur le plan de l'organisation fondent la base du raisonnement.

Le Cadef et le pouvoir coutumier

À Bougoutoub, la cohérence est forte entre le Cadef et les instances du pouvoir coutumier, alors qu'à Diagong, les détenteurs des pouvoirs coutumiers – « ceux qui détiennent la parole » – se démarquent des acteurs impliqués dans le Cadef au niveau local. L'action du Cadef se fait avec leur accord, mais leur choix de rester à l'écart des responsabilités dans ces structures nouvelles tendra à terme à fragiliser ces dernières vis-à-vis de l'extérieur.

Le cas de Suelle est encore différent, dans la mesure où l'insertion du Cadef dans ce village très important du Fogny s'est faite de manière indirecte par le biais d'un accord entre associations (le Cadef et l'Entente de Diouloulou) et sur la base de liens ténus entre les fondateurs du groupe dakarois et les populations. Une synergie peut exister, dans certains quartiers, entre le Cadef et les autorités coutumières, mais des clivages politiques surimposent un autre découpage.

L'action technique et organisationnelle du Cadef

À Bougoutoub, l'action technique et organisationnelle du Cadef est très forte car c'est le lieu choisi pour conduire les expérimentations en vraie grandeur demandées par les femmes. Ce choix n'est pas indépendant du contexte local marqué par une forte mobilisation des groupements et des femmes en faveur de l'action du Cadef, perçue favorablement par les pouvoirs coutumiers. De plus, cette action est portée par un groupe d'animateurs particulièrement motivés et dynamiques.

À Diagong, l'initiative du Cadef n'a pas été relayée par une mobilisation massive de la population pour construire le barrage. Il a été construit essentiellement par le Cadef. L'animateur du Cadef, résidant à Diagong, est décédé peu de temps avant la construction et pour des raisons diverses (peu de temps consacré par le Cadef à lui trouver un remplaçant, mobilisation sur d'autres localités...), cet animateur n'a pas été remplacé. Les visites ponctuelles des animateurs du Cadef territorial n'ont pu pallier l'absence d'un animateur sur place.

À Suelle, l'action du Cadef a surtout porté sur la mobilisation des gens pour la construction du barrage dans une période marquée par une forte insécurité dans le Fogny. Cette mobilisation n'a été que partielle au village de Suelle, et ce pour deux raisons principales. Le positionnement du Cadef dans l'arène politique locale se superpose à d'anciens clivages et l'aménagement proposé par le Cadef n'a concerné qu'une partie des habitants de Suelle, ceux dont les quartiers possèdent des terres à proximité du barrage, dans une zone partagée avec les lignages de Diaboudior.

Il est certain que les conditions de déroulement de l'aménagement sous la menace du MFDC n'ont pas favorisé l'expression d'une forte mobilisation locale. Quant aux aménagements prévus en amont après la construction de ce premier barrage anti-sel, ils n'ont pu être menés à bien dans le temps du projet, pour les mêmes raisons.

Les relations inter- et intravillageoises

Les relations intervillageoises ont joué un rôle important dans les deux premiers cas (Bougoutoub et Diagong). À Bougoutoub, les relations conflictuelles ou potentiellement telles avec les villages voisins dont les lignages possèdent des terres dans les rizières à aménager ont été gérées par la négociation. Du fait des relations de complémentarité et de soutien réciproque entre les pouvoirs lignagers et le Cadef, la négociation a pleinement engagé les premiers, qui sont apparus aux yeux des autres villages comme les garants du processus.
À Diagong, le décalage entre les pouvoirs coutumiers et les responsables locaux de la dynamique Cadef ont placé ceux-ci dans une situation difficile vis-à-vis des villages voisins lorsqu'il s'est agi de négocier l'installation du barrage. Ensuite, les décisions d'ouverture et de fermeture ont provoqué une tension persistante entre les différentes communautés jusqu'à la destruction du barrage en 1994.

Dans le cas de Suelle, les antagonismes sont essentiellement internes à propos de l'aménagement, bien que ce village ait une réputation de village guerrier et agressif vis-à-vis des villages environnants. La faiblesse relative de l'emprise du Cadef est liée à la prégnance de conflits plus ou moins anciens d'origines diverses. Ses marges de manœuvre sont forcément réduites.

Conclusion : sociologie politique d'une action de développement

La dynamique d'organisation intervillageoise représentée par le Cadef repose sur une alliance politique forte entre de jeunes leaders de retour dans le Fogny, les responsables de certains lignages et les femmes organisées au niveau des quartiers. Au début, cette alliance politique entre plusieurs composantes de la société trouve ses racines dans une vieille opposition politique au parti alors dominant, ce qui formera la base du recrutement des premiers groupements adhérents au Cadef.

Cette dynamique compose avec des contradictions profondes au sein de la société locale traversée par d'importantes inégalités de statuts et de conditions sociales qui contrastent avec l'égalitarisme habituellement attribué aux populations de la région. Elle n'en constitue pas moins un exemple d'action collective requérant des différents acteurs un minimum de coopération pour atteindre une finalité commune – l'amélioration des processus de développement – ; cette finalité ne faisant pas disparaître les motivations individuelles et catégorielles des acteurs du mouvement.

Au-delà des différences que les trois exemples ont permis de mettre en évidence concernant l'implication des pouvoirs coutumiers dans les dynamiques d'aménagement, les actions en matière de gestion des ressources renouvelables ont pu être engagées par l'organisation paysanne pour trois raisons principales :

– le groupe des fondateurs a su gérer sa réinsertion dans le milieu de manière politique tant vis-à-vis du pouvoir à Dakar, avec lequel une alliance tactique a été conclue, que par rapport à des pouvoirs coutumiers dans leur ensemble à l'échelle de l'arrondissement avec lesquels un compromis a été négocié ;

– l'organisation associative a rapidement démontré une bonne capacité de coordination avec des acteurs extérieurs qui ont contribué à renforcer ses capacités de réflexion et d'action ainsi que sa légitimité vis-à-vis des populations en construisant conjointement et en étroite concertation avec elles un projet d'action collective mobilisateur.

– enfin, le projet global, défini de manière concertée et accepté par les différentes composantes de la société, sera mis en œuvre par l'organisation avec l'aval des pouvoirs coutumiers.

Pendant plusieurs années, les actions de l'organisation renforcent les stratégies individuelles des différentes catégories d'acteurs mobilisées : les femmes, dont la situation en tant que rizicultrices s'améliore, les jeunes animateurs, qui acquièrent de nouvelles compétences et une reconnaissance sociale certaine, et les fondateurs, dont le pouvoir et la notabilité sont rehaussés.

En ce qui concerne les situations d'aménagement, l'articulation forte entre dynamique d'aménagement et amélioration des itinéraires agricoles est à mettre au crédit de la mise en place par l'organisation d'une structure de concertation ouverte à des catégories sociales dominées chargées de gérer la nouvelle ressource commune créée par le barrage. Dans les cas des bas-fonds, le pouvoir coutumier va se trouver plus ou moins associé à l'établissement de nouvelles modalités de gestion de l'inondation alors qu'il constitue le facteur essentiel de réussite ou d'échec des entreprises d'aménagement. Ce facteur déterminant se combine à la plus ou moins grande capacité d'intervention du Cadef tant au plan technique qu'en matière d'animation.

La position prééminente dans la relation contractuelle assure au Cadef une maîtrise des changements qui ne pourront pas se faire sans son aval.

Vis-à-vis des partenaires extérieurs, la coordination avec le Cadef a pris la forme d'un contrat dans lequel l'association dispose d'une voix prépondérante en cas de désaccord. Cette position prééminente dans la relation contractuelle assure à l'organisation une maîtrise des changements qui ne pourront pas se faire sans son aval. Cela constitue sans conteste une rupture radicale avec les formes d'intervention passées, participatives ou hiérarchiques. Dans cette coordination avec l'extérieur, le Cadef va privilégier la formation à tous les échelons de l'organisation, ce qui permet également de rompre partiellement mais de manière déjà significative avec la pérennité de l'asymétrie de savoir et donc de pouvoir.

Conditions, portée et limites de l'action collective

Partie 4

L'analyse de la gestion des ressources renouvelables est abordée en terme d'économie institutionnelle. Le Cadef est mis en perspective dans son rôle de négociation et d'intermédiation au sein des sociétés locales, à l'échelon des villages. Sa capacité à intervenir pour modifier la gestion de ressources renouvelables dépend certes de son articulation avec les pouvoirs locaux, mais aussi du statut de ces ressources, de leurs caractéristiques spécifiques et des modes d'appropriation qui régissent leur utilisation.

Bien qu'intervenant le plus souvent dans d'autres domaines, une organisation paysanne peut être en mesure de jouer un rôle pour améliorer le potentiel productif des ressources renouvelables et leur usage agricole. Cette action collective est un processus complexe qui repose sur la capacité de l'organisation à négocier avec des acteurs multiples et à modifier les coordinations internes et externes entre ces acteurs.

Sur le plan interne, la capacité des organisations paysannes à intervenir dépend de leur positionnement par rapport à la configuration des pouvoirs locaux. Leur capacité de négociation détermine les compromis possibles avec les responsables des structures lignagères qui régissent l'utilisation des ressources renouvelables. Ces relations entre l'organisation paysanne et les structures lignagères sont extrêmement variables au sein d'une petite région. De la cohérence entre les structures lignagères et les formes nouvelles d'organisation dépendent les possibilités d'intervention technique dans le domaine des ressources renouvelables. Les capacités d'action de l'organisation renvoient également à sa capacité à réduire l'asymétrie avec les autres acteurs et à mobiliser les ressources techniques (information, formation, organisation) et matérielles pour ce faire.

Les modes de coordination s'établissent autour de l'organisation paysanne vis-à-vis de la société locale d'une part et entre cette organisation, la société locale et les autres acteurs du développement d'autre part.

Les compromis et leurs limites

Les ressources en économie institutionnelle

Les capacités d'action de l'organisation paysanne renvoient également à la capacité de celle-ci à réduire l'asymétrie avec les autres acteurs.

Dans les vallées aménagées par le Cadef, les digues et les barrages constituent un bien dont le statut se situe entre un bien collectif et un bien public. Il présente les caractéristiques d'un bien collectif car il résulte de l'action collective d'une partie de la population, mais il est réalisé au profit de l'ensemble des familles qui possèdent ou utilisent des terres de rizière dans la vallée, que ces familles fassent ou non partie du Cadef ou des quartiers qui relèvent de l'action de l'association. En cela, il peut être assimilé à un bien public.

La ressource en eau créée par le barrage peut être considérée comme une ressource en propriété commune *(res communes)* et ne peut être confondue avec l'absence de propriété *(res nullius)* (Ciriacy-Wantrup et Bishop, 1975). Cette ressource donne lieu à des usages multiples et interdépendants. Sa valorisation suppose la création de règles collectives de gestion qui impliquent, pour être efficaces, de nouvelles pratiques agricoles individuelles dont l'application doit être coordonnée collectivement.

Les modes d'appropriation des ressources

Le concept de mode d'appropriation des ressources permet de préciser les formes de régulation qui régissent les ressources renouvelables mobilisées pour l'activité agricole, en fonction de leur nature. Nous nous trouvons face à un cas singulier de différence entre les ressources communes et les droits qui y sont attachés : avoir des ressources en propriété commune ne signifie pas nécessairement que les droits d'usage au sein de la communauté des co-détenteurs de ces droits ou des usagers autorisés soient distribués de manière égalitaire (CIRIACY-WANTRUP et BISHOP, 1975).

La ressource en propriété commune créée par l'action collective va impliquer dans sa gestion des acteurs dont les droits lignagers sur les ressources sont répartis de manière inégalitaire (entre les lignages en fonction de l'ordre d'arrivée) et des acteurs n'ayant sur les ressources que des droits d'usages (les chefs de famille ou de ménage), voire seulement le droit d'y travailler pour le compte du ménage (les femmes dans les zones où elles sont responsables du travail dans les rizières).

Plusieurs composantes entrent dans la définition de la notion de « mode d'appropriation des ressources » : (I) les représentations, (II) les usages, (III) les modalités d'accès et de contrôle de cet accès aux ressources, (IV) les modalités de transfert des ressources ou des produits tirés de l'exploitation de ces ressources, (V) les modalités de répartition des ressources, des droits sur ces ressources, ou des fruits de ces ressources (WEBER, 1993).

Les terres de rizière

Sur l'ensemble de la zone d'intervention du Cadef – y compris sur la partie est, où se situe la vallée de Bougoutoub –, la riziculture est une composante culturelle très forte de l'identité des populations. Les rizières sont très précisément appropriées par les lignages et les familles selon un parcellaire finement délimité matérialisé par les diguettes de séparation.

Les parcelles de rizière sont cultivées en culture continue. D'un point de vue symbolique, la rizière constitue une composante fondamentale de l'identité locale, ce qui est à mettre en relation avec son rôle comme base des unités de production familiales.

Les modalités de contrôle et d'accès aux terres de vallées dépendent étroitement du cycle de vie des hommes et sont régulées par les aînés des familles avec le recours aux anciens du quartier, voire du village en cas de litige. Les rizières sont affectées aux hommes par le père ou l'oncle paternel si celui-ci est décédé au moment du mariage (qui ne peut avoir lieu qu'après l'initiation), le mari confiant alors la responsabilité de

Des rizières et des palmiers mis en valeur par des hommes et des femmes (Baga, Thionck Essyl).

l'exploitation des rizières à sa femme dans les zones où la division du travail s'opère par sexe, ailleurs ils l'exploitent conjointement.

Les allochtones ont également accès aux terres de rizières et la pérennité de leur installation dépend du respect des règles collectives et de leur intégration sociale au quartier. Des informations précises manquent concernant les sanctions et les possibilités d'exclusion d'accès aux terres de rizières ; ces pratiques ne sont pas facilement évoquées.

Les terres de plateau et de versant

Les terres sont également appropriées par les familles mais elles sont gérées « collectivement » par les chefs de famille avec le concours des anciens. À l'approche de chaque hivernage, le terroir est divisé entre les terres de culture et celles consacrées à la pâture du bétail. Au sein des terres de culture, la répartition se fait ensuite entre les familles et les ménages. Au niveau de chaque famille ou ménage, les parcelles de plateau ou de versant sont cultivées sous la responsabilité des hommes qui en contrôlent le produit, soit individuellement en tant que chefs de ménage, soit de manière centralisée dans le cas où les ménages sont dépendants d'un chef de famille.

Les zones de culture ne sont donc pas identiques d'une année à l'autre ; au début de chaque hivernage, l'assemblée des chefs de famille décide la répartition des terres ; les troupeaux sont sous le contrôle des chefs de famille, même si la propriété des animaux se répartit entre chefs de famille, ménages dépendants et femmes.

Le développement de l'arachide et des cultures pluviales est lié à la dynamique de mécanisation, surtout dans les zones orientales du département. La mécanisation est contrôlée par les hommes qui donnent la priorité aux cultures pluviales sur les plateaux et les versants quel que soit le type de division du travail. Sur les plateaux et les versants, les chefs de famille et les anciens ont attribué de manière plus ou moins précaire des terres pour installer des blocs maraîchers ; c'est le seul endroit où les femmes ont un accès aux ressources foncières sur les plateaux. Cet accès dépend uniquement de leur adhésion au groupement du quartier ou du village. L'attribution demeure précaire ; elle est réglée dans le cadre coutumier par les anciens qui interviennent en cas de litige avec la famille qui a concédé ses terres au groupement.

Conflits d'usage d'une ressource commune

Les usages potentiellement concurrentiels de la ressource en propriété commune créée par les barrages découlent des formes d'organisation du travail au sein des unités de production et des conditions générales de production. Ces usages concurrentiels de l'eau retenue par le barrage se manifestent par :

– l'impossibilité à court terme de dessaler les terres par le lessivage (évacuation des eaux pour éliminer les sels dissous) et d'utiliser l'eau de manière satisfaisante pour tous les riziculteurs afin de sécuriser le cycle du riz dans les premières années (un à trois ans sont nécessaires pour obtenir un dessalement des sols selon le niveau de dégradation lié à la salinité) ;

– l'impossibilité en régime d'utilisation courante de satisfaire de manière indépendante les usagers, « propriétaires » ou non, situés le long de l'axe de la vallée en fonction de l'évolution respective de l'inondation et des mises en culture ;

– l'impossibilité en début d'hivernage d'utiliser les vallées pour le pâturage et l'abreuvement du bétail sans entrer en conflit avec la conduite de la culture du riz qui implique de mettre en culture rapidement, notamment les zones les plus profondes et proches du barrage.

En ce qui concerne l'eau retenue par le barrage, il ne s'agit pas d'une ressource à consommation conjointe qui caractérise le bien public « idéal-typique ». La capacité d'exclusion de l'usage de ce bien dépend directement des lignages dont relèvent les terres de rizières. Elle est donc sous le contrôle des anciens.

Pour SCHMID (1972), le type de conflit de rareté sur lequel débouchent les usages concurrentiels d'une ressource est régulé par le facteur « propriété » qui définit qui peut participer à la décision d'utiliser une ressource et qui en est exclu. Cette conception est élargie ici en faisant intervenir les modalités de prise de décision dans la société locale et la manière dont l'organisation paysanne permet ou non de les faire évoluer.

En zone de conflit foncier latent, la meilleure des techniques demeure inefficace.

Niveaux de prise de décision sur la ressource commune

Ciriacy-Wantrup (1971) distingue trois niveaux de prise de décision concernant les ressources naturelles renouvelables : les niveaux opérationnel, institutionnel et politique. Elle insiste en outre sur la capacité à gérer des situations changeantes dont doivent faire preuve les institutions hydrauliques, capacité qui lui apparaît primordiale par rapport à la seule recherche de l'efficacité économique (Ciriacy-Wantrup, 1967).

Dans la vallée de Bougoutoub, deux niveaux de décision correspondent aux comités de gestion de barrage et au comité de coordination. Ces structures spécifiques ne se confondent pas avec les groupements de quartier ou de village. Leurs fonctions sont définies précisément. Les comités de gestion opèrent à l'échelon d'un barrage et prennent des décisions à très court terme permettant de réguler les usages individuels de l'eau par les rizicultrices. Le comité de coordination coordonne la gestion globale des trois barrages de la vallée.

Sur un plan individuel, l'exploitant de la parcelle décide de ses pratiques culturales en fonction de l'eau rendue disponible du fait de la décision collective et des contraintes globales de l'unité familiale de production.

Le comité de coordination opère dans toute la vallée et assume des fonctions à dominantes opérationnelle, institutionnelle et politique ; ces dernières sont primordiales car elles constituent la légitimation sociale des actions des comités de gestion.

Les deux comités ont des fonctions économiques. D'abord, il s'agit de réhabiliter l'outil de production que constituent les sols de rizières en favorisant à la fois le dessalement et la pratique de la riziculture durant les premières années de mise en service du barrage. Une seconde fonction consiste à réduire l'incertitude qui découle du déroulement aléatoire de l'hivernage. Les décisions prises en matière d'ouverture et de fermeture du barrage doivent permettre de satisfaire de manière consensuelle des intérêts contradictoires entre rizicultrices qui résultent des situations de leurs parcelles dans la vallée. Ces choix sont aussi dépendants de la perception des probabilités de déroulement de l'hivernage : non seulement, il est difficile de prévoir le moment de l'établissement de conditions d'inondation données, mais c'est l'occurrence même de ces conditions qui se révèle toujours être profondément incertaine. Aux incertitudes imposées par les aléas de l'hivernage s'ajoutent celles tenant aux réactions de certains acteurs qui peuvent intervenir clandestinement sur l'ouverture et la fermeture en échappant aux contrôles.

La distinction entre les comités de gestion et le comité de coordination est claire d'après la composition de ces comités (cf. supra). Le comité de coordination représente bien l'instance politique. Les « gens qui comptent » dans le village (et au-delà), quelle que soit l'origine de cette reconnaissance sociale, y sont représentés. Ce n'est pas le cas des comités de gestion.

Les droits relatifs à la ressource commune

En reprenant la classification proposée par SCHLAGER et OSTROM (1992) des ressources en propriété commune, des droits dits opérationnels se distinguent de droits relevant de choix collectifs.

Les premiers comprennent deux types de droits : les droits d'accès déterminent qui peut entrer dans le domaine des ressources en propriété commune et les droits de collecte régissent l'exploitation des produits de la ressource en propriété commune. En Basse Casamance, ces droits opérationnels sont déterminés par la structure sociale, les droits de culture étant régulés par les institutions coutumières.

Les droits collectifs déterminent les modalités d'exercice des droits opérationnels et concernent respectivement :

– les droits de gestion (management) : droits de réguler les modes d'usage et de transformer la ressource en procédant à des aménagements. « Les individus qui possèdent ces droits ont la possibilité de définir des droits de collecte des produits de la ressource, c'est-à-dire de déterminer de quelle manière, quand, comment et où la collecte des produits de la ressource pourra se dérouler et de l'opportunité et des modalités de transformation éventuelle de la structure de la ressource. »

– les droits d'exclusion : droits de déterminer qui va pouvoir accéder à la ressource et selon quelles modalités ce droit pourra être transféré ;

– les droits d'aliénation : droits de vendre ou de louer *(lease)* l'un ou les deux droits collectifs de gestion et d'exclusion.

Dans les aménagements autour des barrages, les droits de gestion jouent un rôle déterminant. Plutôt que de droits d'exclusion, il conviendrait de parler des modalités de sanction qu'il est difficile d'appréhender, mais qui font intervenir les autorités coutumières. Les droits d'aliénation n'interviennent pas car les droits collectifs ne passent pas par la sphère du marché, l'accès à ces droits se faisant par le biais des rapports sociaux (héritages, mariages...).

Les acteurs des droits sur la ressource commune

Il convient de distinguer les acteurs qui détiennent les droits autorisant la transformation de la ressource (prise de décision concernant la construction du barrage et affectation du foncier à cet effet) et ceux qui interviennent dans la définition et la légitimation sociale des nouvelles règles qui régissent l'utilisation de la nouvelle ressource en propriété commune.

Les autorités coutumières détiennent les droits autorisant la transformation de la ressource ; c'est donc à leur niveau que se prennent les décisions concernant le principe de la construction du barrage et son emplacement. Les règles régissant l'utilisation de la nouvelle ressource en propriété commune se négocient entre, d'une part, le Cadef en fonction de paramètres techniques de régulation des niveaux d'inondation et, d'autre part, les institutions coutumières qui s'engagent à garantir l'application de ces règles. Par leur composition, les comités de gestion admettent que participent à ces instances de régulation les jeunes chefs de ménage et les femmes mariées, deux catégories n'ayant habituellement pas voix au chapitre dans les processus de prise de décision.

L'histoire et les formes spécifiques de la structuration sociale dans le Fogny rendent compte des inégalités marquées entre acteurs au regard des ressources renouvelables.

L'histoire et les formes spécifiques de la structuration sociale dans le Fogny rendent compte des inégalités marquées entre acteurs au regard des ressources renouvelables. La légitimité sociale en matière de ressources naturelles s'est construite historiquement ; elle se fonde sur l'antériorité de l'installation des familles et sur le type de relation qui s'est instauré avec le premier installé. Le pouvoir conféré par la pratique du rituel de l'initiation peut se confondre plus ou moins avec le pouvoir précédent, sans que cela constitue une règle générale ; dans les sociétés de Basse Casamance, l'initiation reste le moment déterminant de la vie d'un homme, qui accède par cette cérémonie à l'âge social d'adulte ; il peut alors se marier, il accède par la voie paternelle au foncier et il acquiert le droit à la parole dans les assemblées coutumières.

Le pouvoir dans les sociétés de Basse Casamance repose sur l'âge, caractéristique d'une société lignagère où les aînés disposent du pouvoir de décision dans les affaires familiales, notamment les questions foncières et les modes d'appropriation des ressources. Il repose également sur les distinctions de genre, car les femmes sont exclues des prises de décision.

À ces formes de pouvoir fondées sur la structuration sociale et qui reposent sur la prééminence foncière des premiers arrivants se combinent des formes de pouvoir découlant de la « notabilité » des individus. Cette notabilité peut avoir plusieurs origines, confondues ou non avec les précédentes : administrative, politique, religieuse non animiste (iman), économique et politique, associative.

La position du Cadef par rapport aux pouvoirs locaux émanant de l'organisation sociale détermine dans une large mesure la marge de manœuvre de l'association dans les négociations à propos des ressources naturelles renouvelables.

Organisation paysanne et pouvoirs coutumiers dans la gestion des ressources renouvelables

La comparaison de trois aménagements autour de barrages a impliqué plusieurs échelles géographiques et la prise en compte de dimensions complémentaires : historique, socio-politique, organisationnelle et technique.

L'organisation paysanne, entre logiques lignagères et adhésions politiques

L'histoire du peuplement met en évidence, dans le cas de Bougoutoub, une forte cohésion sociale entre les unités lignagères qui se manifeste également par la vivacité des formes coutumières d'organisation par classes d'âge. À l'inverse, le passé troublé de Suelle est nettement

L'expérience montre que quelle que soit par ailleurs la représentativité des structures locales de l'organisation paysanne, ce sont les conditions socio-politiques de son insertion dans le jeu des pouvoirs locaux qui sont réellement déterminantes.

perceptible et sert de substrat au durcissement de clivages actuels sur des bases renouvelées, en l'occurrence d'essence politique. Ces bases conflictuelles interfèrent et interagissent à leur tour avec les dynamiques des organisations paysannes, qui tout à la fois les utilisent et en sont les instruments dans le champ spécifique du développement. À Suelle, l'organisation paysanne n'a pas été en mesure de résoudre cette question au plan politique. À Diagong, le décalage entre les pouvoirs lignagers et les responsables locaux du Cadef (groupement et comité de gestion du barrage) rend compte de la faiblesse de la coordination avec les villages voisins.

L'expérience montre que quelle que soit par ailleurs la représentativité des structures locales de l'organisation paysanne ce sont les conditions socio-politiques de son insertion dans le jeu des pouvoirs locaux qui sont réellement déterminantes. À Suelle par exemple, la représentativité des personnes qui composent le comité de gestion du barrage n'est pas reconnue par tous les quartiers.

L'organisation paysanne n'est pas réductible au prolongement des structures lignagères. Ainsi, les réseaux historiques qui permettent de reconstituer la dynamique d'adhésion au Cadef ne correspondent pas à des réseaux lignagers spécifiques qui permettraient d'assimiler l'organisation paysanne au prolongement de structures lignagères. On peut même affirmer que dans le cas du Cadef, les dynamiques lignagères ou d'alliances matrimoniales interviennent de manière secondaire dans la structuration socio-politique de l'organisation et que la dimension politique est prépondérante pour en saisir la rationalité.

Les réseaux dominants qui se trouvaient à l'origine du Cadef relèvent d'une action politique militante fortement enracinée dont étaient porteurs certains des leaders historiques de l'association. Ensuite, la création officielle de l'association et le développement de ses activités ont impliqué un engagement politique plus conjoncturel en faveur du parti alors au pouvoir. D'autres réseaux plus directement orientés sur le développement sont aussi intervenus dans la structuration du Cadef.

Ces compromis ne sont pas sans conséquence au niveau local, du fait notamment de l'enracinement des différents partis politiques et du caractère fortement dispersé des adhésions (il est rare que tous les quartiers d'un village se reconnaissent dans le même parti politique).

L'association n'étant pas assimilable au prolongement direct de structures lignagères, l'intervention du Cadef dans son arrondissement (Sindian) est soumise à un intense processus de négociation avec les autorités coutumières. *A fortiori*, par la suite, toute intervention en matière de gestion des ressources renouvelables se traduira nécessairement par une recherche de compromis avec les détenteurs des pouvoirs coutumiers (les anciens et les aînés). De ces compromis et de l'insertion effective de l'organisation paysanne dans le jeu des pouvoirs coutumier et socio-politique locaux dépendront ses capacités effectives d'intervention.

Une alliance entre des acteurs dominés

L'organisation paysanne favorise l'expression de stratégies collectives d'acteurs sociaux dominés. Les sociétés de Basse Casamance – souvent présentées comme égalitaires – reposent en fait sur des inégalités très prégnantes qui structurent fortement le champ des pouvoirs et déterminent dans une large mesure le domaine du « possible », tant individuellement que collectivement.

Les sociétés de Basse Casamance – souvent présentées comme égalitaires – reposent en fait sur des inégalités très prégnantes qui structurent fortement le champ des pouvoirs et déterminent dans une large mesure le domaine du « possible ».

L'organisation paysanne joue le rôle de médiateur dans une situation *a priori* bloquée. En effet, les capacités d'initiative et d'action des femmes et des cadets restent dépendantes de l'adhésion des anciens et des détenteurs des pouvoirs coutumiers au projet dont ils sont porteurs. Les aînés et chefs de famille n'ont pas fait la preuve, par le passé, de compétences qui auraient permis à la société de surmonter des crises successives. Mais ils disposent cependant d'une capacité de blocage particulièrement efficace que l'organisation paysanne a su prendre en compte explicitement dans sa structuration et son mode de fonctionnement.

Certains anciens, des hommes plus jeunes et d'une manière générale les femmes ont noué une alliance objective sur la nécessité pour la société locale de se doter d'un outil – l'organisation paysanne – qui permette « d'aller interroger l'extérieur » sur les voies et les moyens d'apporter des réponses techniques, économiques et sociales à la situation de crise persistante que connaît la Casamance. Les réponses apportées en matière de riziculture paraissent conforter la cohésion sociale des unités de production familiales : l'amélioration de la production de riz tend à limiter les dépenses du responsable d'unité, qui peut ainsi disposer d'une plus grande autonomie dans l'affectation des ressources tirées de la vente des arachides ; une riziculture réhabilitée tend à revaloriser la place économique et sociale des femmes eu égard à leurs responsabilités agricoles au sein de l'unité de production ; elle tend également à réduire la pression économique sur les revenus monétaires des femmes (maraîchage, artisanat...), dégageant ainsi de nouvelles marges d'initiatives.

En même temps émergent de nouvelles possibilités d'expression et de participation aux prises de décision concernant les règles et modalités de gestion des ressources renouvelables pour des catégories n'ayant habituellement pas la possibilité de faire valoir leurs intérêts de manière collective. Si des actions ont pu être développées en matière de réhabilitation de la riziculture, cela est à mettre au crédit des dynamiques féminines. Les femmes revendiquent en fait bien plus que leur rôle déterminant en matière de rénovation des itinéraires techniques rizicoles, elles ont clairement conscience d'être l'élément moteur de l'association.

Évolution du mode d'appropriation des ressources renouvelables

Les femmes revendiquent bien plus que leur rôle déterminant en matière de rénovation des itinéraires techniques rizicoles, elles ont clairement conscience d'être l'élément moteur de l'association.

L'organisation paysanne joue un rôle non négligeable dans l'évolution des modes d'appropriation des ressources renouvelables à travers la mobilisation des catégories sociales dominées.

Les groupements constitués autour des blocs maraîchers représentent le premier niveau où se matérialise une amorce de changement dans les modes d'appropriation des ressources. Ce changement concerne les modalités d'accès au foncier, y compris les ressources en eau pour l'irrigation. Les revenus des productions maraîchères sont exclusivement contrôlés par les femmes. Cette situation reste précaire car l'exploitation de ces ressources foncières peut être remise en cause soit par la dégradation des conditions économiques, soit par les détenteurs du pouvoir foncier qui ont la possibilité de retirer du jour au lendemain les terres concédées.

Sur les terres de rizières, les actions entreprises par le Cadef ne modifient apparemment pas les représentations et les usages relatifs à ces ressources mobilisées pour la production agricole. Pourtant, les cadres de concertation que constituent les groupements et surtout les comités de gestion, lorsqu'ils fonctionnent, sont utilisés par les femmes pour accroître leur influence sur les modalités d'utilisation des ressources. Le contrôle de l'usage de ces ressources conditionne la valorisation du travail fourni par les femmes dans les rizières.

Sur les terres de plateau exploitées par les hommes en culture pluviale, l'action de l'organisation paysanne ne modifie en rien les modes d'appropriation des ressources. Ces mises en cultures itinérantes, décidées collectivement par les aînés, ne favorisent pas la mise en œuvre de stratégies d'amélioration du milieu. Il semble bien que le bétail et sa conduite soient au cœur des processus de prise de décision des aînés et responsables familiaux sur ce type de terroir, mais aussi sur les rizières aménagées. Le bétail géré par les aînés chefs de famille constitue en effet une référence bien plus significative que les cultures, comme en témoignent les difficultés rencontrées par les femmes pour exclure le bétail des rizières aménagées en début d'hivernage, alors qu'il s'agit d'une condition impérative de valorisation des barrages.

Le manque de références techniques disponibles en matière d'aménagement des versants et des plateaux est certainement un facteur explicatif non négligeable ; cependant, il demeure partiel et secondaire au regard de l'importance croissante des zones de pâturage, multipliées par deux en trente ans, et du poids économique et social du bétail dans les stratégies des familles régies par les anciens et les chefs de familles. En effet, les superficies consacrées aux « grandes cultures » ont régressé de moitié au niveau du département depuis les années 1960, ce qui a eu pour effet de libérer environ 40 000 ha pour le pâturage.

L'importance du bétail apparaît constamment dans les écrits consacrés aux sociétés dites diola de Basse Casamance, mais l'accent a été mis par de nombreux travaux sur les rizières dont les aménagements de mangrove ont retenu l'attention des observateurs pour leurs qualités techniques. Cependant, dans les sources historiques, l'équivalence riz-bétail est mentionnée de manière récurrente sans que soit accordée une importance équivalente à l'étude des dynamiques sociales et économiques propres au bétail.

Or, les troupeaux sont maintenant le centre du système de production et conditionnent les possibilités concrètes d'initiative en matière de gestion des ressources renouvelables. Comprendre les logiques sociales et économiques liées aux troupeaux et la rationalité de l'usage de l'espace par le bétail est une condition de l'amélioration collective de la gestion des ressources renouvelables dans la région.

Les troupeaux sont maintenant le centre du système de production et conditionnent les possibilités concrètes d'initiative en matière de gestion des ressources renouvelables.

Rôle des anciens et des autorités coutumières

Si les relations politiques ont constitué l'ossature principale du réseau des premiers recrutements de groupements, les relations lignagères des fondateurs du Cadef ont servi de base pour amorcer les négociations avec les anciens et les autorités coutumières.

Pour l'association, cette stratégie était concrétisée par la création d'un « Comité des Sages » composé d'anciens reconnus par la société locale. Ce comité était consulté en principe sur les grandes décisions engageant l'organisation. L'autorité de ses membres vient certes de leur âge mais aussi de la combinaison plus ou moins complexe de plusieurs légitimités : appartenance à un lignage dominant, rôle politique au niveau local, responsabilité coutumière ou religieuse (iman)... Cette prise en compte explicite et cette association formelle de l'autorité des anciens au processus de prise de décision a rendu possible l'insertion du Cadef dans la société du Fogny.

La crise des années 1995-1998 traversée par l'organisation qui s'est traduite notamment par une relative mise à l'écart de ce groupe par une partie des « nouveaux leaders » a remis en cause le compromis initial et impose une refondation pour éviter de bloquer le processus.

Au niveau des groupements, la prise en compte des pouvoirs coutumiers apparaît diversement formalisée. Dans certains cas, des anciens ou des notables influents proches des anciens sont associés au groupement mais avec des responsabilités réduites et essentiellement des fonctions de conseillers.

Compte tenu de la situation socio-politique d'un village tel que Suelle, profondément marqué par des clivages d'origines diverses, il n'est pas surprenant de constater l'absence de participation des anciens à la vie des groupements, leur implication se limitant à une adhésion simple sans prise de responsabilité. La situation est comparable à Diagong, où les anciens, représentants des détenteurs des pouvoirs coutumiers, observent une stricte neutralité par rapport au groupement. Bougoutoub est là encore différent, car les anciens et certains notables, proches des anciens, occupent des postes de conseillers au bureau du groupement et sont ainsi associés à son fonctionnement.

La construction d'un barrage, en modifiant profondément la logique de gestion de l'eau dans la vallée, suppose auparavant des accords entre responsables de quartiers (les anciens et les chefs de familles). Le choix du site sur lequel sera édifié le barrage implique de soustraire des terres de rizière au lignage qui en est propriétaire. Cela signifiera éventuellement des compensations qui devront être trouvées entre les familles concernées. Ce type de négociation et de prise de décision intervient au niveau des autorités coutumières et requiert leur entière adhésion.

Ainsi, même si l'organisation paysanne contribue à faire évoluer les modes d'appropriation des ressources renouvelables, les changements envisagés dépendent de l'accord des autorités coutumières. Or, l'organisation paysanne n'est pas toujours en mesure de négocier ces accords avec les tenants du pouvoir coutumier.

Nouvelles instances de concertation et de décision

Les modes de régulation de l'usage de la ressource en propriété commune ne sont pas strictement assimilables à ceux en vigueur pour l'ensemble des ressources. On peut même affirmer que les règles d'usage de l'eau mises en œuvre par l'organisation paysanne entrent partiellement en contradiction avec des usages définis.

Les règles d'usage de l'eau mises en œuvre par l'organisation paysanne entrent partiellement en contradiction avec des usages définis.

Les comités de gestion se situent dans le domaine strictement opérationnel que CIRIACY-WANTRUP (1971) distingue des niveaux institutionnels et politiques. Ces comités jouent un rôle déterminant dans la gestion à court terme de l'incertitude technique, mais ils sont aussi des lieux de prise de parole par les femmes et les cadets.

Les décisions d'ouverture et de fermeture des ouvrages n'ont d'efficacité pour les rizicultrices que si elles disposent de repères techniques permettant d'adapter leurs pratiques à ces conditions d'inondation. En matière de régulation de la circulation du bétail, ces comités ne sont pas habilités à prendre des décisions par eux-mêmes, mais ils constituent des instances de concertation qui permettent de peser sur les pouvoirs coutumiers. L'intérêt des comités de gestion réside dans la participation active des femmes qui trouvent là un moyen d'expression de leurs revendications.

Dans la vallée de Bougoutoub, la composition même des comités de gestion traduit l'orientation opérationnelle très marquée de leurs attributions. Des personnalités importantes de la société y sont représentées, mais la priorité est donnée à des cadets sur la base de critères privilégiant la dimension technique au sens large. Les gens cooptés dans les comités de gestion correspondent en général à une classe d'âge ou génération intermédiaire entre les chefs de famille et les anciens d'une part et les plus jeunes d'autre part. Ce sont généralement des gens qui jouent un rôle dans les activités collectives concernant l'ensemble du village (foyer des jeunes, « Jeunesse »...). De même, les femmes qui sont membres de ces comités ne représentent pas les plus reconnues au plan social, car elles n'appartiennent pas aux classes d'âge les plus élevées, mais leur choix repose sur des critères comparables à ceux utilisés pour les hommes. Des critères très opérationnels interviennent également, liés aux impératifs du contrôle des hauteurs d'eau : la proximité de la résidence par rapport au barrage joue un rôle important. En cas de forte pluie, il est indispensable que le comité soit informé rapidement et qu'il puisse éventuellement intervenir sans consulter l'ensemble des membres s'il y a une réelle urgence.

Les comités de gestion des barrages dans la vallée de Bougoutoub sont supervisés par un comité de coordination où sont représentées les diverses formes d'autorité villageoises : segments de lignage rattachés au lignage fondateur, responsables des cérémonies d'initiation, responsables politiques et élu au conseil rural, femmes exerçant des responsabilités coutumières et reconnues pour leur autorité morale... Ce comité de coordination correspond à une instance de nature institutionnelle et politique (CIRIACY-WANTRUP, 1971). Il rend des arbitrages entre les impératifs de cohésion sociale et de respect des normes et règles en matière de modes d'appropriation et les nécessités de l'action au plan technique pour permettre la valorisation des aménagements.

L'articulation entre les deux instances s'opère à travers la participation de certaines personnes aux deux types de comités. Les personnes qui assurent cette liaison présentent un profil particulier. Chez les hommes, ce sont des cadets sociaux choisis parmi les plus actifs et les plus dévoués dans les activités d'intérêt général au sein des quartiers et du village. Chez les femmes, au contraire, ces personnes se recrutent parmi les plus respectées du village (femmes appartenant aux classes d'âge les plus élevées et reconnues au sein des structures coutumières).

Les limites des instances de concertation et de prises de décision mises en œuvre par l'organisation paysanne se situent à plusieurs niveaux.

Nous avons vu que les comités de gestion ne sont pas efficaces lorsque l'organisation paysanne opère dans un environnement socio-politique conflictuel (cas de Suelle) ou lorsqu'elle se trouve en décalage avec les pouvoirs coutumiers légitimes en matière de gestion des ressources renouvelables (cas de Diagong). Dans les deux cas, pour des raisons diverses tenant à son histoire, l'organisation paysanne n'a pas été en mesure de négocier un compromis préalable avec les autres forces socio-politiques internes. De ce fait, les groupements comme les comités de gestion se sont trouvés dans des situations difficiles où ils ne pouvaient se prévaloir que d'une légitimité toute relative. D'autre part, des comités de gestion voient leur efficacité limitée par le défaut ou la faiblesse des recommandations techniques en matière de riziculture (cas de Diagong et de Suelle) pour valoriser à court terme et de manière individuelle la nouvelle ressource en propriété commune gérée collectivement.

L'organisation dans son ensemble a pâti de la faiblesse des recommandations techniques sur l'élevage, les cultures de plateau et leur intégration dans un cadre cohérent de pratiques collectives qui auraient permis une meilleure maîtrise des composantes du milieu physique (flux hydriques, érosion...).

Dynamiques d'innovation contrastées entre vallées et plateaux

L'action du Cadef n'a pas eu des résultats comparables sur les rizières et sur les plateaux consacrés aux cultures pluviales et à l'élevage.

L'action du Cadef n'a pas eu des résultats comparables sur les plateaux consacrés aux cultures pluviales et à l'élevage et sur les rizières. Deux éléments socio-culturels peuvent créer un contexte favorable à l'action collective :
– une pression sociale de la part d'une catégorie d'acteurs ayant intérêt dans le court terme à une amélioration durable des ressources renouvelables et qui ne suscite pas une opposition résolue de la part des responsables coutumiers ;
– une dimension culturelle et surtout socio-économique forte qui mobilise de manière différenciée les différentes catégories d'acteurs.

D'autres facteurs d'ordre technique et agronomique expliquent que l'action de développement porte sur les rizières :
– la coordination de l'organisation paysanne avec les partenaires extérieurs a permis la recomposition et l'appropriation par les producteurs d'un modèle technique cohérent à partir d'éléments thématiques hétérogènes ;
– les petits barrages ne sont pas inconnus dans le milieu depuis les expériences du Pidac, ils sont réappropriés par le Cadef dans le cadre d'une démarche de développement local où ils s'insèrent – avec l'aval des responsables coutumiers – dans les stratégies des groupes d'acteurs.
– les variétés à longueurs de paille et à cycles différents (pailles courtes à longues) qui vont permettre la pratique d'une riziculture adaptée aux nouvelles conditions d'inondation ne sont pas non plus inconnues des paysans.

Cette recomposition du modèle technique est rendue possible par le souci de l'organisation de renforcer ses capacités d'action à travers l'appropriation du message technique qui n'est plus élaboré de l'extérieur mais façonné progressivement dans le cadre d'une démarche participative et itérative. Il ne s'agit pas de participation formelle car elle se fonde sur le développement des capacités internes de l'organisation à tous les niveaux, contribuant ainsi à réduire l'asymétrie entre le Cadef et les intervenants extérieurs.

Les processus de changement dans les vallées offrent de nouvelles possibilités d'expression et de participation aux prises de décision concernant les règles et modalités de gestion des ressources renouvelables. En participant et en étant très actives dans les nouvelles instances de concertations (groupements ou comités de gestion des barrages), les femmes utilisent ces lieux pour que les innovations techniques impliquées par les nouvelles conditions d'inondation puissent être adoptées à l'échelle de la vallée. Elles se montrent particulièrement vigilantes sur la date de début de mise en culture, qui doit être la plus précoce possible en tenant compte de la nécessité de laver les sols et d'atteindre une certaine humidité permettant le labour manuel. Cette précocité des interventions est rendue indispensable par le caractère très aléatoire de la saison des pluies. Pour ce faire, elles font pression sur les comités de gestion des barrages pour obtenir l'arrêt de la divagation des troupeaux de bovins. Cela suppose qu'à leur tour, ces comités puissent être entendus des responsables des troupeaux qui sont généralement les chefs d'*eluup*. Si des actions ont pu être développées en matière de réhabilitation de la riziculture, cela est sans aucun doute à mettre au crédit des femmes.

Dans la dynamique d'aménagement des vallées, les changements induits se traduisent donc par un renforcement des rôles et fonctions de certains acteurs en accord avec les normes et valeurs locales.

Les anciens, notables et chefs d'*eluup,* trouvent dans ces aménagements, des raisons de renforcer leur pouvoir mis en péril par la situation de crise persistante et qui se traduisait par un moindre contrôle sur la main-d'œuvre (émigration massive des femmes et des jeunes). Cependant, ils se montrent soucieux que les changements portés par l'association soient négociés avec eux en respectant un certain formalisme.

En ce qui concerne les femmes, l'amélioration de la riziculture contribue à restaurer leur rôle de rizicultrices, pourvoyeuses de l'alimentation des greniers familiaux, en accord avec leur fonction sociale. La pratique de la

Les dynamiques globales d'aménagement des vallées reposent sur toutes les catégories d'acteurs.

riziculture dans de bonnes conditions de productivité évite à certaines femmes d'avoir recours à l'émigration pendant l'hivernage.

La faiblesse de l'intervention collective sur les terres de plateau tient également à des facteurs techniques et sociaux :

– sur les terres de plateau, les possibilités de recomposer un modèle technique à partir de références spécifiques se sont avérées fort limitées et les résultats du Cadef en matière de diffusion des techniques n'ont pas connu le même succès que dans les vallées ;

– les références techniques relativement classiques (type phytotechnie) sur l'arachide et sur le mil notamment ne prenaient pas en compte la gestion globale de l'écosystème cultivé (gestion des flux hydriques et de l'érosion à l'échelle du bassin versant). Ces références globales n'étaient pas disponibles au moment du projet et ont été élaborées dans d'autres situations agro-écologiques au Sénégal dans cette même période ;

Sur les terres de plateau et de versants, les intérêts des hommes entrent pour l'instant en contradiction avec les dynamiques possibles d'aménagement et de gestion agricole du terroir.

– sur les terres de plateau et de versants, les intérêts des hommes entrent pour l'instant en contradiction avec les dynamiques possibles d'aménagement et de gestion agricole du terroir. Il n'existe pas de force sociale comparable à celle des femmes dans les rizières qui soit suffisamment forte pour faire évoluer la situation actuelle ;

– l'importance économique récente de l'élevage s'ajoute à son rôle central dans la vie sociale, notamment dans les grandes cérémonies qui marquent les cycles de vie des familles (fête de l'initiation, mariage, décès). La faiblesse et le caractère fortement aléatoire des productions pluviales rendent compte du faible intérêt des détenteurs des pouvoirs lignagers pour des changements dans ce domaine. Dans ce contexte technique et climatique fortement aléatoire, l'attrait de l'élevage se trouve notablement renforcé et se traduit par les étendues croissantes qui lui sont consacrées. Il n'y a donc pas contradiction entre les stratégies des responsables de l'élevage qui se trouvent être également les détenteurs des pouvoirs coutumiers et la faiblesse des résultats du Cadef.

Conditions socio-politiques de l'action technique du Cadef

Les modalités d'intervention technique du Cadef doivent être resituées dans le cadre de l'évolution générale des modes d'intervention en matière de développement agricole. Les aménagements dans le département de Bignona fournissent une illustration particulièrement significative de ces évolutions. Les configurations institutionnelles observées à l'échelle du département présentent en effet un panorama complexe qui témoigne des différentes périodes de l'histoire récente du « développement » défini par « l'existence d'un processus institutionnalisé de changement social délibéré, contrôlé et planifié » (CHAUVEAU, 1992).

L'émergence et le renforcement des organisations paysannes au Sénégal montrent que la maîtrise de ce processus de changement social par les acteurs est au cœur des recompositions institutionnelles actuelles.

Depuis l'Indépendance, et en dépit des expériences de l'animation rurale très rapidement marginalisées en terme de moyens d'action, l'impulsion, le contrôle et la planification de ce « processus institutionnalisé de changement social » ont longtemps relevé des compétences éminentes de l'État. L'émergence et le renforcement des organisations paysannes au Sénégal montrent que la maîtrise de ce processus de changement social par les acteurs est au cœur des recompositions institutionnelles actuelles. Cette maîtrise du changement social passe par l'instauration de nouveaux modes de coordination entre les acteurs qui permettent de réduire l'asymétrie dans les relations de pouvoir. Les organisations paysannes du département de Bignona peuvent être considérées comme les instruments dont se dote la société locale pour réduire cette asymétrie et tenter de redéfinir ses relations avec les autres acteurs.

Si le rôle des organisations paysannes est bien de recomposer des relations moins défavorables entre la société locale et ses partenaires, cette entreprise est une construction difficile, tributaire de l'environnement économique, qui s'inscrit nécessairement dans la durée et suppose qu'un minimum de conditions soient remplies. En effet, si de nouveaux modes de coordination entre la société locale, les organisations paysannes et les autres acteurs émergent, ils le font dans un environnement dominé par des permanences où les situations de rupture demeurent encore marginales.

Maintien et renouvellement des situations d'asymétrie

Les conditions de « partenariat » étaient de fait imposées comme « allant de soi » et non négociables.

Dans le secteur agricole, les interventions ont longtemps reposé sur des modes de coordination supposant le maintien de relations de pouvoir asymétriques, quel que soit par ailleurs le type d'intervenant : ONG, projet parapublic... Cette asymétrie dans les relations de pouvoir se manifestait dans la mise en œuvre pratique des interventions. Les producteurs n'étaient pas en mesure de donner leur avis sur les propositions techniques en matière d'aménagement, les conditions de « partenariat » étaient de fait imposées comme « allant de soi » et non négociables.

En fait, l'absence de construction de capacités nouvelles au sein de la société locale explique dans une large mesure la permanence de ce type de relation dont s'accommodent fort bien les projets classiques, qui voient dans les organisations paysannes des concurrents directs. Elle satisfait également nombre d'ONG qui, en privilégiant une approche décentralisée et micro-locale relevant du « populisme développementiste » (Olivier de Sardan, 1990) évitent l'émergence d'interlocuteurs compétents qui pourraient remettre en cause plus ou moins profondément leur légitimité.

Des interventions plus récentes peuvent chercher auprès des organisations paysannes (Cadef, Cord) un relais pour la mise en œuvre de projets conçus largement en dehors d'elles. Les raisons en sont multiples. L'État s'étant désengagé, le mot d'ordre du « développement » est de privilégier les organisations paysannes comme interlocuteur. Cependant, ce type d'intervention correspond à un maintien renouvelé de l'asymétrie entre les acteurs, car l'objectif de ces interventions est avant tout fonctionnel : construire des aménagements et s'assurer de leur mise en œuvre par les populations, démontrer la pertinence de propositions techniques sur les cultures vivrières et diffuser du matériel à crédit. Les organisations paysannes se retrouvent en fait en position de prestataires de services (sous-traitance à moindre coût d'enquêtes, relevé de données...) auprès d'intervenants peu soucieux de renforcer leurs capacités. Elles se trouvent ainsi tiraillées entre la volonté collective de mieux peser sur les choix de développement et la nécessité pour leurs cadres et leurs animateurs de trouver les ressources nécessaires pour vivre au quotidien.

Des réductions partielles de l'asymétrie

On peut interpréter les ruptures introduites par le Cadef comme une tentative des forces du changement social de s'approprier le champ du développement.

En se situant dans le cadre de ce que CHAUVEAU (1992) qualifie « d'approche substantive du développement » qui présente l'intérêt de montrer que « le changement planifié qu'il prétend mettre en œuvre de manière rationnelle est surdéterminé par le changement social "hors du développement" », on peut interpréter les ruptures introduites par le Cadef comme une tentative des forces du changement social de s'approprier le champ du développement. Ces tentatives demeurent extrêmement fragiles ; elles sont le produit d'une amorce de changement social ; leur émergence n'est pas réductible à une réaction mécaniste de la société locale au vide institutionnel créé par le retrait de l'État. Cette rupture partielle s'est construite progressivement par l'instauration de rapports de force et parfois par le conflit, par le développement de capacités intrinsèques au niveau des organisations et par l'instauration de nouvelles formes de coordination entre les acteurs.

Le Cadef a été en mesure de réduire, dans une certaine mesure, l'asymétrie dans la situation de pouvoir qui caractérise la relation entre les paysans et les intervenants extérieurs. Cela s'est traduit par le développement de capacités intrinsèques d'initiative, d'organisation et de prise de décision collectives, mais également par le développement de compétences techniques et organisationnelles. Les acquis ont contribué au renforcement des capacités de négociation et de maîtrise des financements extérieurs.

L'expérience du Cadef montre l'intérêt déterminant de l'instauration d'une relation de partenariat contractualisée. Ce type d'accord donne à l'organisation paysanne un rôle prééminent dans le dispositif. Il a permis de faire progresser la capacité de l'organisation à assumer des

L'expérience du Cadef montre l'intérêt déterminant de l'instauration d'une relation de partenariat contractualisée.

responsabilités, se dégageant ainsi de relations paternalistes ou directement hiérarchiques. Il serait cependant illusoire de penser que le seul accord ou contrat entre acteurs rend compte de l'instauration de nouveaux modes de coordination.

Le rôle prééminent de l'organisation paysanne s'est traduit par une programmation globale des activités en fonction des priorités exprimées par les producteurs, ce qui est en rupture avec les interventions conventionnelles animées par leur propre rationalité. Ici, l'organisation paysanne ne peut être assimilée à un relais d'interventions définies de l'extérieur, qui se substituerait aux anciens appareils de vulgarisation devenus trop coûteux.

Cependant, pour que l'organisation paysanne puisse participer à l'instauration de nouveaux modes de coordination, un investissement important a été réalisé pour doter les animateurs et les responsables du Cadef de méthodes et d'outils adaptés. Le partenariat initial avec une ONG (le Ciepac) est essentiel à la compréhension de la dynamique d'organisation du Cadef ; il a permis de mobiliser des ressources extérieures orientées pour l'essentiel vers le renforcement de l'organisation.

L'organisation paysanne a joué un rôle de coordination entre les adhérents, sa propre vision des perspectives de développement local et les logiques des intervenants extérieurs. Comment, par exemple, concilier les exigences académiques de la recherche agricole avec un retour rapide de l'information aux producteurs engagés dans les expérimentations ? Comment rendre compatibles les exigences d'un bailleur de fonds en matière d'objectifs de développement avec celles d'une organisation paysanne en construction ? À plusieurs reprises, dans le fonctionnement quotidien du projet, l'organisation a dû composer avec des logiques souvent contradictoires ou partiellement compatibles dans un environnement particulièrement défavorable. Les tensions internes à l'organisation ont été accentuées par la pression exercée par les exigences liées à la programmation et au déroulement d'un projet pourtant négocié et contractualisé.

La création d'une innovation en partenariat

La capacité de l'organisation paysanne à recomposer un modèle technique adapté dans les vallées illustre de manière positive de nouveaux modes de coordination potentiels. L'organisation paysanne se trouve au cœur d'un processus d'innovation complexe où son rôle d'interface entre société locale et environnement économique est déterminant.

L'organisation paysanne permet ainsi de changer d'option en matière de recherche finalisée en cherchant à réduire les déficiences du milieu physique au lieu de s'y adapter.

Le modèle technique recomposé par l'organisation paysanne procède d'expériences et de références disparates que la démarche du Cadef a mises en cohérence avec les priorités des producteurs. L'adaptation de l'itinéraire technique s'est faite progressivement par la méthode essai/erreur et le dialogue permanent avec les producteurs à l'échelle d'une vallée permet la coordination entre gestion individuelle au niveau de la parcelle et gestion collective de la ressource en propriété commune. L'ensemble de ces actions, conduites avec un appui extérieur réduit, ponctuel mais régulier, repose sur la construction de capacités propres au niveau de l'organisation en matière d'animation, de programmation et de suivi-évaluation des activités.

La comparaison entre les vallées aménagées montre l'importance de cette capacité technique : elle est présente à Bougoutoub, où elle conforte la dynamique sociale autour du Cadef et de l'aménagement des vallées ; elle est en revanche plus faible sur les autres sites aménagés (Diagong et Suelle), ce qui a très certainement contribué à fragiliser une position déjà délicate au plan politique.

À l'inverse, la difficulté à recomposer un modèle technique pertinent sur les autres composantes des systèmes de production explique partiellement la faiblesse des réalisations de l'organisation paysanne sur les autres parties du terroir. La recherche en Basse Casamance a très peu travaillé sur les plateaux et les versants, et les équipes de recherche des années 1990 ne comportaient pas ces compétences. L'intégration entre l'impératif d'amélioration du milieu et la nécessaire adaptation des itinéraires techniques n'a donc pu se réaliser en plateaux.

La capacité de l'organisation paysanne à recomposer un modèle technique pertinent et adapté dans les vallées est liée à sa capacité à prendre en compte le coût monétaire du processus d'innovation en matière de riziculture, qui doit être le plus faible possible une fois le barrage construit. Dans la phase postérieure à la construction du barrage, les paramètres sur lesquels joue l'organisation paysanne n'impliquent pas de dépense monétaire de la part des producteurs.

L'organisation paysanne permet ainsi de changer d'option en matière de recherche finalisée en cherchant à réduire les déficiences du milieu physique au lieu de s'y adapter. L'action de l'organisation porte sur l'augmentation de la potentialité agricole du milieu.

Réduction de plusieurs incertitudes

L'action de l'organisation paysanne en matière de réduction de l'incertitude découle directement de la prise en compte des demandes des femmes en tant que rizicultrices.

La réduction de l'incertitude concerne les points suivants : l'ajustement des décisions de gestion de l'ouverture et de la fermeture du barrage au plus près du déroulement de l'hivernage, la gestion de l'eau intégrant l'aléa relatif à la configuration et à la durée du cycle pluviométrique, enfin, les incertitudes dues aux comportements individuels résultant des contraintes imposées par la gestion collective de la nouvelle ressource en propriété commune.

Cette réduction de l'incertitude technique repose sur la participation active des femmes et des cadets sociaux aux prises de décision dans le cadre des comités de gestion. Elle se manifeste par l'établissement de nouvelles règles de gestion individuelle et collective qui doivent être soutenues par les représentants de l'ensemble des pouvoirs. Les règles collectives de gestion de l'eau permettent une mise en valeur individuelle des parcelles. En retour, le respect individuel de ces règles rend possible la gestion collective (interventions décalées dans le temps en fonction de la position par rapport au barrage et aux niveaux d'inondation...).

En revanche, la réduction de l'incertitude relative aux interactions de l'agriculture avec l'élevage s'avère délicate à cause de l'importance majeure de l'élevage dans les stratégies socio-économiques des familles sous la responsabilité des chefs de famille et des anciens.

L'organisation paysanne favorise la régénération à long terme des ressources renouvelables en répondant aux défis posés sur le court terme. La résolution de questions posées à l'échelon du long terme (lutte contre l'acidification, la salinisation, la sécheresse....) n'a pu se faire qu'à partir de réponses techniques à des questions cruciales relatives à la sécurité alimentaire des unités de production familiales.

Les nouvelles conditions d'inondation créées par les barrages provoquent en effet des remontées biologiques sensibles, tant pour la faune en rizières que pour la végétation située sur les bas de pente, en particulier des palmiers dont l'exploitation redevient possible et monétairement intéressante. Ces remontées biologiques associées au fait qu'une rizière réhabilitée et productive représente un bien collectif qu'il devient

Le développement du mouvement associatif en Basse Casamance peut être appréhendé comme une réaction de la société à une multiplicité de perturbations extérieures.

intéressant de protéger de l'ensablement sont autant de motivations qui incitent les membres des groupements et des comités de gestion de ces barrages à s'orienter vers un aménagement de ces portions de terroir. Cette préoccupation est en effet présente au niveau des comités de gestion les plus anciens et émerge progressivement à partir du moment où le barrage, les nouvelles modalités de gestion et l'itinéraire technique sur le riz ont fait leurs preuves, démontrant l'efficacité technique et sociale du changement proposé.

Cependant, la perspective demeure incertaine d'une meilleure maîtrise des processus de développement à l'échelle du département. La question qui se pose à cette échelle renvoie aux interrogations quant à la place et au rôle des organisations paysannes dans les nouvelles configurations institutionnelles qui émergent des recompositions imposées par les ajustements structurels dans un contexte de récession économique et de crise des modèles de développement (HYDEN, 1990 ; FARRINGTON et BEBBINGTON, 1993 ; MERCOIRET, 1996).

Dans la perspective des recherches conduites par HIRSCHMAN (1984) sur les expériences d'action collective dans l'Amérique latine des années 1970, le développement du mouvement associatif en Basse Casamance peut être appréhendé comme une réaction de la société à une multiplicité de perturbations extérieures, qu'elles soient d'origine naturelle ou « institutionnelle », s'exprimant par des relations inégales entre catégories sociales ou par les agressions sur l'économie paysanne qui résultent du démantèlement du dispositif de développement (MERCOIRET *et al.*, 1997).

La comparaison avec des mouvements associatifs en Afrique et en Amérique latine confirme ce diagnostic et positionne le mouvement associatif casamançais dans une perspective réformiste de recherche d'une meilleure intégration de la paysannerie casamançaise dans l'économie sénégalaise (MERCOIRET *et al.*, 1997).

La réduction de l'incertitude institutionnelle conditionne de manière déterminante les possibilités d'action des organisations paysannes. Ce que nous appelons « incertitude institutionnelle » relève du champ de la science politique appliquée à l'échelon local et micro-local. Cette incertitude institutionnelle ou politique est apparue manifeste dans un milieu marqué par de profondes rivalités d'origines diverses.

Le Cadef – à l'échelle des vallées aménagées – n'a pas été en mesure ou ne s'est pas donné les moyens de réduire cette incertitude, ce qui a directement compromis l'obtention de résultats dans la durée au niveau de Diagong et de Suelle. Cette capacité à réduire l'incertitude institutionnelle est certainement une variable essentielle à long terme qui conditionne l'efficacité économique et sociale des interventions des organisations paysannes. Elle repose sur une construction dans le champ du politique et passe nécessairement par des accords au niveau régional ou départemental dont la Coordination des organisations rurales (Cord) constitue le cadre au demeurant encore très fragile.

Le développement des organisations paysannes répond à un rejet massif de la part des producteurs des modes d'interventions passés en matière de développement. Il répond également aux profondes mutations de l'environnement économique et institutionnel qui ont généré une incertitude dans les conditions économiques de l'exercice de l'activité agricole. Ce qui paraît clair actuellement, c'est que la réduction de ces deux types d'incertitude ne se fera pas de manière indépendante. La construction d'un mouvement paysan (réduction de l'incertitude institutionnelle et politique) tirera sa légitimité de sa capacité à réduire l'incertitude de type économique.

Si cela n'était pas possible en Basse Casamance, il est également clair que ce sont d'autres « registres de l'action collective » (TILLY, 1978) qui se trouveraient alors mobilisés avec toutes les conséquences que l'on peut légitimement redouter. Actuellement, la construction institutionnelle que représente Cord reste politiquement fragile du fait de la faiblesse de sa présence effective sur le terrain du « développement ». Cord apparaît en effet comme une tentative de réponse à la précarité des actions proposées par les ONG et comme une réaction aux échecs récurrents des interventions de l'État en matière de développement agricole. Mais cette « prise de parole » ne va pas de soi dans un contexte de crise persistante.

Actuellement, la fédération constitue d'ores et déjà un lieu de rencontre et de discussion pour les responsables et les membres des différentes organisations paysannes du département, ce qui est loin d'être négligeable. Cependant, elle ne gardera sa légitimité aux yeux des adhérents et des autres acteurs que si des actions concrètes pertinentes au regard des contraintes effectives sont engagées avec succès. Cord a l'ambition de modifier les rapports entre intervenants extérieurs et la société locale en dépassant dans une première étape l'atomisation des groupements et les concurrences entre les associations. Dans cette perspective, Cord a acquis une certaine reconnaissance de la part des autorités de l'État au niveau régional et national. Si l'on adopte la conception de l'institution développée par TOURAINE (1984), on peut considérer Cord comme une institution dans la mesure où elle se donne la capacité d'agir pour mettre en œuvre de nouvelles pratiques, notamment dans ses relations avec l'environnement économique.

Cependant, les articulations avec les autres acteurs demeurent difficiles à mettre en œuvre dans la durée, du fait des exigences contradictoires entre intervenants extérieurs à la recherche de partenaires efficaces et de l'indispensable durée nécessaire pour construire de nouvelles capacités collectives. La difficulté réside dans la négociation d'un projet commun entre des intervenants extérieurs et des organisations paysannes qui ont besoin de temps pour construire leurs propres capacités d'action et de négociation. L'enjeu est de passer d'une logique de l'offre à une logique de construction de demandes renouvelées.

Il est donc difficile de considérer actuellement que les formes d'organisation sociale qu'exprime Cord sont en mesure de contrôler « les modèles selon lesquels la société organise de manière normative ses relations avec son environnement » (TOURAINE, 1984). En effet, même si Cord préfigure ce que pourraient devenir les pratiques de développement si la fédération arrivait à peser sur la définition des politiques agricoles à l'échelle régionale, les relations de pouvoir avec les intervenants extérieurs demeurent caractérisées par une profonde asymétrie.

Les modèles en vigueur sont encore ceux des intervenants qui *in fine* disposent du pouvoir de dire « non » si les demandes d'intervention n'entrent pas dans les cadres de leur propre programmation. Le défi est donc important. Le risque d'échec en matière de renouvellement des modalités de développement entraîne avec lui le risque de discrédit de l'ensemble des organisations paysannes, avec les conséquences potentielles négatives déjà évoquées.

« Aujourd'hui, l'institution doit désigner non pas ce qui a été institué mais ce qui est instituant, c'est-à-dire les mécanismes à travers lesquels des orientations culturelles sont transformées en pratiques sociales. En ce sens, toutes les institutions sont politiques » (TOURAINE, 1984).

Des changements limités et fragiles, mais possibles

Conclusion

Fondamentalement, l'organisation paysanne tente de modifier l'asymétrie entre intervention extérieure et société locale. Mais les représentations et les pratiques tendent à se nourrir mutuellement et contribuent à inhiber durablement les essais de remise en cause des modes habituels de l'intervention. L'expérience du Cadef montre cependant que cette situation n'est pas intangible et que des changements sont possibles, même s'ils demeurent pour l'instant limités et fragiles.

Interventions extérieures, centres et processus de décision

Le risque est patent d'un décalage entre les pouvoirs lignagers et leurs procédures de prise de décision d'une part et une relation de nature administrative et technique entre intervenant et société locale d'autre part.

Les interventions extérieures qui se donnent pour objectif de modifier de manière plus ou moins directive ou participative les usages agricoles des ressources renouvelables sont dominées par la logique de l'offre. Cette logique peut prendre plusieurs formes.

L'offre institutionnelle parapublique demeure importante en dépit des ajustements structurels et opère selon des méthodes stéréotypées prenant peu en considération la réalité des pouvoirs coutumiers qui régissent les usages des ressources. En se basant sur une coordination strictement administrative, le chef de village est considéré comme le centre de décision garant de l'intérêt général. Or, son rôle effectif dans le processus qui aboutit à la prise de décision peut se trouver fort limité du fait de son origine lignagère et des pouvoirs qui lui sont reconnus au sein de la société. Les structures du pouvoir coutumier fondé sur l'antériorité de l'occupation foncière et sur l'exercice des fonctions religieuses qui lui sont plus ou moins étroitement associées assurent la gestion des ressources renouvelables. Toute action dans ce domaine ne peut se réaliser sans leur adhésion et cette adhésion ne se décide pas au niveau d'une seule personne qui serait censée être dépositaire de ces pouvoirs. Il s'agit donc d'un processus de prise de décision complexe, dans lequel le chef de village ne joue, éventuellement, un rôle prééminent qu'en fonction de son origine lignagère. Le risque est patent d'un décalage entre les pouvoirs lignagers et leurs procédures de prise de décision d'une part et une relation de nature administrative et technique entre intervenant et société locale d'autre part.

Une telle permanence dans l'échec ne peut qu'amener à s'interroger sur la place et le rôle de la recherche agricole dans le processus de développement.

À cette offre parapublique se superpose une offre privée, qui prend la forme de petits projets décentralisés massivement orientés vers les marges des systèmes de production. Lorsque ces organisations interviennent dans la gestion des ressources renouvelables, elles le font selon des modalités qui ne permettent pas de les distinguer des pratiques stéréotypées des structures parapubliques. Les moyens mis en œuvre sont plus précaires en général que ceux mobilisés par les structures parapubliques, mais tout aussi éphémères quant à leur impact sur le milieu. Et de manière *a priori* paradoxale, ces interventions privilégient les actions directes auprès des populations en cherchant à contourner les organisations coutumières ou « modernes » dont se dotent les producteurs pour privilégier « le contact direct avec les populations de base ». Ni les modalités d'intervention, ni les résultats obtenus ne permettent de différencier ces deux grands types d'intervention.

Une telle permanence dans l'échec ne peut qu'amener à s'interroger sur la place et le rôle de la recherche agricole dans le processus de développement. La question de la pertinence de la recherche conduite dans une perspective de développement se pose de manière complexe. La situation de crise multiforme que connaît la Basse Casamance et l'ancienneté relative de la présence de la recherche agronomique dans cette région montrent l'intérêt d'une interrogation sur son rôle dans les processus de développement. Les débuts de la recherche agricole en Basse Casamance sont marqués par la volonté de développer une forme d'agriculture étrangère aux formes locales et sans articulation avec les réalités de la paysannerie.

Par la suite, les recherches sont développées sans qu'apparaisse le souci d'une cohérence entre le contenu des recherches avec les pratiques effectives : le modèle de la révolution verte sera promu durant des décennies sans que la faisabilité des propositions soit évaluée par

Cadef : paysans, chercheurs, autorités coutumières.

rapport notamment aux questions d'aménagement du milieu et de disponibilité de la ressource hydrique. Ce n'est qu'à partir des crises climatiques des années 1970 et 1980 que des recherches seront développées dans ce sens, mais de manière sectorisée, sans véritable interdisciplinarité entre les sciences de l'aménagement et l'agronomie et sans réelle prise en compte des sciences sociales. On aurait pu espérer que les recherches sur les systèmes de production dépassent le strict cadre d'une expérimentation agronomique rénovée en dehors des stations, mais si on a mieux connu les structures des unités de production, l'approche a eu du mal à se départir d'une vision phytotechnique des expérimentations pour aborder les questions de manière plus globale. C'est le défi qui reste posé à la recherche.

De manière *a priori* paradoxale, les organisations paysannes ne s'investissent pas de manière prioritaire et massive dans la recherche de réponses techniques à la dégradation du milieu cultivé, alors que leurs adhérents sont fortement concernés par le problème.

D'une part, la majorité des organisations paysannes sont historiquement dépendantes d'une logique de l'offre. Or, cette offre n'a pas concerné les bases productives des écosystèmes cultivés et elle a pris très souvent pour cible les catégories sociales marginalisées en terme de participation aux prises de décision sur l'accès et l'usage de ces ressources. Cependant, même dépendantes de la prééminence de l'offre d'interventions, les organisations paysannes se sont montrées capables de s'émanciper des tutelles qui pesaient sur leur autonomie et leurs possibilités de développement intrinsèque. Mais les organisations paysannes cherchant à modifier les modalités d'usage agricole des ressources renouvelables demeurent peu nombreuses.

Ces constats ont conduit à développer une approche centrée sur les modes de coordination entre, d'une part, les logiques sociales qui régissent de manière coutumière la gestion des ressources renouvelables et, d'autre part, les logiques des interventions extérieures. Le Cadef constitue l'exemple d'une organisation paysanne qui investit cette problématique en développant des activités, ce qui a permis d'éclairer les modes de coordination, tant internes avec les structures coutumières que vis-à-vis de l'extérieur.

Le Cadef, une organisation paysanne impliquée dans les usages des ressources renouvelables

Le Cadef se présente comme une organisation paysanne qui a obtenu des résultats tangibles, témoignant d'une capacité certaine à modifier la gestion des ressources renouvelables afin de restaurer les capacités productives des écosystèmes. La nature des processus en jeu a conduit à privilégier une approche construite à partir des références de l'économie institutionnelle sur la base de l'analyse fine d'une situation de terrain. En effet, comme l'indique BROMLEY (1982) : « Une perspective institutionnelle sur les questions de ressources renouvelables se doit de partir d'une mise à plat d'une interrogation de terrain pour en proposer une interprétation à partir de modèles conceptuels. »

La réalisation d'actions concrètes par l'association suppose que des accords et des compromis soient établis à différents échelons. Au niveau national, et dans le contexte de la création du Cadef en 1983, l'accord était indispensable au plus haut niveau de l'État. Il n'était pas moins indispensable au niveau des autorités coutumières à l'échelle de l'arrondissement. Celles-ci se trouvaient au moins partiellement en position de demandeur vis-à-vis des fondateurs du Cadef qui souhaitaient se réinsérer dans leur milieu d'origine. Le projet se trouvait alors en phase avec leurs demandes. Il s'en est suivi une période de négociation avec les « personnalités importantes » de la société locale qui a débouché sur une institutionnalisation des compromis obtenus par une participation des anciens au sein de l'organisation Cadef sous la forme du Conseil des anciens. Cette structure interne à l'organisation, émanation directe des pouvoirs coutumiers – du moins de ceux qui se reconnaissaient dans l'action et les projets du Cadef – jouera, au début tout au moins, un rôle important d'instance d'arbitrage et de supervision des activités de l'organisation en garantissant leur cohérence avec les institutions coutumières. Accords et compromis se réalisent ensuite de manière fort inégale au niveau des villages et des vallées qui s'engagent dans les processus de réhabilitation de la riziculture.

En matière de gestion des ressources renouvelables, les structures lignagères fonctionnant sur la base des règles coutumières conservent une prééminence forte et déterminante sur les prises de décisions stratégiques d'aménagement (affectation des ressources foncières et usages des ressources renouvelables). La position que prennent les responsables lignagers sur ces questions et par rapport aux dynamiques d'organisation détermine les marges de manœuvre de l'organisation en la matière. S'ils se positionnent en phase avec les projets de l'organisation auxquels ils se sont trouvés associés depuis le début, les dynamiques d'aménagement se déroulent avec leur soutien actif qui permet de gérer les délicates questions de frontières et de gestion collective avec les autres utilisateurs de la vallée. S'ils se tiennent à l'écart des structures et des projets de l'organisation qu'ils choisissent de laisser à d'autres, ils fragilisent les processus en cours qui ont alors du mal à résister aux pressions et tensions du voisinage. Émiettées dans des jeux de pouvoir micro-locaux enracinés dans une histoire collective plus ou moins récente, les actions des organisations représentent alors de nouveaux enjeux de pouvoir qui se superposent aux clivages plus anciens qu'elles contribuent à recomposer.

La construction d'un barrage aboutit à la re-création d'une ressource en propriété commune. Si le dispositif fonctionne correctement, la gestion de cette ressource est assurée par des structures qui associent étroitement les responsables coutumiers et les catégories sociales n'ayant habituellement pas voix au chapitre sur ces questions. Ce compromis traduit l'émergence de nouvelles relations internes autour de la gestion des ressources renouvelables, les responsables coutumiers étant forcés d'accepter un partage de responsabilités avec ceux qui, à travers l'action collective, rendent possible la « reconstruction » de la fertilité (REBOUL, 1977) des patrimoines lignagers dont ils ont la responsabilité. Lorsque la structuration est plus élaborée, cette gestion est rendue possible par la combinaison d'instances opérationnelles – les comités de gestion – et d'une instance de régulation dont les compositions respectives traduisent la spécificité des rôles.

Concernant les dynamiques sociales internes, l'organisation peut donc être interprétée comme une action collective de recherche de sortie d'une crise persistante. Cette action se matérialise comme un compromis entre les catégories sociales habituellement dominées et les responsables des institutions coutumières qui, à un moment donné, font le constat collectif de leur incapacité à surmonter un type de situation. C'est sur cette base de compromis entre les différentes catégories sociales qu'ont pu s'établir des plates-formes d'action collective diversement formalisées (plan de développement local, projets sectoriels divers, projet de recherche-développement...) mais qui présentent toutes la particularité d'avoir été largement négociées avec l'ensemble des catégories d'acteurs.

Ainsi le Cadef apparaît bien comme « une forme de coordination que se donnent des individus ou des groupes pour obtenir le minimum de coopération nécessaire à la réalisation d'un minimum d'objectifs partagés », selon la définition de l'organisation que nous avons retenue. La coopération qui va s'engager entre ces différentes catégories d'acteurs ne se fera pas sans conflits, qui surgiront de la confrontation de stratégies individuelles ou de groupes par trop contradictoires.

La capacité de l'organisation paysanne à nouer des compromis locaux autour des modalités de gestion des ressources renouvelables est éminemment variable. Elle dépend de la configuration des pouvoirs locaux dans laquelle l'organisation s'insère, mais les acteurs prépondérants en matière de gestion des ressources renouvelables sont les responsables coutumiers. Cette capacité à négocier des compromis dépend également du type de ressources concernées et des acteurs qui interviennent dans les dynamiques de mise en valeur agricole. L'action la plus engagée et positive se déroule sur les rizières, du fait de la convergence de stratégies entre les femmes et les responsables des pouvoirs coutumiers. L'action collective est ici effectivement entendue comme « l'expansion de l'action individuelle » (COMMONS, 1950) qui permet aux femmes d'améliorer les conditions de production du riz dont elles assument la responsabilité. Dans les autres cas, et notamment pour la gestion des terres de plateau et de versant, cette conjonction d'intérêts n'existe pas car l'appropriation lignagère apparaît moins marquée, et surtout les intérêts des anciens se sont détournés des cultures pluviales pour privilégier le bétail et la gestion des parcours pour celui-ci.

Ainsi, une meilleure compréhension des choix faits en matière de gestion des ressources renouvelables – et plus largement des stratégies lignagères, familiales et individuelles – passe par une compréhension fine de la gestion du troupeau et de ses déterminants. Il s'agit là, de notre point de vue, d'un axe de recherche prioritaire qui comblerait une lacune importante sur des sociétés décrites uniquement à travers une seule de leurs deux activités agricoles essentielles : la riziculture a été privilégiée alors que les premiers navigateurs portugais signalaient déjà, au XVIe siècle, outre les rizières, les importants troupeaux possédés par les « indigènes ».

Les décisions de gestion des espaces cultivés paraissent obéir davantage à des considérations fondées sur les besoins des troupeaux que sur des exigences de type agronomique.

Les troupeaux continuent de jouer un rôle social important, que ne remet pas en cause l'accroissement de leur rôle économique : la circulation du bétail est associée aux échanges de femmes entre lignages et sa gestion revêt une grande importance aux yeux des responsables coutumiers, qui répartissent les troupeaux de manière secrète en fonction de stratégies d'alliances pour le gardiennage fondées sur la réciprocité. Les décisions de gestion des espaces cultivés paraissent obéir davantage à des considérations fondées sur les besoins des troupeaux que sur des exigences de type agronomique. Un renversement de perspective sur ces questions serait donc une piste de recherche pouvant conduire à une meilleure connaissance des logiques sociales et techniques qui déterminent les prises de décision en matière de gestion des ressources renouvelables.

L'organisation paysanne n'est pas réductible au strict prolongement des structures coutumières lignagères, pas plus qu'elle ne peut apparaître comme l'expression autonome des stratégies des catégories dominées qui trouveraient dans les groupements – structures « modernes » – des formes spécifiques de contestation et de revendication. La réalité de l'organisation est plus complexe et suppose, pour permettre l'action collective en matière de gestion des ressources renouvelables, une négociation permanente entre des acteurs aux stratégies partiellement convergentes. Cette action ne serait pas possible dans le cas d'une organisation refermée sur la seule société locale. L'action peut se réaliser au niveau local, où la coordination économique est couronnée de succès, grâce à la mise en relation de l'organisation avec d'autres acteurs.

La différence majeure qui distingue l'expérience du Cadef des autres organisations réside dans la construction dans la durée d'une capacité interne.

Si les pouvoirs coutumiers restent déterminants en matière de gestion des ressources renouvelables, ils ne garantissent plus à eux seuls comme par le passé une mobilisation des ressources humaines permettant de compenser par des aménagements hydro-agricoles les contraintes du milieu en le rendant favorable à la pratique de la riziculture (PÉLISSIER, 1966). Cette mobilisation en travail n'est plus possible dans le contexte actuel pour des raisons diverses mais convergentes. L'organisation paysanne apparaît alors comme un moyen de mobilisation de ressources matérielles externes mais aussi internes sous des formes diverses (travail, cotisations, actions collectives). Sans ressources externes, il semble difficile d'envisager le développement de capacités intrinsèques permettant de contrecarrer les dynamiques de dégradation, tant sont élevés, au regard des revenus ruraux, les investissements nécessaires pour réhabiliter le milieu de manière durable. Mais la seule présence de ressources externes et la mobilisation des populations ne garantissent pas automatiquement la pertinence des choix et des réalisations.

La différence majeure qui distingue l'expérience du Cadef des autres organisations réside dans la construction dans la durée d'une capacité interne qui permet à l'organisation de traiter avec les interlocuteurs extérieurs dans une situation plus favorable. Cette construction de l'organisation et de ses capacités ne s'est pas réalisée sans un investissement massif dans la formation de compétences. Ces compétences permettent actuellement au Cadef de disposer d'une capacité d'articulation avec les autres opérateurs supérieure aux autres associations de la région.

En fait, plusieurs formes distinctes de coordination existent entre l'organisation paysanne et les autres acteurs. Cette coordination s'exprime par des comportements de coopération volontaire ou, à l'opposé, de coopération plus ou moins contrainte. Avec les partenaires historiques du Cadef, il s'agit une coopération volontaire, voire volontariste des deux côtés, et qui est fondée sur un minimum de conceptions partagées sur les défis actuels des organisations et des sociétés paysannes, en Casamance, et plus largement en Afrique. Cette coopération s'inscrit dans la durée – près de vingt ans –, même s'il a existé des phases de coopération et d'engagement plus ou moins intense.

Avec la recherche agricole, il s'agit d'une coopération conjoncturelle, voire opportuniste, mais la formalisation par un contrat entre les parties garantissant la prééminence de l'organisation en matière de choix des actions à conduire pourrait préfigurer une nouvelle forme de coordination entre les paysans et la recherche agricole.

Les ressources externes permettent la mobilisation de prestataires de services, mais l'efficacité de cette coordination qui passe par des contrats dépend essentiellement de deux facteurs : (i) de la formation de compétences internes à l'organisation ; (ii) des conditions économiques et institutionnelles qui prévalent dans l'environnement direct de l'organisation (le désengagement de l'État et la libéralisation renforcent des contraintes lourdes dans un milieu économiquement atone).

L'organisation ne peut se substituer de manière efficace aux dynamiques sociales locales. Dans deux des trois situations analysées en détail, le volontarisme de l'organisation n'a que partiellement et de manière peu pérenne suppléé aux déficiences de coordination micro-locale.

La création de compétences internes reposant sur la promotion de certains acteurs n'est pas sans conséquences sur les dynamiques internes à l'organisation. Les leaders fondateurs et les jeunes ont notamment joué un rôle déterminant dans cette transformation sociale. Ceux qui s'engagent dans les relations avec l'extérieur ou sur lesquels l'organisation investit en matière de formation sont essentiellement des « jeunes ». Parmi ces jeunes, les fondateurs représentent maintenant une catégorie spécifique ayant sa propre logique et occupant une position sociale à part dans la société locale, du fait de l'origine de sa notabilité.

La dynamique de l'organisation crée une situation de négociation permanente entre les stratégies des différentes catégories sociales qui trouvent dans cette acquisition de compétences nouvelles le moyen d'une émancipation et d'une promotion sociale plus rapides. La sous-représentation des femmes dans les instances décisionnelles de l'organisation tend ainsi à reproduire partiellement les formes d'organisation de la société. En compensation, l'organisation fournit cependant aux femmes des lieux d'expression et de prise de parole qui n'existent pas dans la société. Il en va de même pour les jeunes qui, acquérant des compétences techniques, réussissent à obtenir une reconnaissance plus rapide au sein de la société locale. Cette alliance ne va pas sans conflits et ajustements permanents, mais elle permet à la société locale de mieux réagir que par le passé à la situation de crise persistante à travers le développement de nouvelles compétences.

Les structures lignagères et les modes coutumiers de régulation de la gestion des ressources renouvelables demeurent prédominants, mais la question de la régulation des conflits et des sanctions reste entière. Or, la compréhension des modes locaux de régulation et des sanctions constitue un domaine de recherche encore peu exploré mais important pour une meilleure compréhension des prises de décision en matière de gestion des ressources renouvelables.

Le temps de la coordination

il convient d'insister sur le temps nécessaire à l'établissement de coordinations efficaces.

À la fin de cette étude, il convient d'insister sur le temps nécessaire à l'établissement de coordinations efficaces. Le processus de développement s'est déroulé sur une période de plus de dix ans. Il serait donc illusoire de penser que de nouvelles organisations émergentes ou créées par les intervenants puissent rapidement donner lieu à des formes de coordination efficaces dans le domaine de la gestion des ressources renouvelables.

Le temps joue également dans la mise en œuvre des actions d'aménagement. Ce temps de négociation, de concertation, de mobilisation autour d'une action collective ne fait en général pas partie des calendriers des interventions, ou alors de manière fort succincte. À cette notion de temps considéré globalement, il faut ajouter le temps propre de l'organisation paysanne, qui est celui du rythme d'acquisition des compétences individuelles et collectives, mais également celui de la capacité d'action collective. Dans le cas du Cadef, l'ordre des interventions n'a pas été programmé à l'avance ; il l'a été en fonction des conditions d'organisation et de maturité de l'organisation au niveau local, ce qui, compte tenu de la sensibilité des enjeux, est difficilement programmable *a priori*.

Le temps joue aussi un rôle central dans la modification à long terme des représentations que se font les populations des ressources renouvelables et de leur rapport à celles-ci. Si les usages changent rapidement, les représentations évoluent de manière plus lente et influent sur l'évolution des modes d'appropriation des ressources renouvelables et des processus de prise de décision.

Bibliographie

ALBRECHT D., DIAGAYÉTÉ M., MILLAR D., JAN SCHEER R., SERRANT O., 1983 – *Les systèmes de production agricole dans la région des Kalounayes en basse Casamance au Sénégal.* Wageningen, Pays-Bas, ICRA, Bulletin 12, 62 p. + annexes.

ALVARES D'ALMADA A., 1594 – *Tratado breve dos rios de Guine do Cabo Verde.* Lisboa, Portugal, nouvelle édition, Luis Silvera, 103 p.

ANCEY G., 1975 – *Niveaux de décision et fonction objectif en milieu rural africain.* Paris, Amira, note n° 3.

Anonyme, 1979 – *Synthèse des activités de l'IRAT sur le riz pluvial au Sénégal (1960-1978).* Montpellier, France, Cirad-Irat, manuscrit, 23 p.

AUBREVILLE A., 1948 – La Casamance. *L'Agronomie tropicale,* 3 (1-2) : 25-52.

AUGE M., 1973 – L'illusion villageoise. Limites sociologiques et politiques du «développement» villageois en Côte d'Ivoire. *Archives Internationales de Sociologie de la Coopération et du Développement,* 34 : 240-251.

AVENIER-SHARMAN D., 1987 – *Dynamique de dégradation de l'espace rural sénégalais. Le cas de la vallée de Bignona.* Thèse, Université de Montpellier III, Espace et Sociétés, 295 p.

BA T. A, 1985 – Les Centres d'expansion rurale du Sénégal entre la dynamique paysanne et les structures d'État. Médiation ou frein pour un développement autogestionnaire ? *Mondes en développement,* 13 (52) : 621-647.

BADIANE S., 1986 – «La mangrove de Casamance». *In : L'estuaire de la Casamance : environnement, pêche, socio-économie,* ISRA, Actes du Séminaire, Ziguinchor, Sénégal, 19-24 juin 1986, 328 p.

BALANS J. L., COULON C., GASTELLU J. M., 1975 – *Autonomie locale et intégration nationale au Sénégal.* Paris, Pédone, 178 p.

Banque mondiale, 1989 – *La Banque mondiale et le Sénégal, 1960-1987.* Washington, USA, Banque mondiale, Département de l'évaluation rétrospective des opérations, Rapport n° 8041, 185 p.

Barry B., Boivin P., Brunet D., Montoroi J. P., Mougenot B., Touma J., Zante P., 1988 a – *Évolution des stratégies d'aménagement hydro-agricole des sols salés en Basse Casamance.* Communication aux deuxièmes journées de l'eau au Sénégal (8-10 décembre 1988), 15 p., *multigr.*

Barry B., Boivin P., Brunet D., Montoroi J. P., Mougenot B., Touma J., Zante P., 1988 b – *Tentative d'évaluation des transferts hydriques et salins dans un bas-fond aménagé.* Communication aux deuxièmes journées de l'eau au Sénégal (8-10 décembre 1988), 15 p., *multigr.*

Barry B., Boivin P., Brunet D., Montoroi J. P., Mougenot B., Saos J. L., Touma J., Zante P., 1988 c – *Sécheresse et modification des ressources hydriques en basse Casamance. Conséquences pour le milieu naturel et son aménagement.* Communication aux deuxièmes journées de l'eau au Sénégal (8-10 décembre 1988), 11 p., *multigr.*

Bebbington A., 1996 – Organizations and intensifications : campesino federations, rural livelihoods and agricultural technology in the Andes and Amazonia. *World development,* 24 (7) : 1161-1177.

Belloncle G., 1979 – Les associations traditionnelles de jeunes au Mali : survivances du passé ou structures d'avenir. *Archives Internationales de Sociologie de la Coopération et du Développement,* 48 : 40-51.

Benoit-Cattin M., coord., 1986 – *Les Unités expérimentales du Sénégal.* Montpellier, France, Cirad, 500 p.

Berg E., 1988 – *Regionalism and economic development in Sub-Saharan Africa.* World Bank, Washington, USA.

Bergeret A., 1985 – « Les sociétés indigènes de prévoyance : du Maghreb à l'Afrique noire, dérive d'une institution ». *In* : *Les techniques de conservation des grains à long terme,* Paris, Éditions du CNRS : 171-191.

Bernoux P., 1985. *La sociologie des organisations.* Paris, Le Seuil, Points Essais, 378 p.

Berthome J., 1990 – Les associations villageoises de développement en Afrique de l'Ouest. *Économie et humanisme,* 314 : 15-27.

Berthome J., 1995 – *Cadef : analyse de l'évolution d'une organisation paysanne en relation avec le mouvement social et ses partenaires extérieurs.* Document multigraphié, réalisé dans le cadre de l'ATP Cirad « Les organisations paysannes face au désengagement de l'État », non publié, 22 p.

Berthome J., Mercoiret M. R., 1992 – *Situation et évolution des organisations paysannes et rurales. Le Sénégal.* Paris, Réseau GAO, 87 p.

Berthome J., Mercoiret M. R., Bosc P. M., 1992 – *Programme d'appui aux organisations paysannes du département de Bignona. Rapport de synthèse des études de faisabilité.* Dakar, Sénégal, ministère du Développement rural et de l'Hydraulique, 98 p.

BERTRAND R., 1973 – Contribution à l'étude hydrologique, pédologique et agronomique des sols gris sableux hydromorphes de Casamance. *Agronomie tropicale,* 28 (12) : 1145-1192.

BERTRAND-BOCANDE E., 1849 – Notes sur la Guinée portugaise ou Sénégambie méridionale. *Bulletin de la Société de Géographie,* Première Section, mai et juin 1849 : 265-350 ; juillet 1849 (suite) : 57-93.

BEYE G., 1972 – *L'acidification des sols de mangrove de basse Casamance après leur mise en polder, effet du type d'aménagement.* Symposium sur les sols sulphatés acides, Wageningen, 13-20 août 1972.

BEYE G., 1973 a – Étude comparative de différents engrais phosphatés pour la fumure phosphatée du riz en sols de rizières très acides en basse Casamance. *Agronomie tropicale,* 28 (10) : 935-945.

BEYE G., 1973 b – Une méthode simple de dessalement des sols de tanne en Casamance : le paillage. *Agronomie tropicale,* 28 (5) : 537-549.

BEYE G., 1975 – Bilan de cinq années d'études du dessalement des sols du polder de Médina (basse Casamance). *Agronomie tropicale,* 30 (3) : 251-263.

BEYE G., 1977 – Étude de l'action de doses croissantes d'azote en présence ou en l'absence de pailles de riz enfouie sur le développement et les rendements du riz en basse Casamance. *Agronomie tropicale,* 32 (1) : 41-50.

BEYE G., 1989 – *Évaluation des programmes de recherche rizicole en Casamance.* Rapport de mission auprès de l'Isra, Rome, Italie, FAO, 55 p.

BIRIE-HABAS J., 1966 – Les recherches rizicoles en Casamance, situation en 1965. *L'Agronomie tropicale,* 21 (1) : 38-46.

BIRSCHENK T., 1988 – Development projects as arenas of negociation for strategic groups. A case study from Benin. *Sociologia ruralis,* 28 (2-3) : 146-160.

BLANCHEMANCHE P., 1990 – *Bâtisseurs de paysages.* Paris, Éditions de la Maison des Sciences de l'Homme, 329 p.

BOIVIN P., LE BRUSQ J. Y., 1984 – *Étude pédologique des Kalounayes - vallées de Koubalan et de Tapilane (Casamance).* Dakar, Sénégal, Orstom, 72 p. + cartes.

BOIVIN P., LE BRUSQ J. Y., 1985 – *Recommandations concernant l'aménagement du domaine fluvio-marin en basse Casamance. Cas de la vallée de Koubalan.* Dakar, Sénégal, Orstom, 6 p. + annexes.

BOIVIN P., LOYER J. Y., 1989 – *Mise en valeur des mangroves au Sénégal.* Rapport final, Orstom, Commission des Communautés européennes, Rapport TSD A 104 (MR), 64 p.

BONNEFOND P., COUTY P., 1988 – Sénégal, passé et avenir d'une crise agricole. *Revue Tiers Monde,* 29 (114) : 319-40.

BONNEFOND P., LOQUAY A., 1985 – *Aspects socio-économiques de la riziculture en basse et moyenne Casamance.* Mission d'évaluation, Paris, ministère des Relations extérieures-Coopération et développement, 360 p.

BOSC P. M., BERTHOME J., MERCOIRET M. R., 1995 – « Les processus d'innovation dans le cadre d'une ancienne société rizicole ouest-africaine en crise : l'expérience du Comité d'action pour le développement du Fogny (Cadef) en basse Casamance ». *In* Cheneau-Loquay A., Leplaideur A. éd. : *Les riziscultures de l'Afrique de l'Ouest*, Montpellier, Cirad : 367-378.

BOUET-WILLAUMEZ E., 1848 – *Commerce et traite des noirs aux côtes occidentales d'Afrique.* Paris, Imprimerie nationale ; réimpression de l'édition de 1848, Genève, Suisse, Slatkine reprints, 1978, 230 p..

BOULÈGUE J., 1980 – L'ancien royaume du Kasa (Casamance). *Bulletin de l'IFAN*, série B, 42 (3) : 475-486.

BROMLEY D. W., 1982 – Land and Water problems: an institutional perspective. *American journal of agricultural economics,* 64 (S) : 834-844.

BROOKS G. E., 1975 – Peanuts and colonialism: consequences of the commercialization of peanuts in West Africa, 1830-1870. *Journal of African History,* 16 (1) : 29-54.

BROOKS G. E., 1980 a – Perspectives on Luso-African commerce and settlement in the Gambia and Guinea-Bissau region 16-19 th centuries. *Working paper* n° 24, Boston University, African studies center, 22 p.

BROOKS G. E., 1980 b – Kola trade and state building: Upper Guinea coast and Senegambia, 15-17 th centuries. *Working paper* n° 38, Boston University, African studies center, 48 p.

BRUNET D., 1988 – Un aménagement hydraulique simple pour la réhabilitation des sols salés : la riziculture en basse Casamance. *Sécheresse,* 5 (1) : 37-44.

Cadef, Isra, Ciepac, ENEA, DSA-Cirad, 1990 – *La démarche mise en œuvre dans le programme de recherche-développement Cadef (1987-1989). Quelques méthodes et outils utilisés.* Montpellier, Cirad-DSA, 132 p. + annexes.

CAMBOULIVES M., 1967 – *L'organisation coopérative au Sénégal.* Paris, Éditions Pédone.

CARROLL T. F., 1971 – « Peasant cooperation in Latin America ». *In* Worsley P., ed. : *Two blades of grass*, Manchester, United Kingdom, Manchester University Press : 199-249.

CASSWELL N., 1984 – Autopsie de l'ONCAD. *Politique africaine,* 14 : 39-73.

CERNEA M. M., 1987 – Farmer organizations and institution building for sustainable development. *Regional Development dialogue,* 8 (2) : 1-24.

CERNEA M. M., 1993 – Culture and organization. The social sustainability of induced development. *Sustainable development,* 1 (2) : 18-29.

CHAPOUTIER R., 1940 a – Trois itinéraires en Casamance (1860-1901-1938). *Revue des troupes coloniales,* 269 : 199-215.

CHAPOUTIER R., 1940 b – Trois itinéraires en Casamance (1860-1901-1938) (Fin). *Revue des troupes coloniales,* 270 : 321-342.

CHAUVEAU J. P., 1992 – « Pour une sociologie historique du développement ». *In* Baré J. F., Couty P., éd. : *Institutions et pratiques du développement. Itinéraires*, Paris, Orstom, Département Sud : 13-24.

CHAUVEAU J. P., coord., 1995 – *Appropriation des innovations et exclusion de groupes vulnérables dans les projets participatifs de développement rural en Afrique de l'Ouest.* Rome, Italie, FAO, Division des ressources humaines et des institutions, document provisoire, 142 p.

CHENEAU-LOQUAY A., 1994 a – « Demain, encore le riz ? Fin d'une civilisation ? ». *In* Barbier-Wiesser F. G., éd. : *Comprendre la Casamance,* Paris, Karthala : 351-383.

CHENEAU-LOQUAY A., 1994 b – « Géographie "des" Casamance ». *In* Barbier-Wiesser F. G., éd. : *Comprendre la Casamance,* Paris, Karthala : 47-68.

CHEVALIER A., 1933 – Histoire de l'arachide. *Revue internationale de botanique appliquée et d'agriculture tropicale,* 13 : 722-752.

CHEVALIER A., CLIGNY A., 1901 – La Casamance. *Annales de Géographie,* 10 (50) : 165-176.

CIRIACY-WANTRUP S. V., 1967 – Water policy and economic optimizing: some conceptual problems in water research. *American economic review,* 57 : 179-189.

CIRIACY-WANTRUP S. V., 1971 – The economics of environmental policy. *Land economics,* Feb.: 36- 45.

CIRIACY-WANTRUP S. V., BISHOP R. C., 1975 – Common property as a concept in natural resource policy. *Natural Resource Journal*, 15 : 713-727.

COLEMAN J. S., 1984 – Introducing social structure into economic analysis. *The American Economic review,* 74 (2) : 84-88.

COLIN J. P., LOSCH B., 1990 – Touche pas à mon planteur. Réflexions sur les « encadrements » paysans à partir de quelques exemples ivoiriens. *Politique Africaine,* 40 : 83-99.

COLIN J. P., LOSCH B., 1992 – « L'économie rurale africaniste : essai sur un institutionnalisme implicite ». *In* Griffon M., éd. : *Économie institutionnelle et agriculture*, actes du XIIIe séminaire d'économie rurale, 7-9 septembre 1992, Montpellier, France, Cirad : 51-57.

COMARMOND P. de, 1968 – Structures sociales traditionnelles et coopération agricole moderne, essai de problématique. *Archives Internationales de Sociologie de la Coopération et du développement,* 23 : 127-161.

COMMONS J. R., 1934 – *Institutional economics. Its place in the political economy.* The MacMillan Company, réédition 1990, Transaction Publishers, 915 p.

COMMONS J. R., 1950 – *The economics of collective action.* Edited with introduction and supplementary essay by Kenneth H. Parsons, Madison, Milwaukee, USA and London (UK), The University of Wisconsin Press, 382 p.

Cord-Paarz, 1993 – Enquête sur la capacité de production maraîchère. Cord-Paarz, 14 p, *multigr.*

CORMIER M.-C., 1985 – Les jeunes diola face à l'exode rural. *Cahiers Orstom, série Sciences Humaines,* 21 (2-3) : 267-273.

CORMIER-SALEM M.-C., 1989 a – Entre terres et eaux : pêche maritime et évolution des systèmes de production en Casamance. *Cahiers d'études africaines,* 115-116, XXIX (3-4) : 325-338.

CORMIER-SALEM M.-C., 1989 b – Une pratique revalorisée dans un système de production en crise : la cueillette des huîtres par les femmes diolas de basse Casamance. *Cahiers Orstom, série Sciences Humaines,* 25 (1-2) : 91-107.

CORMIER-SALEM M.-C., 1992 c – *Gestion et évolution des espaces aquatiques : la Casamance.* Paris, Orstom, coll. Études et thèses, 583 p.

COUTY P., 1984 – La vérité doit être construite. *Cahiers Orstom, série Sciences Humaines,* 10 (1) : 5-15.

COUTY P., 1992 – « Environnement et développement : les limites de l'approche économique ». *In* Pontié G., Gaud M., éd. : *L'environnement en Afrique.* Numéro spécial *Afrique contemporaine,* 294 p.

COWARD E. W., 1976 – *Irrigation institutions and organizations: an international bibliography.* Ithaca, USA, Cornell University, Department of rural sociology, Cornell International Agriculture mimeograph 49, 27 p.

CROZIER M., FRIEDBERG E., 1977 – *L'acteur et le système. Les contraintes de l'action collective.* Paris, Le Seuil, 500 p.

CRUISE O'BRIEN D., 1975 – Saints and politicians. Essay in the organisation of a Senegalese peasant society. Londres, Royaume-Uni, Cambridge University Press, 213 p.

CULTRU P., éd., 1913 – *Premier voyage du Sieur de la Courbe fait à la Côte d'Afrique en 1685, par Sieur Jajolet de la Courbe, 1685.* Paris, France, Edouard Champion et Emile Larose, Société de l'Histoire des colonies françaises.

DACOSTA H., 1989 – *Précipitations et écoulements sur le bassin de la Casamance.* Thèse de troisième cycle, Dakar, Sénégal, Université Cheikh Anta Diop, 273 p., *multigr.*

DACOSTA H., 1992 – « Pluviométrie et écoulement de surface sur le bassin versant de la Casamance ». *In* GrépinG., Pomerleau C., Pirot J. Y, éd. : *Conservation et utilisation durable des ressources naturelles du bassin hydrographique de la Casamance,* Ziguinchor-Dakar, Sénégal, Ajac-Zg/Orstom/UICN : 107-124.

DARBON D., 1988 – *L'administration et le paysan en Casamance. Essai d'anthropologie juridique.* Paris, Pédone, 222 p.

DARDE C., 1995 – *Les initiatives individuelles et collectives des femmes rurales. Approche socio-économique des activités des femmes dans le département de Bignona (Sénégal).* Thèse de doctorat agro-économie, nouveau régime. Montpellier, France, Ensa, 337 p. + annexes.

Derbac, 1993 – *Programme intégré d'aménagement hydro-agricole des bassins versants 1992-1995.* Sénégal, ministère du Développement rural et de l'Hydraulique, Projet autonome de développement rural de la Basse-Casamance, 45 p.

DIAME F., 1987 – *Par quelle céréale remplacer le riz ? Quelques problèmes posés par la culture du maïs en basse Casamance.* Conférence « Dynamique de la consommation et de la production de céréales en Afrique de l'Ouest », Isra-Ifpri, Dakar, 15-17 juillet 1987.

DIOUF M. B., 1984 – *La Basse-Casamance : organisation sociale, système foncier et migration. (Synthèse bibliographique).* Djibélor, Sénégal, Isra/CRA Djibélor, Mémoire de confirmation, Département Systèmes et Transfert, 84 p.

DIOUF M. B., 1991 – « Innovations techniques et dynamiques sociales villageoises. Le cas de duels en Basse Casamance ». *In* Olivier de Sardan J. P. , Paquot E., éd. : *D'un savoir à l'autre, les agents de développement comme médiateurs,* Paris, Gret/ministère de la Coopération : 100-107.

DIOUF M., 1992 – La crise de l'ajustement. *Politique Africaine*, 45 : 62-85.

DRESCH J., 1949 – La riziculture en Afrique occidentale. *Annales de géographie,* 312 (53) : 295-312.

DUPRE G., 1996 – Y-a-t-il des ressources naturelles ? *Cahiers des sciences humaines,* 32 (1) : 17-27.

DURUFLÉ G., 1988 – *L'ajustement structurel en Afrique. Sénégal, Côte-d'Ivoire, Madagascar.* Paris, Karthala, 205 p.

DURUFLÉ G., 1994 – *Le Sénégal peut-il sortir de la crise ? Douze ans d'ajustement structurel au Sénégal.* Paris, Karthala, Collection les Afriques, 222 p.

DURUFLÉ G., 1996 – *Tendances, contraintes et perspectives de l'agriculture sénégalaise.* Document de réflexion stratégique, novembre 1996.

ETESSE M., 1913 – Le caoutchouc en Casamance. *Caoutchouc et la gutta percha,* 107 : 6904-6907.

EYCHENNE D., BEYE M., 1990 – *La palmeraie de Casamance. Quel avenir ? Les paysans parlent.* Dakar, Sénégal, Enda-TM, Série Études et recherches, n° 105, 103 p.

FARRINGTON J., BEBBINGTON A., 1993 – *Reluctant partners. Non-governmental organizations, the state and sustainable agricultural developement.* London, United Kingdom, ODI, Routlege, 222 p.

FAYE J., BINGEN R. J., 1989 – *Sénégal. Organisation et gestion de la recherche sur les systèmes de production.* La Haye, Pays-Bas, Isnar, Ofcor, Case study n° 6, 186 p.

Fédération du Mali, 1960 – *Esquisses d'études préparatoires pour un aménagement régional. Présentation du programme intermédiaire de développement de la Casamance*, 27 p.

FOTZ W. J., 1982 – Le parti africain de l'indépendance : les dilemmes d'un mouvement communiste en Afrique occidentale. *Revue française d'études politiques africaines,* 67 : 8-35.

FRIEDBERG E., 1993 – *Le pouvoir et la règle. Dynamiques de l'action organisée.* Paris, Le Seuil, 405 p.

GASTELLU J.-M., 1980 – Mais où sont donc ces unités économiques que nos amis cherchent tant en Afrique. *Cahiers Orstom, série Sciences Humaines,* 17 (1-2) : 3-11.

GENTIL D., 1986 – *Les mouvements coopératifs en Afrique de l'Ouest. Intervention de l'État ou Organisations paysannes.* Paris, France, UCI, L'Harmattan, 269 p.

GENTIL D., MERCOIRET M. R., 1991 – Y-a-t-il un mouvement paysan en Afrique noire ?. *Tiers-Monde, 32* (128) : 867-886.

GIRARD J., 1963 – De la communauté traditionnelle à la collectivité moderne en Casamance. Essai sur le dynamisme du droit traditionnel. *Annales africaines.*

GOUSSAULT Y., 1973 – Stratifications sociales et coopération agricole. *Revue Tiers-monde,* 54 : 281-294.

GRANOVETTER M., 1985 – Economic action and social structure: the problem of embeddedness. *American Journal of Sociology,* 91 (3) : 481-510.

GRENIER P., CHENEAU-LOQUAY A., 1988 – *Énergie et espace au Sénégal. II- Travaux de la RCP (Recherche coopérative sur programme)* 693 (CNRS). Travaux et documents de géographie tropicale, 62, Talence, Ceget, 277 p.

HADDAD G., 1969 – Proposition d'une classification des rizières aquatiques de la Casamance. *Agronomie Tropicale*, 24 (4) : 393-402.

HADDAD G., SEGUY L., 1972 – Le riz pluvial dans le Sénégal méridional. Bilan de quatre années d'expérimentation. *L'Agronomie Tropicale,* 27 (4) : 419-461.

HARDY G., 1921 – *La mise en valeur du Sénégal de 1817 à 1854.* Paris, Emile Larose Éditeur, 376 p.

HARMS R., 1975 – The end of red rubber: a reassessment. *Journal of African History,* 16 (1) : 73-88.

HAUBERT M., 1981 – De la tradition communautaire à la modernité coopérative : évolution, greffage ou récupération. *Revue Tiers-Monde,* 22 (88) : 789-808.

HAUBERT M., 1992 – « Les “promoteurs populaires” au Mexique et en Amérique latine ». *In* Haubert M., éd. : *État et société dans le tiers-monde. De la modernité à la démocratisation ?* Paris, université Paris-I, Série Homme et Société : 307-320.

HAUBERT M., 1996 – *Signification et portée des dynamiques d'organisation des producteurs ruraux dans les pays en développement.* Montpellier, Cirad, Conseil scientifique, 27 p.

HESSELING G., 1994 – « La terre, à qui est-elle ? Les pratiques foncières en basse Casamance ». *In* Barbier-Wiesser F. G, éd. : *Comprendre la Casamance*, Paris, Karthala : 243-260.

HIRSCHMAN A. O., 1972 – *Face au déclin des entreprises et des institutions* (traduction française de *Exit, voice and loyalty. Responses to decline in firms, organizations and states*, 1970, Harvard University Press, Cambridge Massachussets, USA. Paris, Les Éditions ouvrières.

HIRSCHMAN A. O., 1984 – *Getting ahead collectively. Grassroots experiences in Latin America.* New York, USA, Pergamon Press, 101 p.

IASCP, 1992 – *Inequality and the commons. Abstracts.* Third common property conference, September 17-20, 1992, International association for the study of common property, Washington D. C., USA, 117 p.

Isra, 1979 – *Recherches rizicoles en Casamance. Bilan de 12 années (1967-1979).* Djibélor, Sénégal, CRR de Djibélor, manuscrit.

JACQUOT M., 1966 – L'amélioration du riz de plateau à la station IRAT de Sefa en Casamance, Sénégal. *L'Agronomie Tropicale,* 21 (1) : 32-37.

KAMUANGA M., POSNER J. L., DIOUF M. B., 1989 – *Zonage de la basse Casamance (Sénégal) et typologies des exploitations agricoles : un outil pour la recherche-développement.* Communication au second symposium RESPAO, Accra, 28 août-1er septembre 1989, 64 p.

LAFAYE C., 1996 – *La sociologie des organisations.* Paris, Nathan Université, 128 p.

LAUER J. J., 1969 – *Rice in the history of the lower Gambia-Geba area.* Thesis Master of Arts (History), University of Wisconsin, 100 p.

LEARY F., 1971 – « The role of the Mandinka in the islamization of the Casamance, 1850-1901 ». *In : Papers on the Manding,* Bloomington, Indiana, USA, Carleton Hodge Ed. : 227-248.

LECARD T., 1866 – Sur la Casamance et ses productions. *Moniteur du Sénégal et dépendances, Journal Officiel*, onzième année, nos 541-542-543.

LINARES DE SAPIR O. F., 1970 – « Agriculture and diola society ». *In* McLoughlin P. F. M. ed. : *African food production systems, Cases and theory,* Baltimore, USA, The Johns Hopkins Press : 193-227.

LINARES DE SAPIR O. F., 1971 – Shell middens of the Lower Casamance and some problems of diola protohistory. *West African Journal of Archeology*, 1 : 23-54.

LINARES O. F., 1981 – From tidal swamp to inland valley: on the social organization of wet rice cultivation among the diola of Senegal. *Africa,* 51 (2) : 557-595.

LINARES O. F., 1984 – « Households among the diola of Senegal: should norms enter by the front or the back door ». *In* Netting McC., Wilk R. R., Arnould E. J. eds : *Households, Comparative studies of the domestic group*, University of California Press : 407-445.

LINARES O. F., 1985 – Cash crops and gender constructs: the Jola of Senegal. *Ethnology* 24 (2) : 83-93.

LINARES O. F., 1986 – Islamic "conversion" reconsidered. *Cambridge Anthropology,* 11 (1) : 4-19.

LINARES O. F., 1987 – Defferring to trade in slaves: the Diola of Casamance, Senegal in historical perspective. *History in Africa*, 14 : 113-139.

LINARES O. F., 1992 – *Power, prayer and production. The jola of Casamance, Senegal.* Cambridge, Royaume-Uni, Cambridge University Press, 262 p.

LINARES O. F., 1995 – « Divergent responses to drought conditions: rice growing in three jola communities of Casamance, Senegal ». *In* Cheneau-Loquay A., Leplaideur A., éd. : *Les rizicultures de l'Afrique de l'Ouest,* Montpellier, Cirad : 347-357.

LOQUAY A., 1979 – *Thionck-Essyl en basse Casamance. Évolution récente de la gestion des ressources renouvelables.* Thèse de doctorat de troisième cycle, université de Bordeaux-III, UER de géographie, 336 p.

LOYER J. Y., BOIVIN P., LE BRUSQ J.-Y., ZANTE P., 1988 – « Les sols du domaine fluvio-marin de Casamance (Sénégal) : évolution récente et réévaluation des contraintes majeures pour leur mise en valeur ». *In* Dost H., ed. : *Selected papers of Dakar syposium on acid sulphat soils,* Wageningen, Pays-Bas : 16-23.

MACLAUD C., 1907 – La Basse-Casamance et ses habitants. *Bulletin de la société de géographie de la commune de Paris,* 29 : 176-202.

MARIUS C., 1979 – *Les mangroves du Sénégal. Écologie, pédologie, utilisation.* Dakar, Sénégal, Orstom, 84 p. + annexes.

MARK P. A., 1977 – The rubber and palm produce trades and the islamization of the Diola of Boulouf (Casamance), 1890-1920. *Bulletin de l'IFAN,* Série B, 39 (2) : 341-361.

MARK P. A., 1978 – Urban migration, cash cropping and calamity: the spread of Islam among the Diola of Boulouf (Senegal), 1900-1940. *African Studies Review,* 21 (2) : 1-14.

MARK P. A., 1985 – *A cultural, economic and religious history of the basse Casamance since 1500.* Studien zur Kulturkunde, 78, Franz Steiner Verlag Wiesbaden, GMBH, Stuttgart, 136 p.

MARTY A., 1990 – Les organisations coopératives en milieu pastoral : héritages et enjeux. *Cahiers des sciences humaines,* 26 (1-2) : 121-135.

MARUT J. C., 1994 – « Sénégal : les évolutions politiques en Casamance ». *In* : *L'Afrique politique 1994.* Paris, Karthala : 59-80.

MARUT J. C., 1995 – Situation militaire en Casamance. *Politique Africaine,* 58 : 163-169.

MARX K., 1881 – « Lettre à Véra Zassoulitch ». *In* : *Sur les sociétés pré-capitalistes. Textes choisis de Marx, Engels et Lénine,* Paris, Éditions sociales : 318-342.

MARZOUK-SCHMITZ Y., 1981 – *Stratégie et aménagement paysans. Deux écotypes humains en basse Casamance. À partir des monographies de Kamobeul et Niamdame.* Dakar, Sénégal, Usaid, *multigr.*

MARZOUK Y., 1992 – « Histoire des conceptions hydrauliques étatiques et paysannes en Basse-Casamance, Sénégal, 1960-1990 ». *In* Dupré G., éd. : *Savoirs paysans et développement,* Paris, Karthala.

MAYMARD J., 1974 – Structures africaines de production et concept d'exploitation agricole. *Cahiers Orstom, série Biologie,* 24 : 27-64.

MBODJ M., 1992 – « La crise trentenaire de l'économie arachidière ». *In* Diop M. C., dir. : *Sénégal, Trajectoires d'un État,* Dakar, Sénégal, Codesria : 95-135.

MERCOIRET M.-R., 1992 – Les organisations paysannes au Sahel : des réalités très diverses. *Les Cahiers de la Recherche-Développement,* 31 (1) : 1-13.

MERCOIRET M.-R., 1994 a – « Participation populaire et durabilité ». *In* Benoit-Cattin M., De Grandi J. C., éd. : *Promotion de systèmes agricoles durables dans les pays d'Afrique soudano-sahélienne*, Rome,Cirad/CTA/FAO : 185-197.

MERCOIRET M.-R., coord., 1994 b. – *Développement rural participatif, durabilité et environnement. Réflexions à partir de quelques cas principalement sahéliens.* Rome, FAO, Division des ressources humaines, des institutions et de la réforme agraire, 60 p. + annexes.

MERCOIRET M.-R., 1996 – « Organisations de producteurs et nouvelles configurations institutionnelles ». *In* : *Recherches système en agriculture et développement rural,* conférences et débat, Cirad, AFSRE, Symposium international, Montpellier, 21-25 novembre 1994, Montpellier, Cirad : 353-371.

MERCOIRET M.-R., BERTHOME J., 1990 – *Étude des stratégies paysannes face à la sécheresse dans la zone de l'association intervillageoise Cadef (Département de Bignona, Sénégal).* Tome 1, Montpellier, Cirad, 217 p.

MERCOIRET M.-R., VUARIN P., BERTHOME J., GENTIL D., BOSC P.-M., 1997 – *États désengagés, paysans engagés. Perspectives et nouveaux rôles des organisations paysannes en Afrique et en Amérique latine.* Compte rendu de l'atelier international de Mèze, France, 20-25 mars 1995, Paris, FPH, Dossier pour un débat, 189 p.

MILLEVILLE P., 1974 – Enquête sur les facteurs de la production arachidière dans trois terroirs de moyenne Casamance. *Cahiers Orstom, série Biologie,* 24 : 65-99.

MILLEVILLE P., coord., 1995 – *Stratégies et comportements des agriculteurs les plus pauvres vis-à-vis de l'intensification et de la préservation des ressources naturelles dans les pays de l'Afrique soudano-sahélienne.* FAO/Laboratoire d'études agraires, Orstom, Montpellier, 141 pages.

MONTOROI J.-P., 1992 – « Les sols et l'agriculture dans le domaine estuarien de basse Casamance ». *In* Grépin G., Pomerleau C., Pirot J. Y., éd. : *Conservation et utilisation durable des ressources naturelles du bassin hydrographique de la Casamance,* Ajac-Zg/Orstom/UICN, Ziguinchor-Dakar : 52-59.

MONTOROI J.-P., 1995 – « La riziculture inondée en basse Casamance. Contribution des petits barrages anti-sel à la réhabilitation des bas-fonds chimiquement dégradés par la sécheresse ». *In* Cheneau-Loquay A., Leplaideur A., éd. : *Quel avenir pour les rizicultures de l'Afrique de l'Ouest,* Montpellier, Cirad.

NDIAME F., 1988 – *Mise au point et transfert de technologies améliorées de production pour les exploitations agricoles de la Basse Casamance : expérience de l'équipe-système de Djibélor.* Dakar, Isra, 26 p.

NDIAME F., 1994 – A technology development partnership. The Isra/Cadef research/development program in the Lower Casamance. *African Rural and Urban Studies,* 1 (1) : 73-90.

NICOU R., SEGUY L., 1970 – Comparaison de l'enracinement de quatre variétés de riz pluvial en présence ou en l'absence de travail du sol. *L'Agronomie Tropicale,* 25 (8) : 639-659.

OAKERSON R. J., 1992 – « Analyzing the commons: a framework ». *In* Bromley D. W. ed. : *Making the commons work. Theory, practice and policy,* San Francisco, USA, Institute for contemporary studies press : 41-59.

OLIVIER de SARDAN J. P., 1990 – Populisme développementaliste et populisme en sciences sociales. : idéologie, action, connaissance. *Cahiers d'études africaines,* XXX (4) , 120 : 475-492.

OLSON M., 1978 – *La logique de l'action collective* (traduction française de *The logic of collective action. Public goods and the theory of group,* 1966, Harvard University Press. Paris, PUF, 199 p.

OSTROM E., 1990 – *Governing the commons. The evolution of institutions for collective action.* New York, USA, Cambridge University Press, 280 p.

OSTROM E., 1992 – *Crafting institutions for self-governing irrigation systems.* San Francisco, USA, Institute for contemporary studies press, 111 p.

OSTROM E., 1993 – Design principles in long-enduring irrigation institutions. *Water resources research,* 29 (7) : 1907-1912.

OSTROM E., GARDNER R., 1993 – Coping with asymetries in the commons: self-governing irrigation system can work. *Journal of economic perspectives,* 7 (4) : 93-112.

PAGES J., DEBENAY J. P., LE BRUSQ J. Y., 1987 – L'environnement estuarien de la Casamance. *Revue d'hydrobiologie tropicale,* 20 (3-4) : 191-202.

PAUL J. L., BORY A., BELLANDE A., GARGANTA E., FABRI A., 1995 – « Quel système de référence pour la prise en compte de la rationalité de l'agriculteur : du système de production agricole au système d'activité ». In : *Recherches-système en agriculture et développement rural,* Symposium international, Montpellier, France, 21-25 novembre 1994 : 46-52.

PAULME D., éd., 1971 – *Classes et associations d'âge en Afrique de l'Ouest.* Paris, Plon.

PÉLISSIER P., 1953 – « Afrique occidentale française ». In INCIDI, 1953.

PÉLISSIER P., 1966 – *Les paysans du Sénégal. Les civilisations agraires du Cayor à la Casamance.* Saint-Yriex, Imp. Fabrègue, 939 p.

POCTHIER G., 1981 – *Transfert de technologie : cas de Mampalago (Sénégal-1973/1981*). Bambey, Sénégal, CNRA, 50 p., *multigr.*

PORTÈRES R., 1952 – *Aménagement de l'économie agricole et rurale au Sénégal.* Dakar, Sénégal, Gouvernement général de l'Afrique Occidentale française, 413 p.

PORTÈRES R., 1955 – Historique sur les premiers échantillons d'*Oryza glaberrima* recueillis en Afrique. *Journal d'Agriculture Tropicale et de Botanique Appliquée,* octobre-novembre 1955 : 535-537.

PORTÈRES R., 1962 – Berceaux agricoles primaires sur le continent africain. *Journal of African History,* 3 (2) : 195-210.

PORTÈRES R., 1950 – Vieilles agricultures de l'Afrique intertropicale. Centres d'origine et de diversification variétale primaire et berceaux d'agricultures antérieurs au XVe siècle. *L'Agronomie Tropicale,* 9-10 : 489-507.

POSNER J. L., 1988 – Une approche de la recherche agronomique en basse Casamance. Synthèse bibliographique. East Lansing, USA, *MSU International Development Papers,* 47 p.

POSNER J., KAMUANGA M., SALL S., 1985 – *Les systèmes de production en basse Casamance et les stratégies paysannes face au déficit pluviométrique.* Travaux et documents n° 4, Département Système et Transfert, Centre de Djibélor, Isra, Dakar, République du Sénégal, 33 p.

REBOUL C., 1977 – Déterminants sociaux de la fertilité des sols. Fertilité agronomique et fertilité économique. *Actes de la recherche en sciences sociales,* 17-18 : 88-112.

REBOUL C., 1989 – *Monsieur le capital et madame la terre. Fertilité agronomique et fertilité économique.* Paris, Éditions EDI/Inra, 256 p.

REBOUL C., 1987 – Les associations de village de la vallée du fleuve Sénégal. *Revue Tiers-Monde,* 1987, 28 (110) : 435-440.

République du Sénégal, 1986 – Étude pédologique sur la vallée de Bignona en Casamance. Dakar, Sénégal, Ministère de l'Hydraulique, 106 p. + annexes.

République du Sénégal, 1991 a – *Séminaire sur les barrages anti-sel et l'utilisation des terres basses en Casamance. Rapport introductif.* Dakar, Sénégal, MDRH, PNVA, 13 p.

République du Sénégal, 1991 b – *Séminaire sur les barrages anti-sel et l'utilisation des terres basses en Casamance. Bilan des barrages réalisés par la Somivac. Rapport principal.* Dakar, Sénégal, MDRH, PNVA, 34 p.

République du Sénégal, 1991 c – *Séminaire sur les barrages anti-sel et l'utilisation des terres basses en Casamance. Bilan des barrages réalisés par la Somivac. Annexes : fiches techniques par barrage.* Dakar, Sénégal, MDRH, PNVA, 82 p.

REVEYRAND O., 1986 a – Les associations féminines en Afrique noire, l'exemple de la Casamance. Première partie. *Le mois en Afrique,* 249-250 : 119-139.

REVEYRAND O., 1986 b – Les associations féminines en Afrique noire, l'exemple de la Casamance. Deuxième partie. *Le mois en Afrique,* 251 : 97-120.

RIST G., 1996 – *Le développement. Essai sur une croyance occidentale.* Paris, Presses de Sciences Po.

ROBINSON K. E., 1950 – The "sociétés de prévoyance" in French West Africa. *Journal of African Administration,* 2 : 29-35.

ROCHE C., 1985 – *Histoire de la Casamance. Conquête et résistance : 1850-1920.* Paris, Karthala, 401 p.

RODNEY W., 1970 – *A history of the Upper Guinea coast, 1545-1800.* Oxford, UK, Clarendon Press, 283 p.

ROUSSEAU R., 1931 – Les pluies au Sénégal de 1887 à 1927. *Bulletin du Comité d'études historiques et scientifiques de l'Afrique Occidentale française,* 14 : 157-182.

ROUVIÈRE M. C., 1989 – *Les organisations paysannes en Afrique noire francophone. Approche bibliographique.* Montpellier, France, Cirad-Dsa, 166 p.

RYCKMANS H., 1990 – *La sueur, l'huile et le fromager. Groupements de producteurs de palme en Casamance.* Dakar, Sénégal, Enda-TM, Série Études et recherches n° 105, 103 p.

SAHLINS M. D., 1961 – The segmentary lineage: an organization of predatory expansion. *American Anthropologist,* 63 (2) : 322-345.

SCHLAGER E., OSTROM E., 1992 – Property-rights regimes and natural resources: a conceptual analysis. *Land economics,* 68 (3) : 249-62.

SCHMID A. A., 1972 – Analytical institutional economics: challenging problems in the economics of resources for a new environment. *American journal of agricultural economics,* 54 (5) : 893-901.

SEBILLOTTE M., 1993 – L'agronome face à la notion de fertilité. *Nature, Sciences et Sociétés,* 1 (2) : 128-141.

SIBAND P., 1976 – Quelques réflexions sur les potentialités et les problèmes des sols gris de Casamance. *Agronomie Tropicale,* 31 (2) : 105-113.

SIMMONS W. S., 1979 – Islamic conversion and social change in a Senegalese village. *Ethnology,* 18 (4) : 303-323.

SIMON E., 1859 – La Casamance et les peuplades qui en habitent les bords. *Bulletin de la Société de Géographie de Paris,* 4e série, 18 : 115-142.

SNYDER F. G., 1978 – Legal innovation and social change in a peasant community. A senegalese village police. *Africa,* 48 (3) : 231-247.

SNYDER F. G., 1981 – *Capitalism and legal change: an African transformation.* New York and London, Academic Press, 334 p.

Somivac, 1984 a – *Analyse de rentabilité financière et économique de l'utilisation de l'engrais en Casamance.* Ziguinchor, Sénégal, Somivac, BEEP, document de travail n° 3, 36 p. + annexes.

Somivac, 1984 b – *L'évaluation de l'impact du Pidac en basse Casamance. La campagne agricole 1982-83. Deuxième partie : L'impact agronomique de l'adoption des thèmes techniques.* Ziguinchor, Sénégal, Somivac, BEEP, document de travail n° 4, 34 p. + annexes.

Somivac, 1985 – *Note sur la situation des barrages en basse Casamance.* Ziguinchor, Sénégal, BEEP, Somivac, mai 1985, 38 p.

SONKO M. L., 1986 – « Les modes d'appropriation, de gestion et de conduite des animaux au sein d'un village diola (Boulandor). Contribution à l'étude du fonctionnement des systèmes agraires de basse Casamance ». *In : Actes du Séminaire « Relations Agriculture Elevage »,* DSA-Cirad, Montpellier, 10-13 septembre 1985 : 246-251.

SURET-CANALE J., 1977 – La Sénégambie à l'ère de la traite. *Revue canadienne des études africaines*, 11 (1) : 125-134.

THOMAS L. V., 1959 – Les Diola. Essai d'analyse fonctionnelle sur une population de basse Casamance. *Mémoire de l'Insitut français d'Afrique noire*, n° 55, IFAN-Dakar, 343 p.

THOMAS L. V., 1960 – L'organisation foncière des Diola (Basse Casamance). *Annales africaines*, Faculté de droit et des sciences économiques de Dakar, Imprimerie Guillemot et de Lamothe, Paris : 199-223.

THOMAS L. V., 1963 – « Essai sur quelques points relatifs au régime foncier des Diola de Basse-Casamance (Sénégal) ». *In* Biebayck D. ed. : *African Agrarian Systems,* Oxford, Royaume-Uni, Oxford University Press : 314-330.

TILLY Ch., 1990 – *From mobilization to revolution.* McGraw-Hill, 348 p. (*first published*, 1978).

TOURAINE A., 1984 – *Le retour de l'acteur. Essai de sociologie.* Paris, Fayard, 350 p.

TOUZÉ R. L., 1963 – *Bignona en Casamance.* Dakar, Sénégal, SEPA.

TRAVERSE S., 1971 – *Techniques agronomiques pour la riziculture aquatique en basse Casamance, rapport 1970.* Dakar, Sénégal, Isra.

TRAVERSE S., 1973 – *Techniques agronomiques pour la riziculture aquatique en basse Casamance, rapport 1972-73.* Dakar, Sénégal, Isra.

VALLON A., 1862 – La Casamance, dépendance du Sénégal. *Revue Maritime et Coloniale,* 6 : 456-474.

WADE R., 1988 – *Village republics: economic conditions for collective action in South India.* Cambridge, USA, Cambridge University Press, 238 p.

WADE M., FAYE I., 1995 – « Un système d'amélioration de la production rizicole dans les bas-fonds salés de la Casamance ». *In* Cheneau-Loquay A., Leplaideur A., éd. : *Quel avenir pour les ricicultures de l'Afrique de l'Ouest ?,* Talence, Montpellier, France.

WEBER J., 1993 – *Gestion des ressources renouvelables : fondements théoriques d'un programme de recherche.* Paris, Cirad/Green, 21 p., *multigr.*

WEIL P. M., 1980 – Mandinka adaptation to colonial rule in the Gambia. *Cultures et développement,* 12 (2) : 295-318.

WEIL P. M., 1984 – Slavery, groundnuts and European capitalism in the Wuli Kingdom of Senegambia, 1820-1930. *Research in economic development,* 6 : 77-119.

WORSLEY P., ed., 1971 – *Two blades of grass. Rural cooperatives in agricultural modernization.* Manchester, United Kingdom, Manchester University Press, 395 p.

YUNG J. M., BOSC P. M., 1993 – « Schumpeter au Sahel ». *In : L'innovation en milieu rural,* Orstom, Documents scientifiques du laboratoire d'études agraires n° 4 : 193-221.

YUNG J. M., ZASLAVSKY J., 1992 – *Aperçus sur les stratégies des producteurs et des organisations paysannes dans le delta du fleuve Sénégal.* Montpellier, Cirad-SAR, 119 p.

YUNG J.-M., 1985 – « Évaluation de la filière arachide au Sénéga ». *In* Boiral, Lanteri, Olivier de Sardan J. P., éd. : *Paysans, experts et chercheurs en Afrique noire.* Sciences sociales et développement, Paris, Karthala : 83-101.

ZUCCARELLI F., 1966 – Au Sénégal : la démocratie d'un parti dominant. *Revue juridique et politique,* 20 : 285-294.

ZUCCARELLI F., 1973 – De la chefferie traditionnelle au canton : l'évolution du canton colonial au Sénégal, 1855-1960. *Cahiers d'Études Africaines,* 13 (2) : 213-238.

ZUCCARELLI F., 1976 – L'évolution récente de la vie politique au Sénégal. *Revue française d'études politiques africaines,* 127 : 85-102.

Liste des sigles et abréviations

Ajac : Association des jeunes agriculteurs de Casamance.

AJ-MRND : Andë Jëf - Mouvement révolutionnaire pour la nouvelle démocratie.

Amicar : Amicale des anciens du Cara.

Amira : Amélioration des méthodes d'investigation en milieu rural africain.

BAD : Banque africaine de développement.

BIT : Bureau international du travail.

BM : Banque mondiale.

Cadeb : Comité d'action pour le développement de la ville de Bignona.

Cadef : Comité d'action pour le développement du Fogny.

Cara : Centre d'animation rurale d'Affiniam.

Ceget : Centre d'étude de géographie tropicale.

CER : centre d'expansion rurale.

CGOT : Compagnie générale des oléagineux tropicaux.

CGIAR : Consultative Group on International Agricultural Research.

Ciepac : Centre international pour l'éducation permanente et l'aménagement concerté.

Cirad-SAR : Centre international de recherche agronomique pour le développement-Département des systèmes agro-alimentaires et ruraux.

CNCAS : Caisse nationale de crédit agricole du Sénégal.

CNRA : Centre national de la recherche agronomique (Bambey, Sénégal).

CNRS : Centre national de recherche scientifique.

Cord : Coordination des organisations rurales du département de Bignona

CRDI : Centre de recherche pour le développement international (Ottawa).

Derbac : Projet de développement rural de la Basse Casamance.

Enda : Environnement et développement du tiers-monde (Environmental Development Action in the Third World).

F CFA : Franc de la Communauté financière africaine.

FED : Fonds européen de développement.

FGPF : Fédération départementale des groupements de promotion féminine.

Fides : Fonds d'investissement pour le développement économique et social.

Fongs : Fédération des organisations non gouvernementales du Sénégal.

FMI : Fonds monétaire international.

GIE : Groupement d'intérêt économique.

Gopec : Groupement opérationnel d'étude et de concertation.

Icra : International Centre for Development oriented Research in Agriculture.

Iedes : Institut d'étude du développement économique et social.

Ilaco : International Land Development Consultants.

Irat : Institut de recherches agronomiques tropicales.

Isra : Institut sénégalais de recherches agricoles.

MAC : Mission agricole chinoise.

MFDC : Mouvement des forces démocratiques de Casamance.

NPA : Nouvelle politique agricole (Sénégal).

NPI : Nouvelle politique industrielle (Sénégal).

Oncad : Office national de coopération et d'assistance pour le développement.

Orstom : Institut français de recherches scientifiques pour le développement en coopération (aujourd'hui Institut de recherche pour le développement, IRD).

Paarz : Projet d'appui à l'autopromotion dans la région Ziguinchor.

PAI : Parti africain de l'Indépendance.

Papem : Points d'appui, de prévulgarisation et d'expérimentation multilocale.

Pidac : Projet intégré de développement de l'agriculture en Casamance.

PAS : plan d'ajustement structurel.

PPFS : Projet pour la protection des forêts du Sud.

PRA : Parti du regroupement africain.

PRA-S : Parti du regroupement africain-Sénégal.

Proges : Projet de gestion des eaux du Sud.

PRS : Projet riz Sédhiou.

SARV : Section d'application de la recherche à la vulgarisation.

SIP (SP) : Société indigène de prévoyance.

Sodagri : Société de développement agricole et industriel.

Sodefitex : Société de développement des fibres textiles.

Sodeva : Société de développement et de vulgarisation agricole.

Somivac : Société de mise en valeur agricole de la Casamance.

Sonacos : Société nationale de commercialisation des oléagineux du Sénégal.

Sonar : Société nationale d'approvisionnement du monde rural.

STN : Société des Terres Neuves.

US-AID : United States Agency for International Development.

Table des matières

louisjean
IMPRIMEUR

59, Av. Émile Didier
05003 Gap Cedex
Tél. 04 92 53 17 00
Dépôt légal : 141
Février 2005
Imprimé en France